Get free access on:

idee.it
italiano-digitale-edizioni-edilingua

www.i-d-e-e.it → Sign up → Student

Insert code

GO!

Get a discount when ordering books for your level on:

www.edilingua.it

Easy readers

Your interactive workbook with auto correction

Engaging games for extra practice!

Grammar

Listening

Videos and audios

Libri di classe ⌄

Once you create an account on the **i-d-e-e** platform, you will be also able to buy the *Libro interattivo* (the fully interactive Italian version of the Student's book with videos and audios) at an 80% discount.

Also
- exam preparation
- Italian culture etc.

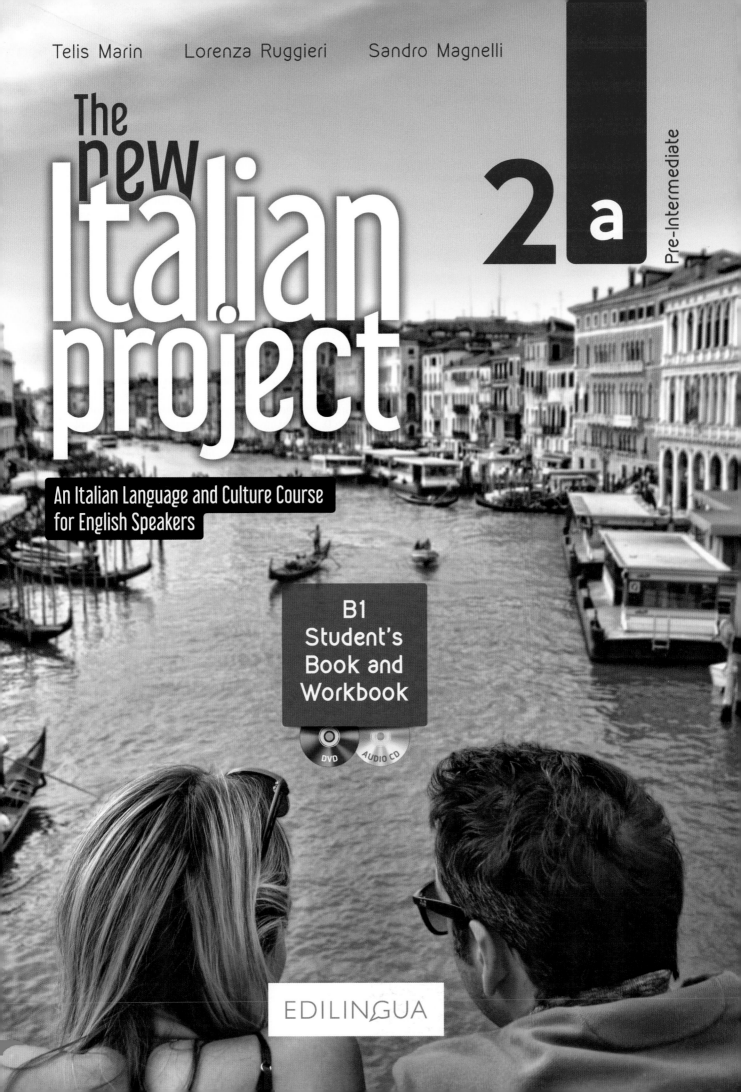

Telis Marin   Lorenza Ruggieri   Sandro Magnelli

The new Italian project

2ª

Pre-Intermediate

An Italian Language and Culture Course
for English Speakers

B1
Student's
Book and
Workbook

DVD   AUDIO CD

EDILINGUA

1st edition: May 2021
ISBN: 978-88-31496-82-7 (+ DVD + Audio CD 1)

Editors:
Antonio Bidetti, Daniele Ciolfi, Anna Gallo,
Sonia Manfrecola, Laura Piccolo, Elisa Sartor

Translator: Aria Cabot

Photographs: Shutterstock, Telis Marin
Cover photo: Telis Marin

Layout and graphics:
Edilingua

Illustrations:
Lorenzo Sabbatini, Massimo Valenti

Audio recordings and video production:
Autori Multimediali, Milano

© **Copyright edizioni Edilingua**
Headquarters
Via Giuseppe Lazzati, 185
00166 Rome, Italy
Phone +39 06 96727307
Fax +39 06 94443138
info@edilingua.it
www.edilingua.it

Depot and Distribution Center
Via Moroianni, 65
12133 Athens, Greece
Phone   +30 210 5733900
Fax   +30 210 5758903

Telis Marin after receiving an undergraduate degree in Italian language studies, completed a Master ITALS (Italian teaching certification) at the Università Ca' Foscari in Venice and has experience teaching in various Italian language schools. He is the director of Edilingua and has authored various Italian text-books: *Nuovo* and *Nuovissimo Progetto italiano 1, 2,* and *3* (textbook), *Via del Corso A1, A2, B1, B2* (textbook), *Progetto italiano Junior 1, 2,* and *3* (classroom manual), *La nuova Prova orale 1, Primo Ascolto, Ascolto Medio, Ascolto Avanzato, Nuovo Vocabolario Visuale, Via del Corso Video*. He co-authored *Nuovo* and *Nuovissimo Progetto italiano Video, Progetto italiano Junior Video* and *La nuova Prova orale 2*. He has held numerous teaching workshops all over the world.

L. Ruggieri is an instructor of Italian as a Second Language. She holds a degree in Foreign Languages and Literatures from the Università degli Studi di Milano. She completed a Ph.D. at the University of Granada, where she works as a researcher in comparative literature and linguistics with the Grupo de *investigaciones filológicas* y *de cultura hispánica*.

S. Magnelli teaches Italian language and literature in the Italian department of the Aristotle University of Thessaloniki. She has taught Italian as a Second Language since 1979 and has collaborated with the Italian Cultural Institute of Thessaloniki, where she taught until 1986. Since then, she has been in charge of curriculum development for linguistic institutions that offer Italian as a Second Language.

The authors and editor would like to thank the many colleagues whose valuable feedback contributed to the improvements in the revised edition of this book.

Additionally, they extend their sincere gratitude to the fellow teachers who, by reviewing and testing the material in their classrooms, contributed to the final product.

Finally, a special thanks to the publisher's editors and graphic designers for their extreme diligence.

To my daughter
Telis Marin

The authors would appreciate any suggestions, remarks, or comments about this volume (to be sent to redazione@edilingua.it).

All human actions have an impact on the environment. At Edilingua we are certain that the future of our planet depends on each of us. "**Our planet needs your help**" is a small but dedicated awareness campaign aimed at students: each of our books represents an invitation to reflect, save energy, and reduce carbon emissions. More information is found on our site (in "chi siamo").

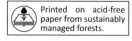

Printed on acid-free paper from sustainably managed forests.

Preface

The new Italian Project is a fully updated edition of a modern Italian language course for non-native speakers. It is intended for adult and young adult learners and covers all levels of the Common European Framework of Reference (CEFR).

The main characteristics of the book are:

- a balance of communicative and grammatical content;
- an inductive approach;
- a systematic development of the four skills;
- a fast pace;

- a presentation of socio-cultural aspects of contemporary Italy;
- numerous supplementary materials (paper and digital);
- user-friendly.

The fact that the previous edition of this textbook is an international best seller allowed us to collect comments from hundreds of teachers who work in diverse learning environments. Their valuable feedback and our direct experience in the classroom enabled us to evaluate and determine which changes to implement in order to update the book's content and methodology. At the same time, we have respected the philosophy of the previous edition, appreciated by the many teachers who "grew up" professionally using the book in their classrooms.

In *The new Italian Project 2a*:

- there are 5 chapters (1-5) with the same content as the two volumes of the previous edition (textbook and workbook);
- all of the dialogues have been revised: they are shorter, more spontaneous, and closer to spoken Italian;
- some activities were changed to become more inductive and engaging;
- the pace remains fast;
- there is greater continuity between the chapters thanks to the presence of recurring characters in different situations, who also appear in the video episodes;
- the video episodes and the "Lo so io" quizzes have been completely redone, with new actors and locations and updated scripts;
- the video episodes are better integrated with the structure of the course, in that they complete or introduce the opening dialogue;
- many of the authentic audio files have been replaced; all other audio files have been revised and recorded by professional actors;
- the section "Per cominciare" presents a greater variety of pedagogical techniques;

- some grammatical structures are presented in a more inductive and simple manner;
- some of the grammar tables have been simplified or moved to the new *Approfondimento grammaticale* section;
- the culture sections have been updated and the texts are shorter;
- a careful review of the vocabulary was conducted following a spiral approach between the chapters, and between the textbook and workbook;
- in addition to the games that were already present, a short, fun activity was added to each unit;
- the board game and new digital games on the i-d-e-e platform make it more fun for students to review course material;
- the layout was updated with new photos and illustrations, and the pages are less dense;
- the Instructor's Edition (with answer keys) and Manual (also available in digital format) facilitate and diversify the instructor's role;
- in the Workbook, printed entirely in color, various exercises have been diversified with matching, re-ordering, and multiple-choice options instead of open-ended questions.

The workbook, in addition to exercises designed with various Italian language exams in mind (CELI, CILS, PLIDA), includes unit exams at the end of each chapter (to be administered after the culture sections), two summary tests, and a learning game, like the "gioco dell'oca," that covers the most important topics of the chapters.

The i-d-e-e.it platform

In the inside cover of the book, students will find an access code for the i-d-e-e.it learning platform. The code provides free access for 18 months (from the time of activation) to the following learning materials and tools:

- fully interactive versions of the workbook activities, with automatic correction and scoring. Students can complete them independently and repeat them at any time if they want additional practice;
- video and quiz episodes;
- audio files;
- new online games, exclusively for Edilingua, that provide a fun and extremely effective means of reviewing material;
- interactive grammar, tests, and games prepared by the teacher, virtual classroom space, etc.

Moreover, on i-d-e-e, students can purchase various e-books (the student edition of the textbook, simplified readings, the *Nuovo Vocabolario Visuale*, *Verbi*, and more) and many other materials (video, audio).

On their end, instructors on i-d-e-e:

- see the results of the exercises completed by their students, and the mistakes each has made. This allows them to dedicate less class time to correcting exercises;
- find all of the videos for the course;
- can assign to their specific sections various tests and games that are already available, personalize them, or create new ones;
- find the software for the interactive whiteboard for *The new Italian Project 2* (also available offline on a DVD);
- can consult other teaching materials published by Edilingua.

 This symbol, which students find in the middle and at the end of every chapter of the workbook, indicates the availability of our new online games (*Cartagio*, *Luna Park*, *Il giardino di notte*, *Orlando*, and *Sogni d'oro*) that allow students to review the content of the chapter.

Extra Materials

The new Italian Project 2a is complemented by a series of innovative supplementary resources.

- **i-d-e-e**: an innovative platform that includes all workbook exercises in an interactive format and a series of extra resources and tools for students and teachers.
- **E-book**: a digital version of the student edition of the textbook for Android, iOS, and Windows devices (on blinkLearning.com).
- **Interactive Book**: available on i-d-e-e.it, in the teacher's environment, it includes automatic correction for the Student's Book's exercises, audio tracks with transcriptions and videos. It can also be used as IWB: easy, functional, and complete. Using a projector will make your lesson more motivating and it will increase collaboration among students.
- **DVD** included with the book and available on i-d-e-e.it. The DVD features an educational sitcom that can be watched alongside the chapter or on its own. The video episodes and corresponding activities follow the same lexical and grammatical progression as the textbook and complement the dialogues and topics presented in the chapters.
- **Audio CD** included with the book and available on i-d-e-e.it. The audio files, recorded by professional actors, are natural and spontaneous; many of the authentic audio files have been replaced by updated texts.
- **Undici Racconti** (also available as an e-book): short, graduated readings based on situations from the textbook.
- **Online games**: different types of games to review the content from each unit, available for free on i-d-e-e.it.
- **Board game**: 4 different kinds of learning games that provide a fun way to review and reinforce course material.
- **Interactive glossary**: free application for Android and iOS devices to learn and review vocabulary in a fun, effective way.

Many other materials are available for free on Edilingua's website: the *Guida digitale*, with valuable suggestions and many materials that can photocopied; *Test di progresso*; *Glossari in varie lingue*; *Attività extra e ludiche*; collaborative and task-based *Progetti* (one per unit); and the *Attività online*, which are signaled by the specific symbol at the end of each unit and which offer motivating activities, on secure and periodically reviewed websites, that guide the student toward the discovery of a more lively and dynamic image of Italian culture and society.

Good luck as you get started!

Telis Marin

Legend of symbols

 Listen to Track 12 of the CD

 Complete the video activities on page 85

 Free speaking activity

 Mini projects (tasks)

 Pair work

 Complete Exercise 14 on page 102 of the *Workbook*

 Group work

 Online games on i-d-e-e.it

 Communicative roleplay

 Go to www.edilingua.it and complete the online activities

 Writing activity (60-80 words)

 Gamified activity

 English Glossary

Prima di... cominciare

Glossary
p. 181

Comprensione e comunicazione

1 a Ascoltate e abbinate le frasi alle funzioni comunicative.

[CD 1 / 1]

- [ ] a. dare indicazioni stradali
- [ ] b. esprimere accordo
- [ ] c. invitare
- [ ] d. chiedere un parere

- [ ] e. ordinare al ristorante
- [ ] f. esprimere rammarico/disappunto
- [ ] g. accettare un aiuto
- [ ] h. chiedere un favore

b Ascoltate di nuovo per verificare le vostre risposte e scrivete due frasi con due espressioni a scelta tra quelle appena ascoltate.

....
....
....

Grammatica

2 Completate le frasi con i verbi al tempo e al modo opportuni.

1. Quando .... (*studiare*) all'università, i fine settimana organizzavo sempre delle gite.
2. .... (*venire*) volentieri con voi al mare, ma dovevo per forza andare in ufficio.
3. Per favore Paolo, ... (*darmi*) una mano a spostare questo divano!
4. Quando sono arrivato alla fermata, l'autobus .... (*partire*) da poco.
5. Se .... (*bere*) il caffè la sera, poi non riesco a dormire.
6. Se passo l'esame, ... (*essere*) il primo a saperlo: mi hai aiutato così tanto!
7. Oggi comincia il corso di lingua cinese, ieri .... (*cominciare*) il corso di lingua spagnola e Francesco, alla fine, ... (*iscriversi*) a quest'ultimo.
8. Il film che .... (*vedere*) ieri mi ricorda un libro con una trama simile.

Produzione orale

3 Lavorate in coppia. Mare, montagna, lago, città d'arte...? Albergo, campeggio, casa di amici...? Raccontate dove e come avete trascorso le ultime vacanze.
Poi ognuno riferisce alla classe cosa ha fatto il compagno.

Bogliasco, Genova

Comunicazione

💬 **4** Cosa direste nelle seguenti situazioni? Rispondete oralmente.

1

Spiega a un tuo compagno come andare da Piazza del Quirinale (punto A) alla Fontana di Trevi (punto B), oppure a Palazzo Colonna (punto C).

2 Sei in un ristorantino a Roma. Cosa ordini?

3 Entri in un negozio di abbigliamento per comprare un paio di jeans e una maglietta. Cosa dici al commesso/alla commessa?

4 Telefona a un tuo amico per invitarlo al cinema. Informalo sugli orari, su cosa andate a vedere e perché ne vale la pena.

Produzione scritta

50-60

5 Scrivete un'email al/alla vostro/a insegnante per raccontare in breve cosa vi è piaciuto di più e cosa di meno (dal punto di vista dei contenuti linguistici, dei compagni di studio ecc.) del precedente corso di italiano.

Lessico

6 a Trovate le 11 parole riferite al mondo del cinema e della televisione.

b Abbinate le parole alle immagini.

```
S D T E R D G I K A P E R S
R T E L E G I O R N A L E C
G C L I C G A T P E I D G R
T C E D E S L Q E G G B I B
I Q C A N A L E B P G D S E
F T O L S C O F H R T F T I
G A M M I E F T R O S C A R
I G A E O C R B Q G I A G R
E B N R N T E Q E R H P E C
E F D R E A C I A E F F I
R H O Q H T C O M M E D I A
A T V F H B N K O M P A L P
P U B B L I C I T A E T M C
```

1

2

3

5

4

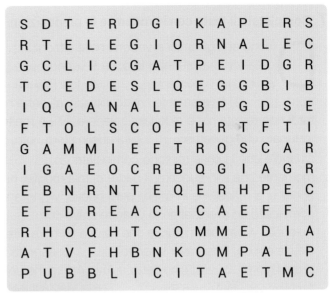

6

7

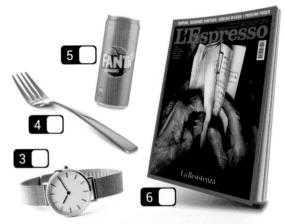

8

9

10

11

12

a. Natale ❖ b. forchetta ❖ c. valigia ❖ d. fioraio ❖ e. pasticceria ❖ f. rivista ❖ g. orologio
h. concerto ❖ i. cornetto ❖ l. scarpe ❖ m. mercato ❖ n. lattina

Grammatica

7 Completate il testo con i pronomi e le preposizioni.

Dicono che gli amici si vedono nelle difficoltà, [...] io dico, invece, che gli amici .... (1) vedi nella fortuna, quando le cose ti vanno bene [...]. Allora lo vedi, l'amico. Se ti è veramente amico, lui è contento .... (2) tua fortuna, come tua madre, come tua moglie. Ma, se non .... (3) è veramente amico, l'invidia gli entra nel cuore e lo consuma in modo che presto o tardi non resiste più e te lo lascia vedere. Eh, è molto più difficile non essere invidioso dell'amico fortunato che generoso .... (4) quello sfortunato. [...]

Quand'è che le cose mi sono cominciate .... (5) andar bene? Posso dirlo con precisione, dal momento che mio suocero, il padre di mia moglie, ha deciso .... (6) aiutarmi e così ho potuto aprire una macelleria in quelle parti nuove, vicino a via Angelo Emo. Ora quand'è che Arturo ha cominciato ad avere, almeno quando stava con .... (7), quel viso falso, quel sorriso non since- ro, quella voce poco naturale che pareva sempre dire le cose a mezza bocca [...]? proprio verso la stessa epoca. Dopo aver lavorato .... (8) segreto tutta l'estate per sistemare la macelleria, uno di quei giorni .... (9) ho detto: – Ahò, Arturo, ho una sorpresa per te. [...] vieni con me e lo saprai.

Arriviamo in via Angelo Emo, ... (10) indico il mio negozio con l'insegna "Luigi Proietti, Macel- leria" e faccio: – Che ne dici?

Lui guarda e risponde: – Ah, questa era la sorpresa –, a denti stretti.

[...] Ora, chiunque [...] avrebbe esclamato: "Oh quanto è bello... Gigi hai una macelleria che è proprio un sogno... sono felice .... (11) te". Chiunque, ma non Arturo. [...]

Ci sono rimasto male e ho insistito, stupidamente: – Macellerie come queste .... (12) Roma ce ne sono poche.

E lui: – Bisognerà vedere come andrà in seguito.

adattato da *Quant'è caro, Racconti Romani*, Alberto Moravia

8 Cosa direste in queste situazioni?
Rispondete per iscritto e/o oralmente.

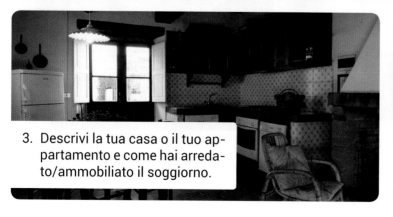

1. Entri in un bar per ordinare un panino e una bibita. Che cosa chiedi al barista?

2. Sei alla Stazione Termini. Devi andare a Milano per lavoro, ritornerai il giorno dopo. Cosa dici all'impiegata della biglietteria?

3. Descrivi la tua casa o il tuo ap- partamento e come hai arreda- to/ammobiliato il soggiorno.

4. Com'è oggi il tempo? Quale stagione preferisci? Parlane.

es. 1-11 p. 5

Per cominciare...

1 Abbinate i simboli alle materie scolastiche, come nell'esempio.

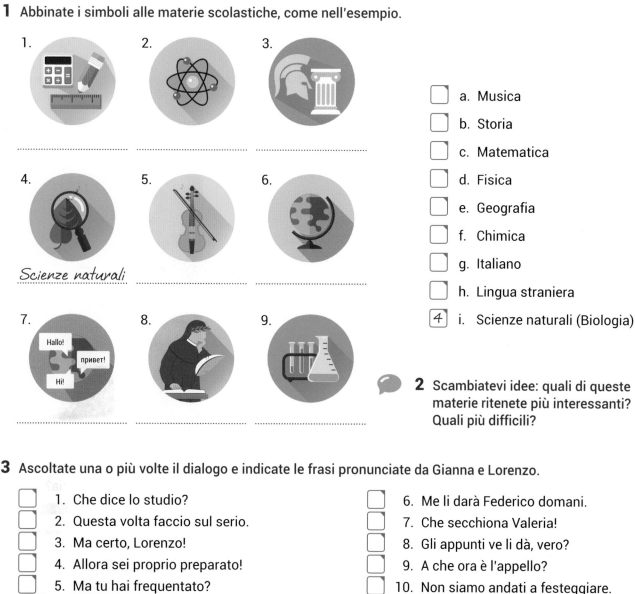

1.

2.

3.

4.

5. Scienze naturali

6.

7. Hallo! привет! Hi!

8.

9.

☐ a. Musica
☐ b. Storia
☐ c. Matematica
☐ d. Fisica
☐ e. Geografia
☐ f. Chimica
☐ g. Italiano
☐ h. Lingua straniera
[4] i. Scienze naturali (Biologia)

2 Scambiatevi idee: quali di queste materie ritenete più interessanti? Quali più difficili?

3 Ascoltate una o più volte il dialogo e indicate le frasi pronunciate da Gianna e Lorenzo.

2
CD 1

☐ 1. Che dice lo studio?
☐ 2. Questa volta faccio sul serio.
☐ 3. Ma certo, Lorenzo!
☐ 4. Allora sei proprio preparato!
☐ 5. Ma tu hai frequentato?

☐ 6. Me li darà Federico domani.
☐ 7. Che secchiona Valeria!
☐ 8. Gli appunti ve li dà, vero?
☐ 9. A che ora è l'appello?
☐ 10. Non siamo andati a festeggiare.

In questa unità impariamo...

- a fare i complimenti
- a rassicurare
- a esprimere incertezza
- a scusarci e a rispondere alle scuse
- a esprimere sorpresa
- a parlare dei propri studi

- i pronomi combinati
- i pronomi combinati nei tempi composti
- aggettivi, pronomi e avverbi interrogativi

- l'ordinamento scolastico in Italia
- alcune curiosità sulle università italiane

A   Sei pronto per l'esame?

1 Leggete e ascoltate il dialogo per verificare le vostre risposte all'attività precedente.

Lorenzo: Pronto? Oh, ciao Gianna.

Gianna: Ciao Lorenzo! Come va con lo studio? Sei pronto per l'esame di letteratura?

Lorenzo: Beh, quasi..., ma entro venerdì dovrei esserlo.

Gianna: Non credevo che avresti studiato così tanto, sai.

Lorenzo: Te l'ho detto, questa volta faccio sul serio, quest'esame lo devo superare.

Gianna: Bravo Lorenzo!

Lorenzo: Ma sì! Pensa che ieri sera sono uscito e sono tornato presto, prima delle 2...

Gianna: Ah, ecco, sei proprio deciso!

Lorenzo: Comunque, non è facile, eh, sono 400 pagine!

Gianna: Caspita! Ma tu hai frequentato?

Lorenzo: Mah, veramente non tanto. Per fortuna ho appena trovato gli appunti giusti, me li darà Federico domani.

Gianna: Federico chi? Quello che dicevi che non studia, che è peggio di te?

Lorenzo: Sì, esatto.

Gianna: E hai chiesto gli appunti proprio a lui?

Lorenzo: Sì, perché gli appunti non sono suoi, glieli manda proprio oggi Valeria.

Gianna: E chi è?

Lorenzo: Un'antipatica... pensa che supera quasi tutti gli esami con 30 e lode!

Gianna: Ed è antipatica per questo?

Lorenzo: Ma no, il problema è che se ne vanta... una secchiona che non hai idea!

Gianna: Secchiona, però gli appunti ve li dà, vero?

Lorenzo: Non a me, a Fede.

Gianna: E solo questi appunti bastano?

Lorenzo: Eh, magari! No, devo capire anche quali parti del libro leggere, mica posso studiare tutto!

Gianna: Dai, non ti preoccupare, andrà tutto bene! A che ora è l'appello?

Lorenzo: Venerdì pomeriggio, alle 6.

Gianna: Ah, se vuoi dopo il lavoro ti passo a prendere.

Lorenzo: Bene, così poi andiamo a festeggiare!

Gianna: Ok, ma tu pensa prima a passare l'esame... e poi festeggiamo.

2 Leggete di nuovo e rispondete alle domande.

1. Lorenzo considera l'esame facile o difficile? Perché?
2. Chi è Federico?
3. Perché, secondo Lorenzo, Valeria è antipatica?
4. Che cosa vorrebbe fare Lorenzo dopo l'esame?

3 Abbinate le due colonne. Cosa dice Gianna per...

1. ...fare i complimenti a Lorenzo ☐   a. *Mah!*
2. ...esprimere sorpresa ☐   b. *Non ti preoccupare!*
3. ...rassicurare Lorenzo ☐   c. *Bravo!*
4. ...esprimere incertezza, scetticismo ☐   d. *Caspita!*

4 Il giorno dopo Lorenzo incontra all'università una sua amica. Completate il loro dialogo con le espressioni dell'attività 3 (spazi rossi) e le parole sotto (spazi grigi), come negli esempi.

lo sai | *te li presta* | *la chiama* | *Me li darà* | *te le passo* | *Mi porterà*

Beatrice: Che faccia allegra oggi!

Lorenzo: Eh sì, finalmente ho trovato gli appunti di letteratura che cercavo.

Beatrice: _____ (1)! Chi _____ (2)?

Lorenzo: _____ (3) oggi Federico. Sono quelli di Valeria. Ma _____ (4) che anche questa volta ha preso 30 e lode?

Beatrice: _____ (5)! Comunque, li darai anche a me, no?

Lorenzo: Veramente Federico non mi può dare tutto. _____ (6) solo le pagine sul Romanticismo. Quelle certo che *te le passo* (7). Anzi, faccio una copia anche per te.

Beatrice: Benissimo! Dici che bastano solo questi appunti?

Lorenzo: _____ (8)! Speriamo di sì.

Beatrice: Comunque, *non ti preoccupare* (9), se necessario chiediamo anche a Sabrina. Lei ha frequentato tutte le lezioni.

Lorenzo: Ottima idea. Anzi, perché non _____ (10) oggi stesso e glielo chiedi?

 5 Scrivete sul vostro quaderno un breve riassunto del dialogo introduttivo.

6 Nel dialogo di pagina 10 ci sono vari esempi di pronomi combinati (pronomi indiretti + pronomi diretti). Trovate e scrivete i pronomi accanto alle frasi in basso. Che cosa osservate?

1. Ho detto questo a te. = (ti + lo) ▶ ....
2. (Federico) darà gli appunti a me. = (mi + li) ▶ ....
3. (Valeria) manda gli appunti a lui. = (gli + li) ▶ ....
4. (Valeria) dà gli appunti a voi. = (vi + li) ▶ ....

7 Avete notato come si trasformano i pronomi indiretti quando si uniscono ai pronomi diretti? Adesso, sempre in coppia, completate la tabella e la regola.

I pronomi combinati

Marta, mi mandi il link sul cellulare?	(mi + lo)	→	Me lo mandi sul cellulare?
Ti porto le foto stasera.	(ti + le)	→	.... porto stasera.
Do io a Stefania la mia macchina.	(le + la)	→	Gliela do io.
Ci puoi raccontare la trama del film?	(ci + la)	→	.... puoi raccontare?
Vi consiglio il tiramisù.	(vi + lo)	→	.... consiglio.
Domani darò questi libri a Gianni e Luca.	(gli + li)	→	Glieli darò domani.
Mi vuoi parlare dei tuoi progetti?	(mi + ne)	→	Me ne vuoi parlare?

Nella formazione dei pronomi combinati,
i pronomi indiretti (*mi, ti, ci, vi*) cambiano la *-i* in *-*....... : *me, te,* ...., ...;
i pronomi indiretti alla terza persona (*gli, le, gli*) si uniscono al pronome .... (*lo, la, li, le*) e si trasformano in una sola parola: *glielo, gliela, glieli, gliele*.

Nell'Approfondimento grammaticale, a pagina 168, potete consultare le tabelle complete dei pronomi diretti, indiretti e combinati, anche con i verbi modali.

8 Rispondete alle domande come nell'esempio. Usate il pronome combinato.

> Mi dai il tuo numero di telefono?

Sì, *te lo do subito.*

1. Oggi ti offro io il caffè, va bene?
   D'accordo, ma domani ....

2. Quando ci fate vedere la vostra nuova casa?
   Quando finiamo i lavori, ...

3. Giulia sta organizzando una festa per Luca?
   Sì, ...

4. Tua nonna ti preparava spesso le lasagne?
   No, non ....

5. Regalerai a Sara un anello d'oro?
   Sì, ...

es. 1-8 p. 97

B Scusami!

3
CD 1

1 Ascoltate e abbinate i mini dialoghi ai disegni. Attenzione: ci sono due vignette in più!

3
CD 1

2 Ascoltate di nuovo e completate la tabella.

Scusarsi	Rispondere alle scuse
.... per il ritardo!	........................!
Mi dispiace!	........................! / Si figuri!
........................, signora! (formale)	........................!
.... per il comportamento...!	Non ....! / Di niente!
Ti / Le chiedo scusa!	Va bene, non ti preoccupare! / non si preoccupi!
Perdonami! / Mi perdoni!	Non c'è problema!

3 Sei *A*, scusati con *B* nelle seguenti situazioni:

- al bar per sbaglio bevi il caffè di un altro cliente
- hai dimenticato il compleanno del/della tuo/a amico/a
- hai perso il libro che il/la tuo/a amico/a ti aveva prestato
- cammini distratto e vai addosso a un/una passante
- sull'autobus sei distratto/a e non lasci il posto a sedere a una donna incinta/persona anziana

Sei *B*, rispondi ad *A*.

es. 9
p. 100

C Questa volta andrà meglio.

1 a Leggete e completate con le espressioni a destra il dialogo tra Lorenzo e la professoressa durante l'esame di letteratura italiana.

> gliel'ha data | me li ha fatti | me l'ha detto
> ve ne ho parlato | glielo avrebbe dovuto dire

Prof.ssa Levi: Allora, signor Sorrentino, questa è la seconda volta che sostiene l'esame, vero?

Lorenzo: Sì, la seconda.

Prof.ssa Levi: Bene, sono sicura che questa volta andrà meglio. Dunque... iniziamo dai poeti minori del Settecento.

Lorenzo: Certo, poeti minori... minori... Mi scusi ma questo capitolo purtroppo non l'ho studiato, non sapevo che...

Prof.ssa Levi: Ma come non l'ha studiato? Eppure .... (1): abbiamo dedicato due lezioni!

Lorenzo: Davvero? Non .... (2) nessuno!

Prof.ssa Levi: Ma chi .... (3), signor Sorrentino? Lei dov'era? Ha frequentato o no?

Lorenzo: Come no? Certo, avrò perso una lezione o due...

Prof.ssa Levi: Ho capito... Andiamo avanti: Pirandello.

Lorenzo: Sì, Pirandello... Luigi Pirandello... è uno scrittore...

Prof.ssa Levi: Questo è poco ma sicuro. Ora mi dirà che nessuno le ha detto che era nel programma.

Lorenzo: In realtà io su Pirandello non ho trovato niente nel libro! E poi negli appunti che mi hanno...

Prof.ssa Levi: Che le hanno dato? Comunque, vedo che non ha neppure il libro giusto, questo qui l'abbiamo usato fino al semestre scorso. Ma questa informazione non .... (4) nessuno...

Lorenzo: Veramente?! Ecco perché negli appunti c'era scritto "pagina 470" e non la trovavo. E questi due capitoli non .... (5) notare nessuno...

Prof.ssa Levi: Signor Sorrentino, mi dispiace, credo proprio che ci dobbiamo rivedere quando sarà più preparato o meglio... più informato. Arrivederci!

Lorenzo: Arrivederla!

b Leggete di nuovo e indicate le affermazioni corrette.

1. Lorenzo sostiene l'esame con la professoressa Levi:

☐ a. per la prima volta
☐ b. per la seconda volta
☐ c. per la terza volta

2. Lorenzo non ha risposto alle domande della professoressa Levi perché:

☐ a. erano veramente difficili
☐ b. non si è preparato bene
☐ c. non le ha capite

3. Lorenzo ha sostenuto l'esame con la professoressa Levi studiando:

☐ a. su un libro della stessa professoressa
☐ b. su un'opera di Luigi Pirandello
☐ c. su un libro del precedente programma d'esame

4. La professoressa Levi ha mandato via Lorenzo perché:

☐ a. non frequentava le sue lezioni
☐ b. non aveva studiato
☐ c. non aveva il libro

2 Osservate i verbi che avete inserito nel dialogo e completate la tabella, con la desinenza dei participi passati, e la regola in basso.

I pronomi combinati nei tempi composti

• Carla, ti ho presentato le mie amiche?	• No, non me le hai presentate.
• Quando ti hanno portato questi dolci?	• Me li hanno portat...... ieri dalla Sicilia.
• Chi ha detto a Valeria che non ho superato l'esame?	• Gliel'ha detto suo fratello.
• Chi vi ha regalato questa bicicletta?	• Ce l'ha regalat...... mio cugino.
• Giulio, quanti messaggi di auguri ti sono arrivati oggi?	• Me ne sono arrivati tantissimi!
• Quante mail hai spedito alla tua professoressa?	• Gliene ho spedit...... tre.

Quando abbiamo un pronome combinato, il participio passato concorda / non concorda con il pronome diretto che lo precede.

3 Trasformate le frasi sostituendo le parole in verde con un pronome combinato, come nell'esempio.

Marisa vorrebbe andare dai suoi a Madrid. Ti ha detto questa cosa? → *Te l'ha detto?*

1. Carletto voleva un gelato e io ho comprato il gelato a Carletto. → ....
2. Anna e Marco avevano bisogno di una macchina così noi abbiamo comprato loro una macchina. → ....
3. Luigi, se vuoi venire un mese da noi al mare, ci puoi dire che vuoi venire.
   → ....
4. Quando studiavi a Roma, quanti soldi spendevi ogni mese? I tuoi ti mandavano molti soldi?
   → ....
5. La professoressa è proprio brava: ha spiegato a noi i pronomi combinati così bene che non abbiamo nessuna difficoltà con i pronomi combinati. → ....

es. 10-13
p. 100

D   È incredibile!

1 Ascoltate il dialogo tra due sorelle che si rivedono dopo un mese e indicate le espressioni di sorpresa presenti.

2 Ascoltate di nuovo e verificate le vostre risposte. Secondo voi, qual è la notizia più importante?

Esprimere sorpresa

☐	*Ma va!*	☐	*Chi l'avrebbe mai detto?*
☐	*Scherzi?*	☐	*Caspita!*
☐	*Davvero?!*	☐	*Incredibile!*
☐	*Dici sul serio!?*	☐	*Non è vero!*
☐	*Possibile?!*	☐	*Stai scherzando?*
☐	*Impossibile!*	☐	*Non ci credo!*

3 A coppie, formulate delle domande con le notizie che seguono e rispondete usando le espressioni viste nell'attività precedente. Dove necessario potete usare "*hai saputo che...?*", "*hai sentito che...?*", "*lo sai che...?*" ecc.

1. La vostra squadra ha perso di nuovo.

2. Una vostra conoscente si è finalmente laureata.

3. Ieri vicino a Milano c'è stato un incidente ferroviario.

4. I treni faranno sciopero per una settimana.

5. Avete vinto due biglietti omaggio per il concerto di Diodato.

 4 Scrivete due mini dialoghi sviluppando queste due situazioni, poi recitateli davanti alla classe.

1. All'aeroporto:

   A Ti rendi conto che non hai il passaporto con te e lo comunichi a *B*.

   B Sgridi *A*, ma improvvisamente noti che hai dimenticato il cellulare a casa.

2. Concerto annullato:

   A Telefoni a *B* per comunicargli che il concerto di Fedez è stato annullato. Sei arrabbiato perché il biglietto è costato molto.

   B Sei dispiaciuto, ma non troppo perché il tuo biglietto per il concerto lo avevi avuto in omaggio.

es. 14
p. 102

E Quante domande!

1 Osservate le immagini e completate lo schema in basso con gli interrogativi che introducono una domanda. Potete aggiungerne altri?

?

di cosa / di che cosa

2 Completate le domande con gli interrogativi del punto precedente.

1. .... hai regalato a tuo fratello per il suo compleanno?

2. Per .... motivo impari l'italiano?

3. .... era al telefono?

4. Da .... dipende se vieni o no?

5. .... è stato il momento più importante della tua vita?

6. Da .... studi l'italiano?

3 Intervistate un vostro compagno sul tema "scuola e/o università" e scrivete delle domande per conoscere la sua esperienza. Usate gli interrogativi.

Quante ore studiavi ogni giorno?

Chi era l'insegnante più simpatico/a?

Qual era la tua materia preferita?

4 Gli "esami di maturità" segnano la fine del percorso scolastico e un momento importante nella vita degli studenti italiani. Leggete la trama dei seguenti film e abbinate i testi alle immagini corrispondenti.

1. ☐

Notte prima degli esami. Un gruppo di diciottenni si prepara a sostenere l'esame di maturità. Luca, il protagonista, l'ultimo giorno di scuola trova il coraggio di dire al suo professore di lettere quello che veramente pensa di lui. Scoprirà presto però che il professore non solo fa parte della commissione d'esame ma è anche il padre della ragazza della quale Luca si è innamorato. Una storia divertente e sempre attuale, con tanti piccoli personaggi e capace di coinvolgere più generazioni. Una bella colonna sonora.

2. ☐

Immaturi. Sei ex compagni di liceo si ritrovano di nuovo insieme, 38enni, ognuno con la sua vita e le sue esperienze, quando una raccomandata del Ministe-

ro della Pubblica Istruzione annulla il loro esame di maturità e li obbliga a rifarlo, pena l'annullamento dei titoli conseguiti successivamente. L'incubo di tutti i maturandi diventa realtà. Una commedia spiritosa e ben riuscita.

3. ☐

Che ne sarà di noi. Gli esami di maturità sono finalmente finiti e per Matteo, Paolo e Manuel è arrivato il momento di festeggiare. I tre ragazzi si regalano un viaggio in Grecia, a Santorini, dove si accorgono di non sapere nulla della vita e dove non tutto va come vorrebbero. Tra imprevisti, avventure e nuove conoscenze, faranno scelte diverse e più autentiche rispetto a quelle che i loro genitori avevano progettato per loro.

4. ☐

L'estate addosso. Un film di Gabriele Muccino che ha come protagonista Marco, un ragazzo che ha da poco sostenuto l'esame di maturità. Dopo un incidente con lo scooter e un risarcimento a più zeri, Marco decide di partire per un viaggio estivo a San Francisco. Qui stringe amicizia con i due ragazzi che lo ospitano e una ragazza; tra i 4 si crea un clima speciale che li porterà a riconsiderare la loro vita da una prospettiva differente. *L'estate addosso* è il racconto del viaggio, che può essere quello dopo la maturità, che gli studenti vivono come un momento di passaggio dalla spensierata giovinezza all'età adulta fatta di responsabilità e preoccupazioni.

adattato da *www.mymovies.it*

5 Rispondete alle domande.

1. Perché in *Immaturi* i protagonisti devono sostenere gli esami di maturità un'altra volta?
2. Che cosa fa di sbagliato Luca in *Notte prima degli esami*?
3. In quale posto decidono di passare le vacanze Matteo, Paolo e Manuel in *Che ne sarà di noi*?
4. Chi è il protagonista di *L'estate addosso* e che cosa gli succede?

 6 In coppia scegliete l'interrogativo corretto.

1. Io ho visto Carla ieri mattina, tu quanto/quando l'hai sentita?
2. Di dove/cosa è Mauro?
3. Perché/Come siete partiti senza salutare?
4. Ho saputo che sei stato negli Stati Uniti, quando/quanto hai speso per il viaggio?
5. Chi/Che te l'ha detto? Non è vero!
6. Come/Quale strada prendiamo per arrivare prima?

 7 Attività ludica. Formate due squadre. A turno, ciascuna squadra pensa a una persona famosa di oggi o del passato. La squadra avversaria fa delle domande per scoprire di chi si tratta, utilizzando una sola volta questi interrogativi:

Dove	Quanto	Quando	Che	Cosa	Come
	Perché	Quale	Di cosa	Chi	

Naturalmente, le risposte non possono rivelare direttamente l'identità del personaggio da indovinare. Vince chi scopre il personaggio misterioso con meno domande.

es. 15-18
p. 103

F Vocabolario e abilità

1 Completate le frasi con le parole date.

dipartimento ❖ iscrizione ❖ frequenza ❖ prove
esami di ammissione ❖ mensa

1. In alcune facoltà la .... è obbligatoria.
2. In Italia l'ingresso in molte università è libero, non sono previsti ....
3. Nella Facoltà di Lettere e Filosofia c'è il .... di Italianistica.
4. Gli esami spesso prevedono sia .... scritte che orali.
5. Anche alle università statali bisogna pagare le tasse di ....
6. Gli studenti universitari mangiano spesso alla ....

2 In quale facoltà bisogna laurearsi per diventare...? In coppia, prima completate le professioni e poi abbinatele, come nell'esempio, alle facoltà.
Attenzione: abbiamo due facoltà in più!

$\boxed{d}$ 1. Medicina	$\square$ 7. Lingue
$\square$ 2. Odontoiatria	$\square$ 8. Lettere
$\square$ 3. Ingegneria	
$\square$ 4. Giurisprudenza	
$\square$ 5. Architettura	
$\square$ 6. Psicologia	

a _____    d _____

p _____   c _h_i_r_u_r_g_o_   a _____    _____
di storia

es. 19-20
p. 104

3 Ascolto Quaderno degli esercizi (p. 105)

5
CD 1

4 Situazioni

1. *A* è uno studente interessato ad una vacanza-studio in Italia: a pagina 163 troverà alcuni spunti per fare delle domande; *B* lavora negli uffici dove organizzano questo tipo di vacanze-studio e a pagina 165 troverà materiale informativo per rispondere ad *A*.

2. Pensi di andare a studiare in un'altra città, rispetto a quella dove abiti, poiché lì la facoltà che hai scelto è considerata una delle migliori. Il problema è che il/la tuo/a ragazzo/a (*B*) non ne vuole sapere. Tu (*A*) cerchi di spiegargli/le che non si deve preoccupare e che la distanza non mette a rischio la vostra relazione.

5 Scriviamo

Scrivi una lettera a un amico italiano per annunciargli la tua intenzione di andare a studiare a Milano e gli spieghi i motivi di questa scelta: alto livello dell'università e della facoltà, amore per l'Italia e così via. Infine, chiedi informazioni sulla vita studentesca in Italia.

es. 21-22
p. 105

p. 85

Test finale

La scuola...

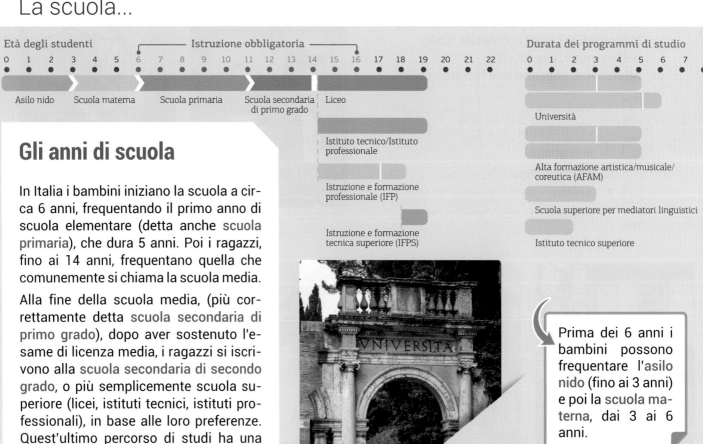

Età degli studenti — Istruzione obbligatoria — Durata dei programmi di studio

| 0 | 1 | 2 | 3 | 4 | 5 | 6 | 7 | 8 | 9 | 10 | 11 | 12 | 13 | 14 | 15 | 16 | 17 | 18 | 19 | 20 | 21 | 22 |

Asilo nido · Scuola materna · Scuola primaria · Scuola secondaria di primo grado · Liceo

Istituto tecnico/Istituto professionale

Istruzione e formazione professionale (IFP)

Istruzione e formazione tecnica superiore (IFPS)

| 0 | 1 | 2 | 3 | 4 | 5 | 6 | 7 | 8 |

Università

Alta formazione artistica/musicale/coreutica (AFAM)

Scuola superiore per mediatori linguistici

Istituto tecnico superiore

Gli anni di scuola

In Italia i bambini iniziano la scuola a circa 6 anni, frequentando il primo anno di scuola elementare (detta anche scuola primaria), che dura 5 anni. Poi i ragazzi, fino ai 14 anni, frequentano quella che comunemente si chiama la scuola media.

Alla fine della scuola media, (più correttamente detta scuola secondaria di primo grado), dopo aver sostenuto l'esame di licenza media, i ragazzi si iscrivono alla scuola secondaria di secondo grado, o più semplicemente scuola superiore (licei, istituti tecnici, istituti professionali), in base alle loro preferenze. Quest'ultimo percorso di studi ha una durata di 4 o 5 anni e termina con l'esame di maturità (o formalmente "esame di Stato"). Ottenuto il diploma di maturità, gli studenti decidono se proseguire gli studi iscrivendosi ad una facoltà universitaria o se iniziare a lavorare.

Con scuola dell'obbligo indichiamo il periodo (10 anni) in cui tutti i bambini devono andare obbligatoriamente a scuola: dai 6 ai 16 anni, fino al secondo anno di scuola superiore.

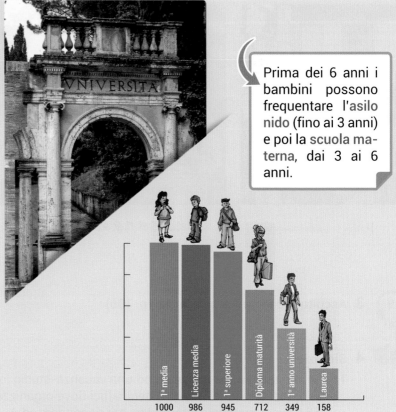

Prima dei 6 anni i bambini possono frequentare l'asilo nido (fino ai 3 anni) e poi la scuola materna, dai 3 ai 6 anni.

1ª media	Licenza media	1ª superiore	Diploma maturità	1° anno università	Laurea
1000	986	945	712	349	158

Il metodo Montessori

Maria Montessori (1870-1952), medico, pedagogista ed educatrice, è nota per il metodo educativo, adottato in moltissime scuole del mondo, che porta il suo nome.

Montessori ha sempre sostenuto l'importanza di includere i bambini e le bambine con problemi psichici nelle classi scolastiche e di stimolare la creatività e la libertà di tutti gli alunni.

I suoi obiettivi erano inoltre eliminare l'analfabetismo e promuovere l'idea di uguaglianza tra gli uomini. È stata anche candidata al premio Nobel per la pace.

...e l'università in Italia

In Italia, tutti gli studenti diplomati possono iscriversi all'università. Per alcune facoltà, dipende anche dall'ateneo scelto, devono sostenere un test di ingresso. La maggior parte delle facoltà universitarie sono organizzate in tre cicli:

- I (primo) ciclo per la laurea triennale, dura 3 anni;
- II (secondo) ciclo per la laurea magistrale, dura altri 2 anni. Alcune facoltà, come Giurisprudenza, offrono la possibilità di completare i 5 anni universitari in un unico ciclo, mentre altre, come Medicina, hanno durata di 6 anni;
- III (terzo) ciclo per i corsi di studio come i Dottorati di ricerca* e le Scuole di specializzazione*.

Alla fine dei primi due cicli di studi, gli studenti devono consegnare una tesi, uno studio, una ricerca fatta sotto la guida di un docente. Solo dopo quest'ultimo lavoro ottengono la laurea. Purtroppo, la percentuale dei laureati in Italia non è alta ed è inferiore alla media europea.

La maggior parte delle università italiane sono pubbliche, molte sono antichissime e prestigiose. Anche le università pubbliche sono a pagamento, ma le tasse* sono proporzionate al reddito delle famiglie degli studenti.

Ognuno ha i suoi tempi...
Se gli studenti non riescono a laurearsi in tempo, cioè secondo la durata prevista dal corso di studi, allora vanno "fuori corso", proprio come Lorenzo!

Lo sai che...?

...l'Università di Bologna, fondata nel 1088, è l'università più antica del mondo occidentale.

...l'Università degli Studi di Roma "La Sapienza" è la più grande d'Europa.

...Bettisia Gozzadini, una nobile di Bologna, è stata la prima donna al mondo a laurearsi. Ha ottenuto la laurea in Giurisprudenza nel 1236, all'Università di Bologna.

...l'Italia ha il primato del numero di università più antiche al mondo: ben 21 fondate prima del 1500!

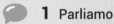 **1 Parliamo**

- Come funziona il sistema scolastico nel vostro Paese?
- A quanti anni gli studenti prendono il diploma di maturità in Italia? E nel vostro Paese?
- Dicono che gli anni più belli sono quelli passati tra i banchi di scuola. Voi che ricordi avete del periodo scolastico, dei vostri compagni e dei vostri insegnanti? Ricordate un episodio in particolare?
- Qual è l'università più antica del vostro Paese? Sapete per caso in quale periodo è stata fondata?

Glossario. *dottorato di ricerca:* periodo, dopo la laurea, di studio e ricerca presso l'università; *scuola di specializzazione:* periodo di studio e lezioni per ottenere un titolo professionale specifico dopo la laurea; *tassa:* soldi pagati all'università, a un ente pubblico, in cambio di un servizio.

 2 In gruppi. Scegliete una di queste università storiche italiane. Fate una ricerca online e create un volantino informativo su un'università da mostrare ai vostri compagni. Poi votate il volantino più interessante.

Università di Bologna Alma Studiorum ❖ *Università di Napoli Federico II*
Università degli Studi di Padova ❖ *Università degli Studi di Roma La Sapienza*
Università degli Studi di Catania ❖ *Università degli Studi di Firenze*

 Attività online

Che cosa ricordi dell'unità 1?

1 *Sai...?* Abbina le due colonne.

1. esprimere sorpresa
2. rispondere alle scuse
3. scusarsi
4. esprimere incertezza
5. fare i complimenti

- ☐ a. *Non importa Stefania! Non è successo niente.*
- ☐ b. *Bravo! Sei stato proprio in gamba!*
- ☐ c. *Le chiedo scusa, signora Pavone.*
- ☐ d. *Caspita, ma c'è tantissima gente!*
- ☐ e. *Mah! Al tuo posto forse avrei fatto lo stesso.*

2 Abbina le frasi.

1. Sei al liceo?
2. Quando è l'appello d'esame?
3. Me l'ha detto lui!
4. Di dov'è Alberto?
5. Me lo riporti domani, vero?

- ☐ a. Incredibile!
- ☐ b. Sì, non ti preoccupare!
- ☐ c. È di Milano.
- ☐ d. Sì, in quinta superiore.
- ☐ e. A fine mese, il 28.

3 Completa.

1. I bambini cominciano la scuola elementare all'età di: ....
2. L'esame alla fine delle scuole superiori: ....
3. Ci + lo: ....
4. Le + li + ha regalato: ....
5. Tre interrogativi: ....

4 Scopri le otto parole nascoste relative alla scuola e all'università, in orizzontale e in verticale.

S	E	C	E	L	L	F	E	O	W	A	V
V	U	V	A	L	I	S	U	O	L	O	M
I	N	G	E	G	N	E	R	I	A	T	A
N	D	C	B	C	G	B	U	S	U	R	D
S	R	H	S	R	U	E	C	O	R	S	O
E	I	O	T	F	E	B	I	A	E	G	U
G	M	Q	U	A	T	C	C	H	A	R	E
N	M	D	D	S	F	S	K	D	A	K	Q
A	P	P	E	L	L	O	P	A	L	P	U
N	I	P	N	L	I	T	S	X	G	P	E
T	M	A	T	E	R	I	A	I	R	I	P
E	U	O	E	T	A	A	C	Z	Z	B	O

Controlla le soluzioni a pagina 90.
Sei soddisfatto/a?

Soldi e lavoro Unità 2

Glossary
p. 185

Per cominciare...

1 In coppia, abbinate le parole alle foto.

1 ◯

2 ◯

3 ◯

5 ◯

4 ◯

a. carta di credito
b. sportello bancario
c. assegno
d. contanti
e. sportello bancomat

2 Leggete la pubblicità e rispondete alle domande.

1. Secondo te, a chi si rivolge questa pubblicità?
2. Che cosa pubblicizza?
3. Qual è per te il maggiore vantaggio?

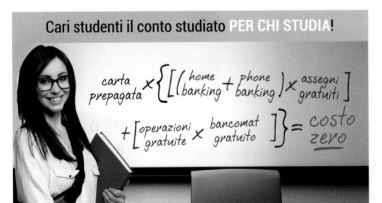

Cari studenti il conto studiato PER CHI STUDIA!

$$\text{carta prepagata} \times \left\{\left[\left(\text{home banking} + \text{phone banking}\right) \times \text{assegni gratuiti}\right] + \left[\text{operazioni gratuite} \times \text{bancomat gratuito}\right]\right\} = \text{costo } \underline{zero}$$

 3 Ascoltate il dialogo e indicate l'affermazione giusta.

CD 1 6

1. Gianna chiama un amico che lavora
   ◻ a. in banca.
   ◻ b. all'università.

2. Gianna deve scrivere un articolo sui
   ◻ a. servizi bancari.
   ◻ b. servizi per gli studenti.

3. *Conto aperto* è un prodotto bancario
   ◻ a. solo per studenti universitari.
   ◻ b. per studenti e disoccupati.

In questa unità impariamo...	
• diversi modi per formulare una domanda • a scrivere una email / lettera formale • le formule di apertura e di chiusura • a prepararci ad un colloquio di lavoro • a scrivere una lettera di presentazione • a scrivere un Curriculum Vitae	• i pronomi relativi (che, il quale, cui) • chi come pronome relativo • pronomi doppi • stare + gerundio • stare per + infinito • cosa ha rappresentato il miracolo economico per l'Italia • alcune curiosità sul Made in Italy

A Amici su cui contare

6
CD 1

1 Ascoltate di nuovo e verificate le vostre risposte all'attività precedente.

Gianna: Pronto, ciao Carlo, sono Gianna.

Carlo: Oh, ciao Gianna, come stai?

Gianna: Bene, e tu? Senti, è un buon momento per quella mini intervista di cui parlavamo?

Carlo: Certo, a quest'ora sono più tranquillo. Allora, ricordami, che cosa volevi sapere?

Gianna: Dunque, dovrei scrivere un articolo sui nuovi servizi bancari, no? E ho pensato subito a te.

Carlo: Certo. Cosa ti interessa in particolare?

Gianna: Allora... se non sbaglio, voi avete un conto per studenti e disoccupati, vero?

Carlo: Esatto. È un nuovo prodotto che è veramente vantaggioso e che offre solo la nostra banca.

Gianna: Ehehe, hai già cominciato a fare pubblicità?

Carlo: No, non è pubblicità, te l'ho detto... si tratta di un conto che conviene davvero.

Gianna: Perché? In cosa consiste?

Carlo: Beh, lo puoi aprire in un minuto da casa e i costi non superano i 5 euro all'anno!

Gianna: Hmm, interessante! E poi?

Carlo: Poi a casa ti arriva un bancomat con il quale puoi non solo prelevare soldi ovunque, ma anche avere sconti in più di tremila negozi, cinema, teatri, tra cui la Scala.

Gianna: Addirittura? Che bello!

Carlo: Vedi? Infine, con questo conto, che noi chiamiamo "aperto", puoi chiedere, sempre online, piccoli prestiti fino a mille euro a un tasso d'interesse molto basso.

Gianna: Ma guarda che questo conto interesserebbe anche a me! Però hai detto che è solo per disoccupati e studenti, giusto? Potrebbe andare bene per Lorenzo, te lo ricordi no?

Carlo: Come no! Ma è disoccupato o studente?

Gianna: Tutti e due...

 2 Rispondete alle domande.

1. Perché l'amico di Gianna dice che non fa pubblicità?

2. Quali sono i vantaggi del conto esposti da Carlo?

3. Perché il conto si chiama "aperto"?

3 Leggete il dialogo tra Lorenzo e l'operatrice della banca e indicate il pronome corretto.

operatrice bancaria: Pronto sono Rita, come posso esserle utile?

Lorenzo: Buongiorno Rita, sono Lorenzo. Sto cercando di aprire online il nuovo conto che / a cui (1) pubblicizzate...

operatrice: Il conto business?

Lorenzo: Magari!... No, il conto che / per cui (2) avete per gli studenti, quello che / tra cui (3) offre tanti vantaggi.

operatrice: Ah... il *Conto aperto*! Per aprirlo è necessario...

Lorenzo: Guardi... ho seguito tutte le istruzioni, che / a cui (4) spiegano passo passo cosa fare, ma non riesco a completare la procedura online.

operatrice: Non si preoccupi... se mi dice i servizi che / a cui (5) è interessato ci penso io...

Lorenzo: Oh, meno male. Grazie!

 40-50

4 Aiutate Lorenzo a scrivere un breve messaggio a Gianna. Potete iniziare come nell'esempio a destra. Nel messaggio:

- la ringrazia per avergli consigliato il *Conto aperto*
- le dice che non è riuscito a completare la procedura online
- le spiega come lo ha aperto alla fine

> Gianna,
> il "Conto aperto" che mi hai consigliato è veramente utile, grazie mille.
> ...
> Ci vediamo stasera, ciao.

5 Rileggete le seguenti frasi tratte dal dialogo A1 e scrivete a cosa si riferiscono i pronomi.

che si riferisce a

Questo conto, che è veramente vantaggioso, è un nuovo prodotto. ▶ ....

Si tratta di un conto che conviene davvero. ▶ ....

Con questo conto, che noi chiamiamo "aperto", puoi chiedere un piccolo prestito. ▶ ....

Il pronome relativo *che*

1. Questo conto, **che** è veramente vantaggioso, è un nuovo prodotto.

   Questo conto è un nuovo prodotto. Questo conto è veramente vantaggioso. *(soggetto)*

2. Con questo conto, **che** noi chiamiamo "aperto", puoi chiedere un piccolo prestito.

   Con questo conto puoi chiedere un piccolo prestito. Noi chiamiamo "aperto" questo conto. *(oggetto)*

Il pronome relativo *che* è invariabile e si riferisce al soggetto (esempio 1) o al complemento oggetto (esempio 2).

Il pronome relativo *il quale*

> Questo conto, il quale è veramente vantaggioso, è un nuovo prodotto.

> Il pronome relativo *il quale* è variabile (*il quale, la quale, i quali, le quali*) e può sostituire il relativo *che* quando ha la funzione di soggetto.

Ho incontrato la ragazza di Michele **che** lavora in banca.	*Chi lavora in banca, Michele o la sua ragazza?*
Ho incontrato la ragazza di Michele, **la quale** lavora in banca. ➡	*se è la sua ragazza a lavorare in banca*
Ho incontrato la ragazza di Michele, **il quale** lavora in banca. ➡	*se è Michele stesso a lavorare in banca*

> Il pronome relativo *il quale* permette di rendere più chiara la frase, di evitare ambiguità, specificando il genere e il numero.

 6 A coppie, mettete in ordine le parole per formare le frasi. Cominciate con la parola evidenziata.

1. università | in | tv | insegna | Il | che | parla | è | professore, | mio | un | signore | all'

   ....

2. mese | da | credito | un | è | hai | scaduta | di | La | che | carta

   ....

3. che | Mario | ha | già | letto | mi | libro | avevo | regalato | un

   ....

4. Il | lontano | è | ho | stipendio | casa, | che | ma | è | lavoro | buono | da | lo | trovato

   ....

5. costa | di | comprare | che | un | soldi | vorrei | sacco | L'auto

   ....

6. dà | molti | prodotto | gratuiti | "Conto aperto" | ti | è | un | servizi | che

   ....

7 Nel dialogo A1 abbiamo visto questa frase: "Poi a casa ti arriva un bancomat *con il quale* puoi non solo prelevare soldi ovunque, ma anche avere sconti in più di tremila negozi, cinema, teatri, tra cui la Scala". Completa la tabella con: *a cui, in cui, con cui*.

Il pronome relativo *cui*

Sono uscito **con** Luigi.	➡	Il ragazzo .... sono uscito è Luigi.
Ho venduto la bicicletta **a** Gianna.	➡	Gianna, ... ho venduto la bicicletta, è una cara amica.
Sono nata **in** una città bellissima.	➡	La città .... sono nata è bellissima anche se un po' caotica.

> Il pronome relativo *cui* è invariabile e, di solito, è preceduto da una preposizione semplice.
>
> Anche il pronome relativo *cui* può essere sostituito da *il quale*, accompagnato da una preposizione articolata.

Il ragazzo **con cui** sono uscito è Luigi.	➡	Il ragazzo **con il quale** sono uscito è Luigi.
Gianna, **a cui** ho venduto la bicicletta, è un cara amica.	➡	Gianna, **alla quale** ho venduto la bicicletta, ...

Per ulteriori esempi e chiarimenti consultare l'Approfondimento grammaticale a pagina 170.

8 Leggete un brano tratto da *Undici racconti*, letture semplificate ispirate a questo nostro libro, e completate il testo con *che* o *cui* preceduto da una preposizione semplice.

Non so a voi, ma a me le banche piacciono. [...] Silenziose e luminose, le banche mi danno sempre un gran senso di pace, di ordine. E poi, il cassiere .... (1) conta i soldi con le sue mani veloci ed esperte, mani da bancario, ... (2) toccano tutto con attenzione [...], battono sui tasti del computer quasi senza far rumore.

[...] Andare in banca mi fa sentire bene: in banca mi sento anche io qualcuno, una persona .... (3) sa dove andare, ... (4) ha cose da fare, impegni, appuntamenti, cose così, ... (5) danno senso alla vita, cose .... (6) vale la pena vivere.

[...] Non mi piacciono le banche con le guardie fuori [...] No, a me piacciono le banche semplici, dove apri la porta e subito il responsabile ti sorride e ti chiede "Desidera signore?" [...] E il cassiere .... (7) ha quell'espressione rispettosa negli occhi, magari una goccia di sudore sulla fronte, perché non è certo facile lavorare con una pistola davanti. No, non pensate male, io uso solo una pistola giocattolo, ... (8) giocavo quando ero bambino.

[...] Dite che sono pazzo? No, sono solo un rapinatore sfortunato. Perché sfortunato? Beh, come definireste l'ultima rapina che ho fatto, alla Banca Commerciale? Perfetta, certo, studiata in ogni minimo particolare, tranne uno: non mi ricordavo proprio che era la stessa banca .... (9) aveva trovato lavoro la mia ragazza, Ludovica. Quando mi ha visto, con la pistola .... (10) conosce bene perché ci gioca spesso il suo nipotino Alex, di quattro anni, mi ha guardato con un'aria stupita e incredula: "Giovanni! Ma che ci fai qui?"

[...] Per fortuna nel carcere non mi trattano troppo male e Ludovica mi viene a trovare ogni mercoledì. Dopo la chiusura della banca.

es. 1-11
p. 108

B   Perché...?

1 Lavorate in coppia. Immaginate di chiedere spiegazioni nelle seguenti situazioni. Cosa chiedereste a queste persone? Confrontate le vostre risposte.

a. Paola ha preso un altro mutuo dalla banca. Le chiedi:
....

b. Hai saputo che Alessandro ha litigato con Beatrice. Gli chiedi:
....

c. Carla odia il francese e non studia mai. Le chiedi:
....

d. Matteo è sempre al verde, non ha mai soldi con sé. Gli chiedi:
....

e. Gli esercizi di italiano sono difficili, ma Irene non ti aiuta. Le chiedi:
....

2 Adesso ascoltate le domande e scrivete la lettera corrispondente nelle foto per collegarle alle situazioni dell'attività precedente. Chi aveva pensato a delle domande simili?

3 Riascoltate le domande e scrivete le espressioni che possiamo usare per *chiedere il perché*, come nell'esempio.

Chiedere il perché

> *Come mai...?*
> ....
> ....
> ....
> ....

4 Sei *A*, prima annuncia a *B* quanto segue e poi rispondi alle sue domande:

a. hai deciso di lasciare il tuo lavoro
b. hai deciso di non usare più carte di credito
c. hai bisogno di 5 mila euro
d. hai deciso di chiudere il tuo conto bancario
e. hai deciso di trasferirti all'estero

Sei *B*, chiedi delle spiegazioni ad *A* sulle sue scelte, usa una volta sola le espressioni viste in tabella.

es. 12
p. 112

C Egregio direttore...

1 Marisa è un'insegnante di lingua italiana. Secondo voi, quali informazioni può dare al direttore di una scuola di lingue in cui cercano un'insegnante di lingua italiana?

2 Leggete questa email e indicate quali delle informazioni sono presenti o meno.

☐ 1. L'annuncio è apparso sul sito della scuola.
☐ 2. Marisa è un'insegnante di italiano e storia.
☐ 3. Marisa, con l'email, invia anche il CV.
☐ 4. Marisa scrive al direttore di una scuola di lingue.
☐ 5. Marisa ha insegnato a studenti adolescenti.
☐ 6. Marisa insegna da dieci anni.
☐ 7. Attualmente Marisa non vive in Italia.
☐ 8. Marisa parla delle sue qualità personali e professionali.
☐ 9. A Marisa piace lavorare da sola.
☐ 10. Marisa si propone per un colloquio di lavoro.

Nuovo Messaggio

A: direttore@istitutointernazionalelingue.com
Oggetto: candidatura insegnante lingua italiana

Egregio Direttore,

in risposta all'annuncio apparso sul vostro sito per un posto di insegnante di lingua italiana, desidero presentarmi e sottoporre alla Sua attenzione la mia candidatura.

Ho già compilato il modulo online e ho allegato i vari documenti, tra cui il mio curriculum vitae. Come potrà vedere sono laureata in Lingue e ho maturato un'esperienza didattica di 5 anni prima all'estero e poi in Italia, insegnando soprattutto ad adolescenti e adulti.

Sono una persona socievole, responsabile e mi piace lavorare in gruppo. Credo di essere adatta alle esigenze di una scuola prestigiosa come la vostra.

In attesa di una Sua risposta, resto a Sua disposizione per un eventuale colloquio.

Distinti saluti
Marisa Grandi

invia

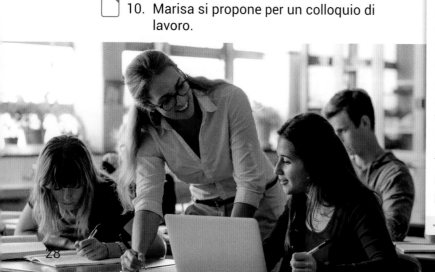

3 Sottolineate le espressioni o le parole presenti nell'email di Marisa che non trovereste in un'email amichevole, informale, e completate la tabella in basso.

Lettere/email formali

Formule di apertura		Formule di chiusura
.... / Egregia Gentile Gentilissimo/a	.... / Direttrice Rossi Dottor / Dott.ssa Rossi Signor / Signora Rossi	.... / Cordiali saluti / La saluto cordialmente ...., / di un Suo riscontro, La saluto cordialmente Colgo l'occasione per porgere distinti saluti
Gentili	Signori / Signore	Aspetto / Attendo Vostre notizie
Spettabile (Spett.le)	Ditta / Scuola...	In attesa di un Vostro riscontro, Vi saluto cordialmente

4 Scrivete una lettera di presentazione per inviare il vostro CV ad un'azienda. Scegliete voi il tipo di azienda e la mansione, il posto che vorreste ricoprire.

5 Lorenzo dopo aver risposto ad alcuni annunci di lavoro, chiama sua madre. Ascoltate il dialogo e scrivete sotto le immagini a destra il proverbio corrispondente.

Mamma: Allora tesoro, novità riguardo al lavoro?

Lorenzo: Mamma, che ti devo dire... come al solito. Vogliono laureati, con esperienza...

Mamma: Dai, coraggio, ricordati che chi cerca trova!

Lorenzo: Certo mamma, stai tranquilla... per fortuna, mi sta aiutando anche Gianna.

Mamma: E chi è Gianna?

Lorenzo: Ma come chi è?! Gianna..., la mia amica...

Mamma: Ah sì, Gianna. Scusami! ...è una ragazza veramente in gamba! Lo dico sempre io: chi...

Lorenzo: Chi trova un amico trova un tesoro. Me lo dici sempre... lo so.

Mamma: Ahah, senti io sto per andare in palestra... se passi da casa fammi prima uno squillo!

Lorenzo: D'accordo, a dopo...

6 Ricordate il pronome interrogativo *chi* che abbiamo visto nell'unità precedente? Osservate anche il *chi* dei due proverbi che avete scritto nell'attività precedente. Che differenza c'è tra il *chi* usato nella domanda e il *chi* usato nella risposta?

Chi scrive?   *Chi scrive è un'insegnante...*

Il pronome relativo *chi* è riferito solo a persone, è invariabile e sostituisce *quello che* (*colui che*), *quella che* (*colei che*), *la persona che*. Come vedete, mette insieme un pronome dimostrativo e un pronome relativo: per questo rientra tra i cosiddetti pronomi doppi.

7 Osservate le illustrazioni e completate i quattro proverbi con le espressioni date. Ne conoscete altri?

Chi dorme...
1

2
Chi va piano...

Chi fa da sé...
3

Chi tardi arriva...
4

a. ...fa per tre.
b. ...non piglia pesci.
c. ...male alloggia.
d. ...va sano e va lontano.

es. 13-15 p. 113

D In bocca al lupo!

1 Leggete il testo e rispondete alle domande. Poi completate la tabella nella pagina accanto.

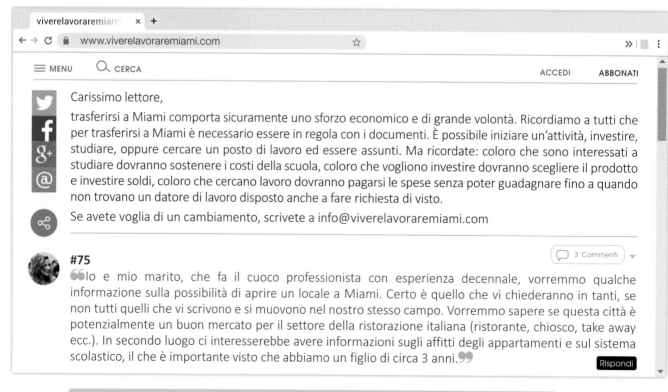

viverelavoraremiam   × +

← → C 🔒 www.viverelavoraremiami.com ☆ » ▮ ⋮

≡ MENU 🔍 CERCA ACCEDI ABBONATI

Carissimo lettore,

trasferirsi a Miami comporta sicuramente uno sforzo economico e di grande volontà. Ricordiamo a tutti che per trasferirsi a Miami è necessario essere in regola con i documenti. È possibile iniziare un'attività, investire, studiare, oppure cercare un posto di lavoro ed essere assunti. Ma ricordate: coloro che sono interessati a studiare dovranno sostenere i costi della scuola, coloro che vogliono investire dovranno scegliere il prodotto e investire soldi, coloro che cercano lavoro dovranno pagarsi le spese senza poter guadagnare fino a quando non trovano un datore di lavoro disposto anche a fare richiesta di visto.

Se avete voglia di un cambiamento, scrivete a info@viverelavoraremiami.com

#75 💬 3 Commenti ▼

❝Io e mio marito, che fa il cuoco professionista con esperienza decennale, vorremmo qualche informazione sulla possibilità di aprire un locale a Miami. Certo è quello che vi chiederanno in tanti, se non tutti quelli che vi scrivono e si muovono nel nostro stesso campo. Vorremmo sapere se questa città è potenzialmente un buon mercato per il settore della ristorazione italiana (ristorante, chiosco, take away ecc.). In secondo luogo ci interesserebbe avere informazioni sugli affitti degli appartamenti e sul sistema scolastico, il che è importante visto che abbiamo un figlio di circa 3 anni.❞ Rispondi

• Che cosa comporta trasferirsi a Miami, quali sono i due aspetti più importanti?

• Cosa devono fare quelli che cercano un posto di lavoro a Miami?

• Quali sono le tre informazioni che vuole avere #75?

Pronomi doppi

Quanto È **quanto** vi chiederanno in tanti.	(*Tutto*) .... *Ciò che*	È (*tutto*) *quello che* vi chiederanno in tanti. È *ciò che* vi chiederanno in tanti.
Quanti / Quante **Quanti** cercano lavoro dovranno pagarsi le spese.	(*Tutti/e*) *quelli/e che* *Coloro che*	(*Tutti*) .... cercano lavoro dovranno pagarsi le spese. .... *che* cercano lavoro dovranno pagarsi le spese.
Il che ..., **il che** è importante (*cioè avere informazioni sul sistema scolastico*).	*Ciò* *Cosa che*	..., *ciò* è importante. ..., *cosa che* è importante.

Il pronome relativo *quanto* è riferito solo a cose, è invariabile e sostituisce (*tutto*) *quello che*, *ciò che*.

I pronomi relativi *quanti/e* sono riferiti solo a persone e sostituiscono (*tutti/e*) *quelli/e che*, *coloro che*.

Il pronome relativo *che* preceduto dall'articolo determinativo singolare, *il che*, sostituisce un'intera frase e ha il significato di *ciò*, *cosa che*.

2 Leggete la risposta degli amministratori del sito "Vivere e lavorare a Miami" e sottolineate l'alternativa corretta.

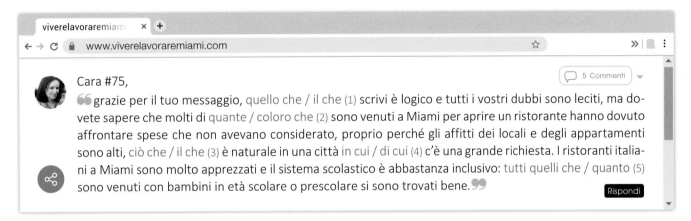

viverelavoraremiami   × +

← → C 🔒 www.viverelavoraremiami.com   ☆   » | ▣ | ⋮

Cara #75,   💬 5 Commenti ▾

❝grazie per il tuo messaggio, quello che / il che (1) scrivi è logico e tutti i vostri dubbi sono leciti, ma dovete sapere che molti di quante / coloro che (2) sono venuti a Miami per aprire un ristorante hanno dovuto affrontare spese che non avevano considerato, proprio perché gli affitti dei locali e degli appartamenti sono alti, ciò che / il che (3) è naturale in una città in cui / di cui (4) c'è una grande richiesta. I ristoranti italiani a Miami sono molto apprezzati e il sistema scolastico è abbastanza inclusivo: tutti quelli che / quanto (5) sono venuti con bambini in età scolare o prescolare si sono trovati bene.❞

Rispondi

 80-100

3 Lasciate il vostro commento nella chat della trasmissione radiofonica che pone questa domanda agli ascoltatori:

❝*Cosa pensate di chi si trasferisce in un altro Paese per trovare lavoro?*❞

E Curriculum Vitae

 1 Avete mai sostenuto un colloquio di lavoro? Quali sono, secondo voi, le domande più frequenti? In coppia, fate una lista e confrontatela con i compagni.

 2 Adesso ascoltate il colloquio di lavoro di Gennaro Mossini. Ci sono domande a cui non avevate pensato?

9
CD 1

The new Italian project **2**

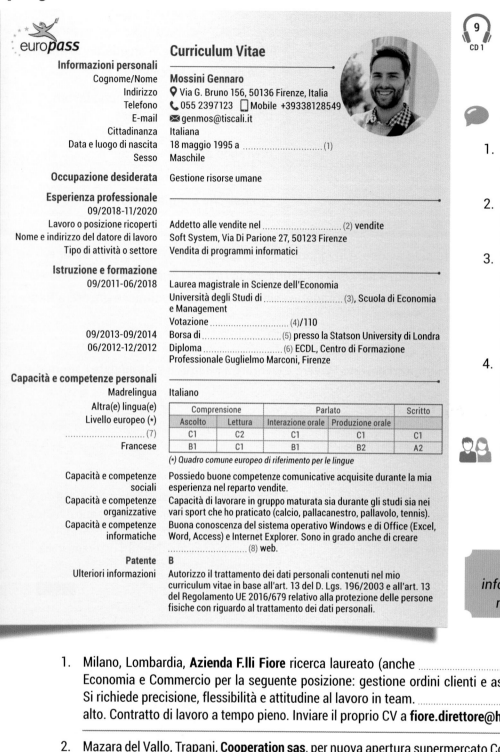

europass

Curriculum Vitae

Informazioni personali
Cognome/Nome **Mossini Gennaro**
Indirizzo 📍 Via G. Bruno 156, 50136 Firenze, Italia
Telefono 📞 055 2397123 📱 Mobile +39338128549
E-mail ✉ genmos@tiscali.it
Cittadinanza Italiana
Data e luogo di nascita 18 maggio 1995 a .... (1)
Sesso Maschile

Occupazione desiderata Gestione risorse umane

Esperienza professionale
09/2018-11/2020
Lavoro o posizione ricoperti Addetto alle vendite nel .... (2) **vendite**
Nome e indirizzo del datore di lavoro Soft System, Via Di Parione 27, 50123 Firenze
Tipo di attività o settore Vendita di programmi informatici

Istruzione e formazione
09/2011-06/2018 Laurea magistrale in Scienze dell'Economia
Università degli Studi di .... (3), Scuola di Economia e Management
Votazione .... (4)/110
09/2013-09/2014 Borsa di .... (5) presso la Statson University di Londra
06/2012-12/2012 Diploma .... (6) ECDL, Centro di Formazione Professionale Guglielmo Marconi, Firenze

Capacità e competenze personali
Madrelingua Italiano
Altra(e) lingua(e)
Livello europeo (*)
.... (7)

Comprensione		Parlato		Scritto
Ascolto	Lettura	Interazione orale	Produzione orale	
C1	C2	C1	C1	C1
B1	C1	B1	B2	A2

Francese

(*) Quadro comune europeo di riferimento per le lingue

Capacità e competenze sociali Possiedo buone competenze comunicative acquisite durante la mia esperienza nel reparto vendite.
Capacità e competenze organizzative Capacità di lavorare in gruppo maturata sia durante gli studi sia nei vari sport che ho praticato (calcio, pallacanestro, pallavolo, tennis).
Capacità e competenze informatiche Buona conoscenza del sistema operativo Windows e di Office (Excel, Word, Access) e Internet Explorer. Sono in grado anche di creare .... (8) **web**.
Patente B
Ulteriori informazioni Autorizzo il trattamento dei dati personali contenuti nel mio curriculum vitae in base all'art. 13 del D. Lgs. 196/2003 e all'art. 13 del Regolamento UE 2016/679 relativo alla protezione delle persone fisiche con riguardo al trattamento dei dati personali.

🎧 **9** CD 1 **3** Ascoltate di nuovo e completate il Curriculum Vitae di Gennaro.

💬 **4** Rispondete alle domande.

1. Che problema ha avuto Gennaro durante l'università?
2. Come è andata l'esperienza in Inghilterra che Gennaro ha fatto durante l'università?
3. Prima di questo colloquio di lavoro, Gennaro ha avuto un'esperienza di lavoro presso un'azienda. Che lavoro svolgeva? E perché è andato via dall'azienda?
4. Secondo voi, è andato bene il colloquio di lavoro di Gennaro?

👥 **5** In coppia completate gli annunci con le parole date. Secondo voi, quale annuncio è più adatto al CV di Gennaro?

mansioni | determinato
informatici | requisiti | ricerca
neolaureato | assunzione

---

1. Milano, Lombardia, **Azienda F.lli Fiore** ricerca laureato (anche .... (1) senza esperienza) in Economia e Commercio per la seguente posizione: gestione ordini clienti e assistenza ufficio marketing. Si richiede precisione, flessibilità e attitudine al lavoro in team. .... (2) immediata. Stipendio alto. Contratto di lavoro a tempo pieno. Inviare il proprio CV a **fiore.direttore@hotmail.com** ✉ ☆

2. Mazara del Vallo, Trapani, **Cooperation sas**, per nuova apertura supermercato Conad assumiamo personale, ambosessi di età non superiore ai 30 anni, per diverse .... (3): cassieri, magazzinieri, scaffalisti, macellai, salumieri, anche prima esperienza. Si offre contratto a tempo .... (4) per sei mesi con possibilità di rinnovo a tempo indeterminato. Indirizzate il vostro CV, con foto, a **selezionerisorse66@gmail.com** ✉ ☆

3. Trieste, **Generali Assicurazioni** .... (5) per la sua sede di Pescara neolaureato da inserire come responsabile commerciale. .... (6) richiesti: età inferiore ai 30 anni, laurea, buona conoscenza del pacchetto .... (7) Office e della lingua inglese. Titoli preferenziali: esperienza presso compagnie di assicurazione o studi legali. I candidati interessati possono inviare il proprio CV alla sezione **"opportunità di lavoro"** del sito aziendale. ☆

6 Scegliete uno degli annunci dell'attività precedente e scrivete su un foglio una breve email in cui allegate il vostro CV, che scriverete prendendo come esempio quello di Gennaro.

es. 16-17
p. 114

F   Un colloquio di lavoro... in diretta

1 Leggete il titolo di questo articolo. Cos'è successo, secondo voi? Scambiatevi delle idee.

2 Adesso leggete l'articolo e indicate le affermazioni presenti. Le vostre ipotesi erano corrette?

la Repubblica

ALLA BBC PER UN COLLOQUIO DI LAVORO. VA IN DIRETTA SCAMBIATO PER L'OSPITE

LONDRA - Famoso per caso! È ciò che è successo a un giovane che si è presentato presso gli studi della BBC per un colloquio di lavoro e invece, per errore, è finito davanti alle telecamere! Guy Goma voleva solo proporsi come elettricista. Invece: "È successo tutto così all'improvviso; stavo per allontanarmi dalla reception, quando un tipo mi ha detto di seguirlo. Andava così di fretta che per stargli dietro mi sono messo a correre. E correndo correndo siamo arrivati in un camerino dove mi aspettava una truccatrice, il che mi è sembrato molto strano".

Dal trucco poi dritto nello studio, davanti alla conduttrice della BBC, la quale senza perdere tempo lo ha presentato come Guy Sonders, esperto di economia. Lui, che di economia non ne sa assolutamente nulla. "Quando ho capito che ero in diretta, di fronte alle telecamere, che cosa potevo fare? Ho cercato di rispondere alle domande e di stare calmo". Prima domanda della conduttrice: "Che cosa ne pensa della decisione del governo di licenziare 200 maestri elementari?". Dovevo dire qualcosa: "Sono molto sorpreso, questa decisione veramente non me l'aspettavo".

Nel frattempo, il vero Sonders era arrivato e stava aspettando nella lobby, davanti a un monitor, quando ha visto che il suo nome compariva sullo schermo sotto il volto di uno sconosciuto, che cercava senza molto successo di rispondere alle domande della giornalista. Cos'era accaduto? Alla reception la segretaria aveva confuso i nomi!

A Goma è andata comunque bene: da disoccupato è diventato una "star per caso" ed ha partecipato ad altre trasmissioni televisive! Per parlare non di economia, ma della sua esperienza...

- [ ] 1. Il ragazzo era andato alla BBC per un colloquio di lavoro.
- [ ] 2. Ha capito subito ciò che sarebbe successo.
- [ ] 3. La conduttrice credeva di parlare con un esperto di economia.
- [ ] 4. Al ragazzo è piaciuta l'idea di parlare in televisione.
- [ ] 5. Per fortuna è riuscito a rimanere calmo e a rispondere.
- [ ] 6. La trasmissione è durata più di un'ora.
- [ ] 7. La giornalista si è arrabbiata con Guy Goma.
- [ ] 8. È stata la segretaria a scambiare i nomi.
- [ ] 9. Dopo questa, il ragazzo ha partecipato anche ad altre trasmissioni.
- [ ] 10. Oggi Guy Goma lavora alla BBC come elettricista.

3 Nell'articolo abbiamo visto le frasi "stavo per allontanarmi dalla reception" (1° paragrafo) e "il vero Sonders stava aspettando nella lobby" (3° paragrafo): che cosa significano, secondo voi? Osservate la tabella.

stare + gerundio*	*stare per* + infinito
esprime l'aspetto progressivo di un'azione che è in corso di svolgimento	esprime l'aspetto prossimo di un'azione, cioè un'azione che si verifica nell'immediato futuro
Stavo lavorando quando mi ha telefonato Elisa. Per fortuna, mi sta aiutando anche Gianna.	Stavo per uscire, quando mi ha telefonato Elisa. Sta per piovere, prendi l'ombrello!

* di più sul gerundio nell'unità 11

4 Completate le frasi con: *stai facendo, sta per aprire, sta per prendere, stava andando, sta leggendo*.

1. È un periodo difficile questo: dopo il licenziamento, Giulio .... un'importante decisione.
2. Che ....? Ti va di fare quattro passi?
3. Paola vuole cambiare casa e in questi giorni .... tutti gli annunci.
4. Chiara ha chiesto un prestito in banca e .... un negozio tutto suo. Vorrebbe assumere anche due commesse.
5. La mamma di Lorenzo .... in palestra quando ha incontrato Luca.

es. 18
p. 115

5 Osservate i disegni e provate a raccontare la storia.

G Vocabolario e abilità

1 Abbinate alle foto le professioni che sono evidenziate in blu nell'articolo dell'attività F2.

....

2 *Chi...?*
Abbinate le professioni alle definizioni.

1. ...cura gli animali
2. ...disegna libri, riviste, pubblicità ecc. al computer
3. ...lavora in un negozio (ad esempio, di abbigliamento)
4. ...prende le ordinazioni e serve i clienti al tavolo, al bar o al ristorante
5. ...svolge un lavoro manuale e spesso faticoso
6. ...è esperta nell'arte del cucinare

a. Commesso
b. Cuoca
c. Grafico
d. Cameriere
e. Veterinaria
f. Operaio

 3 Ascolto Quaderno degli esercizi (p. 117)

4 Situazione

1. **Sei A**: hai fissato un colloquio con il direttore di un'azienda, a pagina 163 troverai il 'tuo' CV e qualche domanda da fare al direttore. Preparati per 2-3 minuti e... in bocca al lupo!

2. **Sei B**: sei il direttore dell'azienda e vuoi alcuni chiarimenti sul CV di A, ma anche altre informazioni. A pagina 166 troverai tutto il materiale di cui hai bisogno.

 5 Scriviamo

Scrivete una lettera ad un amico italiano in cui gli parlate del vostro nuovo lavoro (come lo avete trovato, quali sono le vostre mansioni, com'è l'ambiente lavorativo, quali sono gli aspetti positivi e negativi).

In alternativa, potete parlare del lavoro che vorreste fare, motivandone la scelta.

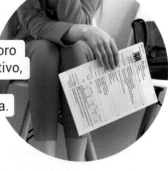

 6 Mima la professione!

Dividete la classe in due squadre. Uno studente della squadra A sceglie una professione tra quelle viste in questa unità e in quella precedente e, senza parlare, mima la professione scelta. Gli studenti della squadra B devono scoprire la professione mimata, se la risposta è corretta la squadra vince 1 punto e il turno passa alla squadra B. Se la risposta non è corretta, il punto va alla squadra A che continua a mimare, con un nuovo studente, una nuova professione.

es. 19-23 p. 115   p. 86   Test finale

L'economia italiana

1 Leggi i testi e rispondi alle domande.

IL MIRACOLO ECONOMICO*

Autostrada del Sole

Dopo la Seconda guerra mondiale, l'Italia appare come un Paese distrutto e anche molto povero, con un'economia basata sull'agricoltura. È grazie agli aiuti degli Stati Uniti per l'Europa, il cosiddetto piano Marshall, che l'Italia comincia la ricostruzione del Paese e la ripresa della sua economia. Comincia a costruire grandi opere pubbliche, ad esempio l'autostrada del Sole che collega Napoli a Milano, e più tardi l'autostrada Adriatica che collega Taranto a Bologna. Unire il Nord e il Sud facilita la mobilità di merci e persone e, di conseguenza, lo sviluppo dell'economia del Paese. Aumentano i posti di lavoro nelle grandi aziende che in questi anni si rinnovano utilizzando nuove tecnologie.

Agli inizi degli anni '60 l'Italia esporta il 40% della propria produzione in Europa, in particolare prodotti come automobili, frigoriferi, abbigliamento e prodotti alimentari.

Simbolo dell'Italia del boom economico è soprattutto la FIAT, l'azienda della famiglia Agnelli, che crea i primi modelli di automobili pensate per la città, le utilitarie*. La Seicento e la Cinquecento, infatti, sono macchine piccole e comode per le famiglie che vivono in città e, soprattutto, sono economiche.

COS'È IL MADE IN ITALY?

I produttori italiani, negli anni dopo la Seconda guerra mondiale, devono applicare sui loro prodotti d'esportazione il marchio *"Made in Italy"* per specificarne la provenienza.

Con il passare del tempo e con il successo delle aziende italiane, *"Made in Italy"* diventa sinonimo di qualità e creatività: dagli anni '60 si affermano* in tutto il mondo grandi marchi italiani in diversi settori, che hanno fatto la storia del design.

Nel settore automobilistico, per esempio, l'Italia diventa famosa con le piccole utilitarie della FIAT, come già anticipato sopra, e con le lussuose auto da corsa della Ferrari, della Lamborghini e della Maserati. Nella moda troviamo numerosi stilisti di grande successo, alcuni dei quali conosciuti in tutto il mondo, come Armani, Versace, Missoni e Prada. Anche nel settore alimentare l'Italia può contare su multinazionali che fatturano miliardi di euro, come la Ferrero (l'azienda che produce la famosissima Nutella), l'Algida, la Barilla, e tante altre.

1. **Il "miracolo economico italiano":**
   - ☐ a. è iniziato già prima della fine della Seconda guerra mondiale
   - ☐ b. ha riguardato soltanto le opere pubbliche
   - ☐ c. è stato possibile grazie agli aiuti arrivati dall'estero

2. **Le utilitarie della FIAT:**
   - ☐ a. erano belle e costose
   - ☐ b. erano auto solo per la città
   - ☐ c. erano ideali per la famiglia

3. **Il *Made in Italy*:**
   - ☐ a. fin dai primi anni è stato sinonimo di qualità e creatività
   - ☐ b. ha fatto conoscere i prodotti italiani in tutto il mondo
   - ☐ c. si è diffuso soprattutto grazie ai grandi stilisti italiani

La legge protegge il

☞...
Una legge del 2003 ha stabilito che è illegale usare il marchio *Made in Italy* per beni che non sono prodotti e progettati in Italia. Chi non rispetta la legge, rischia fino a due anni di reclusione*!

 2 Conoscete i marchi italiani? In coppia, giocate a indovinare il prodotto di ogni azienda: per ogni abbinamento giusto, vincete un punto!

- a. pasta
- b. abbigliamento
- c. alta moda
- d. automobili
- e. elettrodomestici
- f. assicurazioni
- g. caffè
- h. occhiali
- i. scooter
- l. cioccolata

 ☐

 ☐

 ☐

 ☐

 ☐

 ☐

GUCCI

 ☐

 ☐

 ☐

Ci sono altri marchi italiani che hanno una forte presenza nel vostro Paese?

Attività online

Glossario. *miracolo economico:* espressione che indica il grande sviluppo economico dell'Italia negli anni '50 e '60 del Novecento; *utilitaria:* auto di piccole dimensioni e di piccola cilindrata, che ha un basso costo; *affermarsi:* che ha sempre più importanza; *reclusione:* essere rinchiusi in prigione per non aver rispettato la legge.

Che cosa ricordi dell'unità 1 e 2?

1 Sai...? Abbina le due colonne.

1. chiedere il perché	☐ a. *Dai, non ti preoccupare, andrà tutto bene!*
2. chiudere un'email	☐ b. *Come mai hai deciso di trasferirti a Bologna?*
3. rassicurare	☐ c. *Non si preoccupi! Lei si è fatta male?*
4. aprire una lettera formale	☐ d. *Aspetto tue notizie. A presto.*
5. rispondere alle scuse	☐ e. *Gentile Dott.ssa Grana, come sta?*

2 Abbina le frasi.

1. Domani si laurea Giorgio.	☐ a. Leggo, ho cominciato un nuovo libro.
2. Scusami per il ritardo, Franco!	☐ b. Ottimo!
3. Cosa stai facendo?	☐ c. Chi l'avrebbe mai detto? Bravo!
4. Ho deciso di cambiare lavoro!	☐ d. Non fa niente. Non preoccuparti!
5. Com'è il tuo inglese?	☐ e. Come mai? Non sei più contenta?

3 Completa.

1. Chi tardi arriva: ....
2. Come si chiama l'autostrada che collega Napoli a Milano: ....
3. Ci + ne: ....
4. Tre pronomi relativi: ....
5. Un altro modo per esprimere *tutti quelli che vogliono partecipare...*: ....

4 Abbina le parole alle definizioni.

colloquio di lavoro ♦ risparmiare ♦ prelevare ♦ frequentare ♦ licenziare ♦ assumere ♦ disoccupato

1. mandare via qualcuno da un posto di lavoro: ....
2. dare un posto di lavoro a qualcuno: ....
3. prendere soldi da uno sportello bancomat: ....
4. mettere soldi da parte: ....
5. la persona che non riesce a trovare lavoro: ....
6. incontro per capire se qualcuno è adatto a un posto di lavoro: ....
7. seguire regolarmente le lezioni: ....

Controlla le soluzioni a pagina 90. Sei soddisfatto/a?

Per cominciare...

1 a Secondo voi, quale città/località è ideale per...

a. frequentare l'università
b. fare una vacanza studio o culturale
c. fare shopping
d. fare il viaggio di nozze
e. trascorrere le vacanze estive
f. lavorare per qualche tempo

b Quali di queste città conoscete? Ci siete stati? Avete vinto un viaggio, in quale città andreste per trascorrere un fine settimana?

Roma

Venezia

Napoli

Milano

2 Confrontatevi con i vostri compagni di classe: quale città ha ottenuto maggiori preferenze?

Firenze

CD 1

3 Ascoltate il dialogo tra Gianna e Lorenzo, di quali città parlano?

4 Ascoltate di nuovo il dialogo e indicate l'affermazione giusta.

1. Lorenzo e Gianna andranno a fare un viaggio perché:
   a. Lorenzo vuole incontrare un'amica, Grazia
   b. il padre di Gianna ha vinto un viaggio per due persone
   c. Gianna è da più di un anno che non fa un viaggio

2. Lorenzo non vuole andare a Napoli perché:
   a. c'è molta umidità
   b. ci sono pochi monumenti
   c. il viaggio è lungo

In questa unità impariamo...

- a fare paragoni
- alcuni sostantivi e aggettivi geografici
- a descrivere e a parlare di una città
- a esprimere preferenza per qualcuno o qualcosa
- a chiedere e a dare informazioni sui servizi offerti da un albergo per prenotare una camera

- *il comparativo (di maggioranza, minoranza, uguaglianza)*
- *verbi pronominali (prendersela, ...)*
- *il superlativo (relativo e assoluto)*
- *a conoscere alcune città italiane*

A È bella quanto Roma!

11 **1** Riascoltate il dialogo per verificare le vostre risposte.
CD 1

> *Lorenzo:* Ma veramente tuo padre ha vinto un viaggio?
>
> *Gianna:* Sì, te l'avevo detto, ha vinto un fine settimana in una città italiana a scelta, però i miei non ci possono andare.
>
> *Lorenzo:* E sei sicura che non ci vuoi andare con Marco?
>
> *Gianna:* Ma se abbiamo litigato. Cosa dovrei fare, chiamarlo...?
>
> *Lorenzo:* Già! Comunque, andare con me non è il massimo. Ok... e dobbiamo decidere subito?
>
> *Gianna:* Sì, tu hai qualche idea?
>
> *Lorenzo:* Beh, potremmo andare a Roma, no?
>
> *Gianna:* Hmm, non lo so... ci sono stata un anno fa. Cosa ne pensi di Firenze? Il Duomo, i musei, le piazze...

Lorenzo: Mah, Firenze è più fredda di Roma, no? E in questo periodo farà sicuramente un freddo cane.

Gianna: Già, non ci avevo pensato... E Venezia? I canali, i ponti, le gondole...

Lorenzo: Guarda, Venezia è bella quanto Roma, niente da dire... ma almeno a Roma non c'è tutta quell'umidità! E nemmeno l'acqua alta!

Gianna: Ho capito... e Napoli? Andremmo al Maschio Angioino, sul lungomare... lì c'è il sole!

Lorenzo: Sì, ma il viaggio è più lungo... ci metteremmo 5 ore per arrivare... e abbiamo solo 2 giorni.

Gianna: Ma non ti va mai bene niente! E Bologna? È più vicina... ed è bellissima.

Lorenzo: Sì, ma è meno grande di Roma e ha meno monumenti. Quindi, non vedo perché non...

Gianna: Insomma, ti sei fissato con Roma!

Lorenzo: Io?! Ma quando mai?

Gianna: Aspetta un attimo... La ragazza di cui ti sei innamorato quest'estate è di Roma per caso?

Lorenzo: Chi, Grazia? Ah, è vero!... Vedi quanti vantaggi ha questa città!

Gianna: Lorenzo, sei sempre il solito!

Acqua alta a Venezia

💬 **2** Leggete il dialogo e scegliete l'affermazione giusta.

1. Cosa intende Lorenzo quando dice:

   • "farà un freddo cane"
   - a. fa molto freddo
   - b. fa poco freddo

   • "non è il massimo"
   - a. non è la cosa più importante
   - b. non è la cosa migliore

   • "nemmeno l'acqua alta"
   - a. non piove molto e non c'è l'acqua alta per le strade
   - b. non sale il livello del mare e non c'è l'alta marea

   • "ma quando mai?"
   - a. esprime certezza, cioè conferma quanto dice Gianna
   - b. esprime meraviglia, cioè respinge quanto dice Gianna

2. Cosa intende Gianna quando dice:

   • "ti sei fissato con Roma"
   - a. resti fermo nella tua decisione di andare a Roma
   - b. hai deciso di stabilirti e vivere a Roma

3 Leggi la chat di Gianna con il padre e indica l'alternativa giusta.

papà

> Allora Gianna hai deciso dove e con chi andare?

 Gianna

> Con chi sì, ma dove no...

> Come mai?

> Papà... vado con Lorenzo... lo sai com'è... è più/meno (1) sicuro di me! ☺

> A Napoli no, perché il viaggio è più/meno (2) lungo, a Bologna no perché è più/meno (3) grande di Roma... non decideremo mai!

> Beh, andate a Genova! È vero, è più/meno (4) piccola di Roma, ma è più/meno (5) vicino a Milano, il viaggio è più/meno (6) breve... ed è più/meno (7) fredda di altre città del nord Italia, perché è sul mare!

> Hai ragione, ma figurati se Lorenzo cambia idea... è testardo come un mulo!

> Dai, non prendertela... Lorenzo è fatto così.

> Ce la puoi fare!

> Non ne sono certa... ma spero di cavarmela!

 80-100

4 Riassumete il dialogo tra Gianna e Lorenzo e dite quale città propone il padre di Gianna.

> 66 *Gianna ha un viaggio gratuito per due persone, tutto compreso, per un fine settimana in una città italiana e propone a Lorenzo di andarci insieme. ...* 99

> Approfondimento grammaticale, pagina 171 per consultare la coniugazione di *prendersela, cavarsela, farcela* e il significato di questi verbi pronominali.

Comparazione tra due nomi o pronomi

5 Osservate il dialogo A1 e completate la tabella.

La tabella completa è nell'Approfondimento grammaticale, pagina 172.

Firenze è **più** fredda .... Roma. Lui studia **più di** te.	→	Comparativo di maggioranza ⊕
Bologna è .... grande **di** Roma. Io ho mangiato **meno di** lei.	→	Comparativo di minoranza ⊖
Venezia è **(tanto)** bella .... Roma. Noi abbiamo lavorato **(tanto) quanto** loro. Venezia è **(così)** bella **come** Roma.	→	Comparativo di uguaglianza ⊜

6 Osservate la tabella precedente e costruite oralmente delle frasi, come nell'esempio.

1. Gaia | magra | Eva   (⊕ ⊖ ⊜) → *Gaia è più magra di Eva.*
2. le ragazze | leggono | i ragazzi   (⊕ ⊖)   *Gaia è meno magra di Eva.*
3. maggio | caldo | settembre   (⊕ ⊖)   *Gaia è magra quanto Eva.*
4. la macchina di Federico | veloce | la mia   (⊖ ⊜)   *(Gaia è magra come Eva.)*
5. questo maglione | bello | il mio   (⊕ ⊖)
6. la bicicletta | costosa | l'automobile   (⊕ ⊖)

7 Formate due squadre. Una squadra osserva le foto in basso con i dati e sceglie due città o due regioni che dirà all'altra squadra. La squadra avversaria dovrà fare il comparativo (ad esempio, *Milano ha meno abitanti di Roma; la Sicilia è più grande della Campania*).
Se risponde correttamente vince un punto e sceglie, a sua volta, due città o due regioni da dire alla squadra avversaria, la quale deve rispondere correttamente con il comparativo.

1. Lombardia 23.863 kmq – Milano 1.378.689

5. Lazio 17.232 kmq – Roma 2.856.133

2. Veneto 18.345 kmq – Venezia 260.520

6. Campania 13.670 kmq – Napoli 959.188

3. Emilia Romagna 22.452 kmq – Bologna 390.636

7. Sicilia 25.832 kmq – Palermo 663.401

4. Toscana 22.987 kmq – Firenze 378.839

8. Sardegna 24.100 kmq – Cagliari 154.267

es. 1-5
p. 120

B Più italiana che torinese!

1 Tra una regione e l'altra dell'Italia, ma anche tra una città e l'altra, esistono differenze culturali e di mentalità. Differenze esistono anche tra i vari Paesi europei. Nel vostro Paese, esistono delle differenze al suo interno che caratterizzano città o regioni? Parlatene in coppia.

2 Leggete il testo e indicate le affermazioni corrette.

LE DIFFERENZE CHE CI UNISCONO

Abbiamo chiesto ad alcune persone per strada la loro opinione sull'altra metà del Paese: a quelli del Nord cosa pensano del Sud e viceversa. Ecco cosa ci hanno risposto:

66 Amo tutto il Sud. Sono pazzo di Agrigento, Castel del Monte, la bellissima costiera Amalfitana, Ravello. D'altra parte adoro la mozzarella di bufala e in un mio menù ideale metterei sicuramente più piatti meridionali che settentrionali. 99

Massimo di Venezia

66 Io sono nata a Torino, mia madre è di origini calabresi, di Crotone, mio padre è piemontese, di Biella, ma i suoi genitori, ovvero i miei nonni paterni, erano siciliani, di Catania. Ho parenti sparsi lungo tutta la penisola: da Firenze a Bari, da Roma a Trieste, da Napoli a Bergamo. Quindi mi sento più italiana che torinese! 99

Valeria di Torino

66 Sono una calabrese che adora Bologna. Ci vado spesso per lavoro e ho anche molti amici. Certo, Bologna non ha il mare, che è una parte di me, ma i bolognesi hanno un grande spirito civico, un atteggiamento di fiducia negli altri e soprattutto un forte senso di responsabilità che ammiro molto. Io sono più emotiva e sentimentale e spesso seguo più il cuore che la ragione. 99

Lucia di Reggio Calabria

66 Ogni volta che vado a Milano, ci sono alcuni aspetti della città e dei milanesi che invidio: la loro efficienza, l'ordine, la puntualità dei trasporti, la capacità imprenditoriale nonché organizzativa, il rispetto e addirittura anche la nebbia. Ma quando torno nella mia città e mi trovo di fronte gli stupendi panorami, il chiasso per le strade, i colori caldi e la cucina penso che non cambierei la mia città con nessun'altra al mondo. Insomma, amo il Nord perché a loro piace più lavorare che chiacchierare e amo il Sud perché noi più che furbi siamo autoironici e altruisti. 99

Nicola di Napoli

adattato da *Donna moderna*

1. Massimo preferisce la cucina
   - ☐ a. veneziana
   - ☐ b. del Nord
   - ☐ c. del Sud

2. Valeria
   - ☐ a. si sente soprattutto torinese
   - ☐ b. ha parenti in tutta Italia
   - ☐ c. ha parenti anche fuori dall'Italia

3. Lucia
   - ☐ a. vive a Bologna perché le piacciono i bolognesi
   - ☐ b. ha molti amici bolognesi a cui piace il mare
   - ☐ c. si lascia guidare dalle emozioni

4. Nicola
   - ☐ a. invidia i milanesi perché sono sempre puntuali
   - ☐ b. non sopporta il chiasso per le strade di Napoli
   - ☐ c. ama i napoletani perché sono altruisti

3 Sottolineate nel testo la comparazione usata dalle persone intervistate e completate la tabella. Cosa notate rispetto alla comparazione tra due nomi o pronomi?

Comparazione tra due qualità (espresse da due aggettivi, verbi, nomi) riferite allo stesso soggetto e tra due nomi e pronomi (preceduti da preposizione)

aggettivi	➡ Mi sento più italiana .... torinese!
verbi	➡ A loro piace più .... che chiacchierare.
nomi	➡ Seguo più il cuore che ....
nomi e pronomi (preceduti da preposizione)	➡ Il Trentino piace più a lui che a Gianna.

Consultate anche l'Approfondimento grammaticale, pagina 172.

– I portici di Bologna, che solo nel centro storico coprono una lunghezza di 38 chilometri, sono uno dei simboli della città.

4 Osservate la tabella precedente e costruite delle frasi.

1. Questo chef | famoso | bravo ⊕ ⊜
2. A Tiziana piace | caffè espresso | caffè americano ⊕ ⊜
3. Difficile | parlare l'italiano | capire l'italiano ⊕
4. Alla festa di Carlo c'erano | uomini | donne ⊜
5. Vivere a Bologna | costoso | vivere a Foggia ⊕
6. Viaggiate | in aereo | in treno ⊕ ⊜

5 Abitanti d'Italia. In coppia cercate di completare gli spazi.

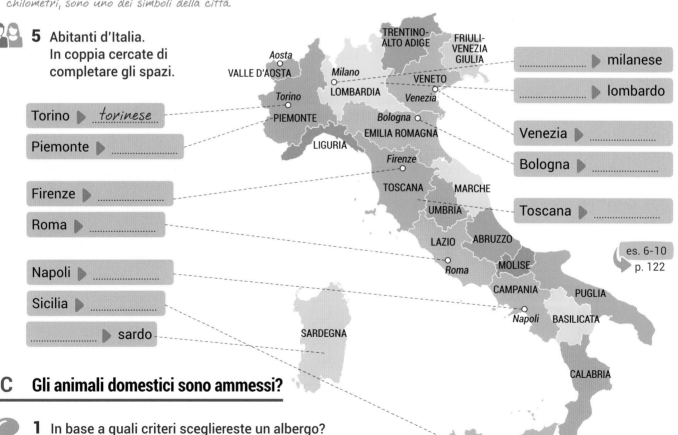

Torino ▶ *torinese*

Piemonte ▶ ....

Firenze ▶ ....

Roma ▶ ....

Napoli ▶ ....

Sicilia ▶ ....

.... ▶ sardo

.... ▶ milanese

.... ▶ lombardo

Venezia ▶ ....

Bologna ▶ ....

Toscana ▶ ....

es. 6-10
p. 122

C Gli animali domestici sono ammessi?

1 In base a quali criteri scegliereste un albergo? Come dovrebbe essere? Parlatene.

12
CD 1
2 Ascoltate ora una pubblicità. Indicate le affermazioni giuste.

1. L'albergo è → ☐ l'Hilton ☐ l'Holiday Inn ☐ il Grand Hotel
2. L'albergo è → ☐ di colore verde ☐ immerso nel verde ☐ immenso e verde
3. L'albergo ha → ☐ tre ristoranti ☐ un ristorante tipico ☐ un ottimo ristorante
4. L'albergo ha → ☐ un grande parcheggio ☐ un grande campeggio ☐ un vantaggio
5. I due ragazzi → ☐ sono fidanzati ☐ sono sposati ☐ sono amici

13
CD 1
3 Adesso ascoltate il dialogo tra una coppia, marito e moglie, e indicate i servizi che nominano.

Ristorante | Zona relax e lettura | Wi-fi gratuito | Vista

spa | Aria condizionata | Parcheggio | Animali domestici | TV satellitare | Palestra

Navetta aeroporto | Piscina

13
CD 1
4 Ascoltate di nuovo il dialogo e indicate le affermazioni presenti.

☐ 1. L'albergo è vicino al Colosseo.
☐ 2. La coppia vuole prenotare due camere.
☐ 3. Le camere dell'albergo hanno la tv satellitare.
☐ 4. La camera che prenota la coppia ha vista sul parco.
☐ 5. Per gli animali domestici è previsto uno sconto.
☐ 6. Il servizio navetta dall'aeroporto è gratuito.

5 In coppia, cercate di completare la tabella con le espressioni che avete sentito. Dopo riascoltate il dialogo per verificare le vostre risposte.

Chiedere e dare informazioni su una camera d'albergo e sui servizi offerti da un albergo

Quanto ....?	La matrimoniale 100 euro a notte con colazione. Quella dei ragazzi, con due letti ...., 120.
Ma dov'è l'albergo, è vicino al ....?	Dicono "a due .... dal centro storico". Ho visto sulla cartina, è a due fermate da Piazza del Popolo.
C'è la palestra?	Certo, ma non c'è la piscina.
Senti, è possibile portare con noi Leo?	Certo: gli animali .... sono ammessi.
	La nostra camera ha anche un bel terrazzo che .... sul parco.
	C'è la tv satellitare, connessione wi-fi in camera, aria ....
	C'è anche il servizio navetta dall'aeroporto.

6 Leggete questi due testi: quale dei due ha scelto la coppia protagonista del dialogo? Motivate la vostra risposta.

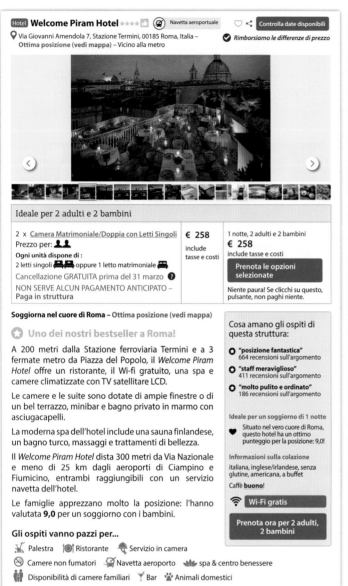

Hotel Welcome Piram Hotel ★★★★ 🏳️ 🚌 Navetta aeroportuale ♡ ⮌ **Controlla date disponibili**

📍 Via Giovanni Amendola 7, Stazione Termini, 00185 Roma, Italia – Ottima posizione (vedi mappa) – Vicino alla metro

✓ *Rimborsiamo le differenze di prezzo*

Ideale per 2 adulti e 2 bambini

2 x Camera Matrimoniale/Doppia con Letti Singoli
Prezzo per: 👤👤
Ogni unità dispone di :
2 letti singoli 🛏️ oppure 1 letto matrimoniale 🛏️ 🚗
Cancellazione GRATUITA prima del 31 marzo ❓
NON SERVE ALCUN PAGAMENTO ANTICIPATO – Paga in struttura

€ 258
include tasse e costi

1 notte, 2 adulti e 2 bambini
€ 258
include tasse e costi
Prenota le opzioni selezionate
Niente paura! Se clicchi su questo, pulsante, non paghi niente.

Soggiorna nel cuore di Roma – Ottima posizione (vedi mappa)

⭐ **Uno dei nostri bestseller a Roma!**

A 200 metri dalla Stazione ferroviaria Termini e a 3 fermate metro da Piazza del Popolo, il *Welcome Piram Hotel* offre un ristorante, il Wi-fi gratuito, una spa e camere climatizzate con TV satellitare LCD.

Le camere e le suite sono dotate di ampie finestre o di un bel terrazzo, minibar e bagno privato in marmo con asciugacapelli.

La moderna spa dell'hotel include una sauna finlandese, un bagno turco, massaggi e trattamenti di bellezza.

Il *Welcome Piram Hotel* dista 300 metri da Via Nazionale e meno di 25 km dagli aeroporti di Ciampino e Fiumicino, entrambi raggiungibili con un servizio navetta dell'hotel.

Le famiglie apprezzano molto la posizione: l'hanno valutata **9,0** per un soggiorno con i bambini.

Gli ospiti vanno pazzi per...
🏋️ Palestra 🍴 Ristorante 🛎️ Servizio in camera
🚭 Camere non fumatori ✈️ Navetta aeroporto 💆 spa & centro benessere
👪 Disponibilità di camere familiari 🍸 Bar 🐾 Animali domestici

Cosa amano gli ospiti di questa struttura:
⭕ "posizione fantastica" 664 recensioni sull'argomento
⭕ "staff meraviglioso" 411 recensioni sull'argomento
⭕ "molto pulito e ordinato" 186 recensioni sull'argomento

Ideale per un soggiorno di 1 notte
❤️ Situato nel vero cuore di Roma, questo hotel ha un ottimo punteggio per la posizione: 9,0!

Informazioni sulla colazione
italiana, inglese/irlandese, senza glutine, americana, a buffet
Caffè **buono**!

📶 **Wi-Fi gratis**

Prenota ora per 2 adulti, 2 bambini

Hotel The Building ★★★★ 🏳️ **Super occasione** 🚌 Navetta aeroportuale ♡ ⮌ **Prenota ora**

📍 Via Montebello 126, Stazione Termini, 00185 Roma, Italia – Buona posizione (vedi mappa) – Vicino alla metro

✓ *Rimborsiamo le differenze di prezzo*

Ottimo **8,2**
2.770 recensioni

Personale qualificato, struttura bellissima. Unico problema: non sono ammessi i cani.

Ⓓ Daniele ▮▮ Italia

Staff **8,6**

Ideale per 2 adulti e 2 bambini

2 x Camera Matrimoniale/Doppia con Letti Singoli
Prezzo per: 👤👤
Ogni unità dispone di :
2 letti singoli 🛏️ oppure 1 letto matrimoniale 🛏️ 🚗
Cancellazione GRATUITA prima del 31 marzo ❓
NON SERVE ALCUN PAGAMENTO ANTICIPATO – Paga in struttura

€ 246
include tasse e costi

1 notte, 2 adulti e 2 bambini
€ 246
include tasse e costi
Prenota le opzioni selezionate
Niente paura! Se clicchi su questo, pulsante, non paghi niente.

Soggiorna nel cuore di Roma – Buona posizione (vedi mappa)

⭐ **Una delle nostre scelte top a Roma!**

L'*Hotel The Building* sorge a Roma, a 5 minuti a piedi dalla fermata metropolitana Castro Pretorio, e offre eleganti camere e suite, climatizzate e con Wi-Fi incluso nella tariffa.

Tutte le sistemazioni dispongono di pavimenti in moquette, TV con canali satellitari e bagno privato, con doccia o vasca idromassaggio e asciugacapelli.

L'*Hotel The Building* inoltre ha un ristorante, una reception aperta 24 ore su 24 e un centro benessere con vasca idromassaggio, sauna, bagno turco e docce emozionali. L'albergo ha anche il servizio di noleggio di auto elettriche.

All'*Hotel The Building* siete a 10 minuti a piedi dalla stazione ferroviaria, a 1,5 km da Villa Borghese e a 16 km dall'aeroporto di Ciampino.

Il centro della città è un'ottima scelta per i viaggiatori interessati all'architettura e alla storia.

Gli ospiti vanno pazzi per...
🏊 piscina 💆 spa & centro benessere 🍴 Ristorante
🛎️ Servizia in camera ♿ Camere/strutture per ospiti disabili
🚭 Camere non fumatori 🍸 Bar ☕ Colazione ottima

Cosa amano gli ospiti di questa struttura:
⭕ "staff meraviglioso" 40 recensioni sull'argomento
⭕ "molto pulito e ordinato" 35 recensioni sull'argomento
⭕ "stile boutique"

Ideale per un soggiorno di 1 notte
👥 Preferita dalle famiglie con bambini

Informazioni sulla colazione
continentale
Caffè **buono**!

📶 **Wi-Fi gratis** La maggior parte degli ospiti dice che il Wi-Fi qui è ottimo

🅿️ Parcheggio privato disponibile presso l'hotel

Prenota ora per 2 adulti, 2 bambini (a € 246)

adattati da *www.booking.com*

🎭 **7** Prima di partire per Roma, chiamate l'hotel per essere sicuri della prenotazione della camera che avete fatto online. La reception dell'albergo vi dice che non c'è nessuna prenotazione e vi chiede i dettagli del tipo di camera, le date di viaggio e se avevate scelto dei servizi aggiuntivi. Lo studente A è al telefono con la reception e chiede aiuto allo studente B, che ha fatto la prenotazione online, per rispondere alle domande del receptionist e dargli le informazioni necessarie.

es. 11-13 p. 124

D La città più bella

Viviamo nella città più bella del mondo, non rovinarla con una brutta pubblicità!
#PubblicitàResponsabile
www.graficab.net

1 Guardate la pubblicità, rispondete alle domande e completate la tabella a pag. 47. Qual è la città di cui parla la pubblicità? Secondo voi, qual è la città più bella d'Italia?

Superlativo relativo

L'albergo *Il principe* è il .... grande della città.

Chi è .... calciatore **più ricco** del mondo?

La "spiaggia dei conigli" in Sicilia è la spiaggia .... bella d'Italia.

Questo è il cellulare .... costoso che abbiamo in negozio.

Superlativo relativo di maggioranza (+)
Superlativo relativo di minoranza (-)

2 Gianna scrive alla madre su Messenger: completa il messaggio con i superlativi relativi della tabella precedente, come nell'esempio.

Ciao mamma! Tutto bene? Noi siamo arrivati, abbiamo fatto un buon viaggio e l'albergo è bello, pensa che è *il più grande* (1) della zona, ma ho l'impressione che quelli del concorso avranno scelto anche .... (2). Lo sai che non lontano dal nostro albergo c'è il museo .... (3) di opere d'arte sulla civiltà etrusca? Domani ci andiamo con Lorenzo. L'Italia ha molte belle città, ma Roma è .... (4).

Gianna

3 Osservate i fumetti e scegliete la parola giusta.

Ti è piaciuta Roma?

Sì, molto. Per me Roma non è solo bella, è buonissima/bellissima.

Com'era l'hotel?

Una delusione, mi sono trovato malissimo/benissimo.

4 Le parole in blu dell'attività precedente rappresentano il *superlativo assoluto* di un aggettivo o di un avverbio. Lo usiamo per esprimere un giudizio al massimo grado senza fare paragoni con qualcos'altro. Completate la recensione su TripAdivisor.

•••

⬤⬤⬤⬤◯

Hotel moderno e accogliente, ... (1. *molto pulito*) e .... (2. *molto curato*). Poche camere, ma l'edificio è .... (3. *molto bello*) e il proprietario, Alessandro, è disponibile e .... (4. *molto gentile*). L'albergo è in posizione .... (5. *molto centrale*), nel cuore di Roma: .... (6. *molto vicino*) alle migliori attrazioni della città, in .... (7. *molto pochi*) minuti si possono raggiungere piazza Navona o via del Corso. .... (8. *molto consigliato*) per soggiornare a Roma. 👍 ↗

Capite la differenza tra il superlativo assoluto, evidenziato nel testo, e il superlativo relativo? Consultate l'Approfondimento grammaticale a pagina 172.

es. 14-17

p. 126

5 Leggete Il testo e rispondete alle domande.

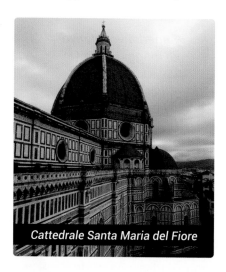
Cattedrale Santa Maria del Fiore

IL PERIODO MIGLIORE DELL'ANNO PER VISITARE FIRENZE

Ogni giorno migliaia di turisti si recano a Firenze per visitare i suoi meravigliosi monumenti, per fare shopping nei negozi di alta moda e per assaggiare gli ottimi piatti tradizionali toscani.

Firenze è il capoluogo della regione Toscana e la culla della cultura e dell'architettura del Rinascimento italiano. Patrimonio dell'Unesco, è sede dell'università, divenuta nota soprattutto per il corso di laurea in architettura.

Governata per lunghi anni dalla famiglia dei Medici, ha visto tra i suoi maggiori concittadini i padri della lingua italiana: Dante, Petrarca e Boccaccio. Ma tanti sono gli artisti che hanno vissuto a Firenze e che l'hanno abbellita con opere supreme, tra questi ricordiamo Cimabue, Giotto, Andrea Pisano, Sandro Botticelli, Donatello, Filippo Brunelleschi, il Ghirlandaio, Masaccio, Michelangelo Buonarroti e una delle massime personalità, come scienziato e come filosofo, Galileo Galilei.

Basilica Santa Maria Novella

Tra i luoghi da non perdere ricordiamo *Piazza della Signoria* e il *Palazzo Vecchio*, *Piazza del Duomo* e la *Cattedrale di Santa Maria del Fiore* con la *Cupola* del Brunelleschi, *Piazzale Michelangelo* da dove è possibile godere di una magnifica vista su tutta la città, la *Galleria dell'Accademia* con il *David* di Michelangelo, la *Chiesa di Santa Maria Novella*, la *Chiesa di Santo Spirito*, la *Basilica di Santa Croce*, la *Cappella Brancacci*, il *Museo degli Uffizi*, il *David* di Donatello.

Partendo dal presupposto che Firenze è splendida tutto l'anno, il periodo migliore per visitare la città è da marzo a giugno e da settembre fino ai primi di novembre perché questi mesi offrono temperature miti e giornate soleggiate. Nel periodo autunnale è più probabile che piova, ma gli Uffizi, i musei, le chiese e i palazzi della città saranno un ottimo riparo! I mesi estivi di luglio e agosto invece sono i più caldi e la presenza di turisti è decisamente notevole. Se vi piace l'idea di visitare Firenze in inverno, il momento ideale è a dicembre, quando i turisti sono pochi e potete godervi i musei in tutta tranquillità. Inoltre la città è addobbata per le festività natalizie e acquista un fascino e una magia indimenticabili.

Quando visitare Firenze dipende quindi da voi: in estate o in inverno, in primavera o in autunno questa splendida città d'arte non vi deluderà mai!

1. Quali sono i tre motivi per cui i turisti vanno a Firenze?

2. Conoscevate già alcune delle personalità citate nel testo? Conoscete alcune opere che hanno realizzato?

3. Qual è il periodo migliore per visitare Firenze?

4. Cosa significa "gli Uffizi, i musei, le chiese e i palazzi della città saranno un ottimo riparo!"?

David, Michelangelo

6 Gli aggettivi *migliore* e *ottimo* sono un esempio di forme particolari di comparativo e di superlativo assoluto. Nel testo dell'attività precedente ce ne sono altre. Osservate le immagini, a destra e nella pagina accanto, e completate la tabella.

ISTITUTO SUPERIORE DI SANITÁ

adattato da www.visitarefirenzein3giorni.com

Roberta Migliaccio

BLUES IN MI MINORE

A VOLTE HO LA SENSAZIONE DI FARE IL PEGGIORE LAVORO DEL MONDO

GIA'... APPUNTO!

I migliori Family Hotel in montagna

18 MAGGIORE ETÀ

Forme particolari di comparazione

Comparativo di maggioranza regolare	Forme particolari di comparativo
Questi dolci sono più buoni di quelli.	→ Sono sicuramente .... di quelli.
La tua idea è più cattiva della mia.	→ No, la tua è ....
Il problema più grande di Roberto è questo.	→ Sì, è il suo problema ....
La mia sorella più piccola si chiama Elena.	→ Elena è la mia sorella ....
Il guadagno è stato più alto del previsto!	→ Sì, è stato .... alle previsioni.
I risultati sono più bassi delle aspettative.	→ Sì, sono inferiori alle aspettative.

*La tabella completa sulle forme particolari (ottimo, pessimo ecc.) e
ulteriori informazioni sul superlativo assoluto nell'Approfondimento grammaticale a pagina 173.*

7 Osservate la tabella precedente e completate le frasi.

1. Questo programma non è tanto interessante, ma è sicuramente .... di quello che guardavi prima.
2. Oggi la qualità della vita è .... a quella di 50 anni fa.
3. La situazione qua è .... di quella che mi aspettavo: non vedo l'ora di andarmene.
4. Quest'anno il numero di incidenti è stato .... a quello dell'anno scorso grazie alle misure speciali prese dalla polizia stradale.
5. Le mie responsabilità sono .... delle tue poiché io sono più grande di te.
6. Nino ha due anni meno di me: è il mio fratello ....

es. 18-19
p. 128

E Vocabolario e abilità

 1 Descrivete e commentate queste due foto.

 2 Di seguito ci sono parole relative agli alberghi, ai viaggi in genere e a entrambe le categorie. Lavorando in coppia inseritele nei riquadri corrispondenti.

trasporto pubblico | *reception* | *viaggio di nozze* | *prenotazione* | *monumenti* | *Costiera amalfitana*
accogliente | *navetta aeroporto* | *biglietto* | *TV satellitare* | *passaporto* | *bagagli* | *vacanza studio*
visitare | *camera matrimoniale* | *soggiornare* | *recensione* | *museo*

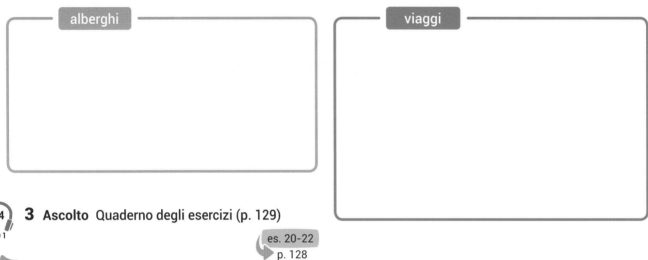

 3 Ascolto Quaderno degli esercizi (p. 129)

es. 20-22
p. 128

 4 Situazione

1. Descrivi la tua città a un amico italiano che non ci è mai stato: cosa ti piace di più e cosa di meno, i luoghi che dovrebbe vedere o in cui sarebbe bello trascorrere qualche serata con gli amici. Un tuo compagno, nella parte dell'amico italiano, ti fa delle domande per saperne di più.

2. Sei *A* e vai in un'agenzia di viaggi per chiedere informazioni su un viaggio in Italia: a pagina 164 troverai alcune delle domande che puoi fare. Sei *B* e lavori in un'agenzia di viaggi. A pagina 167 troverai un'offerta che potrebbe andar bene per *A* e possibili risposte alle sue domande.

80-120 **5 Scriviamo**

1. Un tuo amico italiano pensa di trascorrere le vacanze nel tuo Paese, ma in un periodo in cui tu non ci sarai. Chiede il tuo consiglio su cosa fare, dove andare, quali città e monumenti visitare. La tua risposta deve essere invitante come una brochure pubblicitaria.

2. Dopo un soggiorno deludente in un albergo di Firenze scrivi una lettera al direttore in cui esponi i problemi che hai affrontato ed esprimi un giudizio negativo sull'ospitalità, la professionalità del personale e la qualità dei servizi in genere.

6 Scegli una città!

Dividete la classe in due squadre composte dagli studenti che hanno scelto le prime due città, delle cinque date, nella sezione *Prima di cominciare...*

Invitate i singoli studenti che hanno preferito una città diversa dalle prime due più votate, a scegliere con quale squadra vogliono andare e quindi in quale città.

Ciascuna delle due squadre deve convincere, con argomentazioni sulla città da loro scelta e attraverso il confronto con la squadra avversaria (ad esempio, *Vieni con noi perché Roma ha più musei di Milano*), i compagni che hanno scelto una città diversa ad entrare nella loro squadra, per visitare tutti insieme la città.

La squadra avversaria propone delle controargomentazioni.

Vince chi riesce a convincere il maggior numero di studenti ad entrare nella propria squadra.

  Test finale
p. 87

— Città italiane —

ROMA

Roma è la capitale d'Italia dal 1871, ma era già il centro dell'Impero Romano più di duemila anni fa. Di ogni epoca storica Roma ha conservato varie testimonianze*, che oggi può offrire ai milioni di turisti che la visitano. Vediamone alcune:

il **Foro Romano** e il colle **Palatino**, in cui possiamo trovare i resti di templi, palazzi e piazze dell'antica Roma.

la **Fontana di Trevi**, dell'architetto Nicola Salvi, è diventata famosa anche grazie al film di Fellini *La dolce vita*. La tradizione dice che, se i turisti vogliono tornare a Roma, devono lanciare* una moneta nella fontana.

l'Anfiteatro Flavio (80 d.C.), più conosciuto come il **Colosseo**, era ed è ancora il simbolo della città, ed è considerato il più grande del mondo.

la **Basilica di San Pietro**, è la più grande chiesa del mondo e si trova nel più piccolo stato del mondo: lo Stato Vaticano. Nella chiesa possiamo ammirare la *Pietà* di Michelangelo, in Vaticano i *Musei Vaticani* con la *Cappella Sistina* e le *Stanze di Raffaello*.

Villa Borghese è un bellissimo parco nel centro di Roma con al suo interno la *Galleria Borghese*, che custodisce* vari capolavori di Bernini, Raffaello, Tiziano e Caravaggio.

Piazza Navona, è una delle piazze più famose di Roma: ospita la *Fontana dei Quattro Fiumi* del Bernini e la *Chiesa di Sant'Agnese in Agone* del Borromini.

Castel Sant'Angelo, costruito in epoca romana come tomba dell'imperatore Adriano, oggi è un Museo.

I turisti che si fermano qualche giorno di più in città, possono anche visitare il **Pantheon**, le **Terme di Caracalla** e il **quartiere Trastevere**.

> **Glossario.** *testimonianza*: qualsiasi cosa che prova, documenta un'epoca storica: opere d'arte, monumenti, edifici, libri ecc.; *lanciare*: gettare, tirare, buttare; *custodire*: conservare con cura.

---

1 Indicate l'affermazione corretta.

1. **Roma:**
   - ☐ a. è la città d'Italia con più piazze
   - ☐ b. è ricca di opere d'arte di epoche diverse
   - ☐ c. è la capitale d'Italia da duemila anni

2. **Il Vaticano:**
   - ☐ a. ospita tutte le opere di Michelangelo e Raffaello
   - ☐ b. è il più piccolo Stato indipendente del mondo
   - ☐ c. ha al suo interno il parco di Villa Borghese

3. **Roma:**
   - ☐ a. è attraversata da quattro fiumi
   - ☐ b. ha il più grande anfiteatro del mondo
   - ☐ c. è la città in cui è nato Fellini

Navigli

Piazza Duomo

MILANO

Milano, la città della moda, è il più importante centro industriale, commerciale e finanziario d'Italia. Il **Duomo** è il simbolo della città e un bellissimo esempio di arte gotica. Da Piazza Duomo, attraversando l'elegante **Galleria Vittorio Emanuele II**, che ospita le caffetterie e i ristoranti più famosi della città e i negozi delle grandi firme della moda, troviamo il famosissimo **Teatro alla Scala**, uno dei più importanti teatri lirici del mondo. Non lontano si trova il **Castello Sforzesco**, che è sede di alcuni musei della città, e accanto al Castello c'è il **Parco Sempione**, un angolo di verde nel cuore della città. Nel convento della **Chiesa di S. Maria delle Grazie**, infine, è possibile ammirare l'affresco* di Leonardo da Vinci, il *Cenacolo* (o l'*Ultima Cena*). Per chi ama la vita notturna, l'ideale è una passeggiata ai **Navigli**, per scoprire i suoi canali e soprattutto i suoi locali.

Glossario. *affresco:* tecnica di pittura su muro; *bottega:* negozio, locale dove sono esposti e venduti vari prodotti.

VENEZIA

Canale di Cannaregio

Venezia è una città unica, costruita sull'acqua e formata da 120 piccole isole collegate da 350 ponti. Tra questi, meritano sicuramente una visita il **Ponte di Rialto**, con le sue botteghe*, che attraversa il **Canal Grande**, e il **Ponte dei Sospiri**. Nella famosa **Piazza San Marco** troviamo la **Basilica di San Marco** (inizio costruzione 1063), il **Campanile** e il **Palazzo Ducale**, che in passato era la residenza del Doge, il capo della Repubblica di Venezia.

Per scoprire un altro angolo della città bisogna fare una passeggiata nel sestiere (quartiere) Cannaregio, in cui c'è anche il Ghetto Ebraico e nel quartiere Dorsoduro, quello degli artisti e degli intellettuali, sede anche dell'università Ca' Foscari: ideale per bere un aperitivo la sera.

Basilica Santa Maria della Salute

2 A quale città corrisponde ogni affermazione?

a. È una città diversa dalle altre.

b. La sua chiesa principale è anche il simbolo della città.

c. Ha un teatro famoso in tutto il mondo.

d. Vicino all'università, ci sono locali in cui andare la sera.

e. È possibile ammirare un famoso affresco.

Venezia	Milano

Città italiane

Glossario. *manifestarsi:* farsi conoscere; *sotterranea:* la città che è sotto terra, sotto il livello della strada; *escursione:* giro, gita; *cratere:* apertura del vulcano.

PALERMO

NAPOLI

Toledo, stazione della metro

I carattere di Napoli si manifesta* nelle strade storiche del centro, come nella famosa "Spaccanapoli", che divide in due la città, in via di San Gregorio Armeno (la via dei presepi) e nei Quartieri Spagnoli. Oltre al suo aspetto popolare, Napoli offre anche delle imperdibili attrazioni artistiche, come la **Cappella di San Severo**, con la statua del *Cristo Velato*, il **Palazzo Reale** in **Piazza del Plebiscito**, il Museo archeologico Nazionale e il Museo di Capodimonte, che contiene capolavori di grandi artisti, da Masaccio a Caravaggio, dalla pittrice Artemisia Gentileschi a Tiziano. Merita una visita la Napoli sotterranea* e la Galleria Borbonica, un insieme di gallerie utilizzate nei secoli per diversi scopi, ma anche la fermata della metro Toledo, una delle stazioni più belle d'Europa. Per i turisti più avventurosi non può mancare infine l'escursione* sul cratere* del Vesuvio, il famoso vulcano.

Cristo Velato, Sanmartino

Cattedrale

Palermo mostra ancora i segni delle diverse culture che l'hanno abitata, così lo stile arabo si mescola a quello gotico e il barocco al neo-classico. Un esempio è la **Cattedrale* della Santa Vergine Maria Assunta**, che è stata prima una basilica* neocristiana, poi una moschea*, e poi di nuovo una chiesa.

Glossario. *cattedrale:* chiesa; *basilica:* chiesa; *moschea:* edificio religioso dei musulmani; *mosaico:* opera d'arte per decorare pareti e pavimenti.

Un altro esempio è il **Castello della Zisa**, costruito nel 1165 secondo lo stile dei giardini di architettura islamica. Da visitare anche il **Palazzo dei Normanni**, in cui si trova la **Cappella Palatina**, una basilica del 1130 che contiene dei preziosi mosaici* bizantini. A Palermo, bisogna però visitare anche la parte più colorata e popolare della città, cioè i suoi mercati: quello della Vucciria e Ballarò.

3 A quale città corrisponde ogni affermazione?

	Napoli	Palermo
a. Culture e stili architettonici diversi sono una caratteristica della città.		
b. La città ospita nei suoi musei i dipinti di una pittrice del Seicento.		
c. La città ha la metropolitana.		
d. Per conoscere l'aspetto popolare della città bisogna visitare i suoi mercati.		
e. La città è divisa in due da una lunga strada.		

4 In coppie o piccoli gruppi. Scrivete su dei bigliettini i nomi di queste città:

Bologna ❖ *Trieste* ❖ *Verona* ❖ *Lecce* ❖ *Pisa* ❖ *Torino* ❖ *Siracusa* ❖ *Perugia* ❖ *Reggio Calabria*

Mettete i bigliettini in un contenitore e mescolateli. Pescate una città dal contenitore e raccogliete informazioni su quella città (storia, luoghi di interesse, ecc.) insieme al vostro gruppo.
Con le informazioni create poi una piccola guida (come quelle di queste pagine) e presentatela ai vostri compagni.

Attività online

Che cosa ricordi delle unità 2 e 3?

1 Sai...? Abbina le due colonne.

1. cominciare un'email formale
2. esprimere un giudizio
3. chiedere il perché
4. fare paragoni
5. fare una prenotazione

- [ ] a. *Gianna, per quale motivo l'hai fatto?*
- [ ] b. *Vorrei una camera matrimoniale.*
- [ ] c. *Il mare piace più a Carla che a me.*
- [ ] d. *Egregio dottor Masi, Le scrivo riguardo a...*
- [ ] e. *Paolo, il proprietario dell'albergo, è gentilissimo.*

2 Abbina le frasi.

1. Che tempo fa da voi?
2. Ma tu sei di Firenze o di Roma?
3. Sta per arrivare l'acqua alta?
4. Il tuo cane è davvero tranquillo.
5. Perché te la sei presa?

- [ ] a. Beh sì, lo avevano detto al meteo.
- [ ] b. Un freddo cane!
- [ ] c. Vorrei vedere te al mio posto.
- [ ] d. Sì, infatti è il migliore di tutti.
- [ ] e. Veramente sono romano.

3 Completa.

1. Superlativo assoluto di *vicino*: ....
2. Famosa architettura che osserviamo passeggiando per le strade di Bologna: ....
3. Il *Ponte di Rialto* si trova a .... e *Piazza della Signoria* a ....
4. Quest'anno la temperatura è stata *più alta* della media: ...è stata .... alla media
5. Una piazza di Roma, Milano, Venezia e Napoli: ....
   ....

4 Completa le frasi.

1. Abbiamo perso il v............ per Londra perché avevamo dimenticato le v............ a casa!
2. Dopo il c............ di lavoro Luisa ha trovato un buon p............ in banca.
3. Con questa carta di c............ puoi avere uno s............ del 20% in molti negozi.
4. Gli abitanti del P............ si chiamano piemontesi, l............ quelli della Lombardia.
5. Abbiamo prenotato una camera m............ in un albergo che offre la p............ e la palestra.

> Controlla le soluzioni a pagina 90.
> Sei soddisfatto/a?

Un po' di storia — Unità 4

G**lossary** p. 192

Per cominciare...

1 Quanto conoscete della storia italiana? Guardate la linea del tempo e abbinate le immagini al periodo storico.

b

c

a

d

e

VIII secolo a.C   XXI secolo d.C

| **Antica Roma** VIII secolo a.C – V secolo d.C. | **Medioevo** V secolo – XV secolo d.C. | **Rinascimento** Dalla metà del 1300 alla fine del 1500 | **Risorgimento (L'Italia diventa una nazione)** 1815 - 1870 | **L'Italia del dopoguerra e del boom economico** 1946-1973 |

2 In coppia. Sottolineate le parole che, secondo voi, sono relative al periodo dell'antica Roma.

conquistare ❖ invadere ❖ impero
secoli ❖ guerra ❖ unità d'Italia ❖ barbari
mausoleo ❖ parlamento ❖ costituzione

3 Conoscete Roma? Ci siete mai stati? Cosa sapete dei suoi monumenti antichi? Confrontatevi con i compagni.

	V	F

15 CD 1
4 Ascoltate il dialogo e indicate se le affermazioni sono vere o false.

a. Gianna e Lorenzo parlano dei monumenti che hanno visto ieri.
b. Domani andranno al Colosseo.
c. Augusto ha fondato Roma.
d. Caracalla non è stato l'ultimo imperatore romano.
e. Marco Aurelio ha costruito la Domus Aurea.
f. Lorenzo a scuola non si è impegnato nello studio della storia.

In questa unità impariamo...

- a spiegare meglio qualcosa
- a contraddire qualcuno
- a leggere e scrivere una favola
- a esporre avvenimenti storici
- a esprimere il tempo nella storia

- il passato remoto: verbi regolari e irregolari
- il presente storico
- i numeri romani
- gli avverbi di modo (in -mente)

- alcuni periodi importanti della storia d'Italia

EDILINGUA

Italian project 2

A Roma la fondarono Romolo e Remo.

Lorenzo: Per favore, dimmi che questo è il programma per l'intero viaggio!

Gianna: Sì, ti piacerebbe! Questi sono i monumenti che visiteremo domani!

Lorenzo: Tutti questi?! Sul serio? È proprio necessario?

Gianna: Eh sì! Allora, dopo il Colosseo andiamo al Circo Massimo, che per secoli fu il più grande stadio del mondo, lo sapevi?

Lorenzo: No, comunque lo stadio più bello è San Siro, come ogni milanista sa!

Gianna: Certo... Poi andiamo al Mausoleo che i romani costruirono per Augusto.

Lorenzo: Ah, il fondatore di Roma!

Gianna: Veramente lui fondò l'Impero Romano, Roma la fondarono Romolo e Remo, come tutti sanno.

Lorenzo: Era una battuta...

Gianna: Sì, sì... Dopo andiamo alle Terme di Caracalla.

Lorenzo: Ah, Caracalla, l'ultimo imperatore romano, no?

Gianna: Veramente no, ma non importa... Poi dobbiamo assolutamente visitare la Domus Aurea.

Lorenzo: Ah, sì, la villa che costruì Marco Aurelio?

Gianna: No, Nerone!

Lorenzo: Brava, Nerone. Quel pazzo che bruciò Roma e poi accusò Cesare.

Gianna: Sì, Cesare, ma se era morto 100 anni prima?!

Lorenzo: Dai, ti sto prendendo in giro!

Gianna: Sì, certo. Ma scusa, tu a scuola il libro di storia non l'aprivi mai?

Lorenzo: All'inizio sì... poi ho litigato con il professore e ho odiato la storia!

Gianna: Davvero?! E perché avete litigato?

Lorenzo: Perché era interista!

2 Leggete il dialogo e abbinate le definizioni a sinistra con quattro dei nomi a destra.

☐ 1. il responsabile dell'incendio di Roma
☐ 2. uno dei più grandi stadi dell'antichità
☐ 3. uno dei due fondatori di Roma
☐ 4. villa di un imperatore

a Remo   **e** Circo Massimo

b Nerone   **f** Augusto

c Cesare   **g** San Siro

d Marco Aurelio   **h** Domus Aurea

3 Questo è un testo dalla guida di Roma che ha comprato Gianna. Completatelo con i verbi dati sotto, come nell'esempio in blu.

durò ❖ *costruirono* ❖ *riempirono* ❖ *scoprirono* ❖ *lasciò* ❖ *utilizzarono* ❖ *iniziò*

Dopo il tragico incendio di Roma del 64 d.C., che *durò* .... (1) vari giorni e .... (2) 200 mila persone senza tetto, l'imperatore Nerone .... (3) la costruzione di una nuova villa, che conosciamo per la sua bellezza e la sua grandezza con il nome di Domus Aurea, casa d'oro.

Gli architetti Severus e Celer .... (4) questa enorme villa, che era costituita da una serie di edifici separati da giardini, boschi e da un lago artificiale, che si trovava dove oggi c'è il Colosseo, e molti spazi erano decorati con marmi colorati, oro e pietre preziose.

Dopo la morte dell'odiato Nerone, gli architetti di Domiziano, Adriano e Traiano .... (5) di terra tutte le stanze della Domus Aurea e .... (6) gli edifici come fondamenta per altre costruzioni, come ad esempio le Terme di Traiano.

I ricercatori del Parco Archeologico del Colosseo pochi anni fa .... (7), restaurando una delle 150 sale attualmente conosciute dell'immensa villa, una nuova sala, la Sala della Sfinge, con affreschi di pantere, centauri e una sfinge.

adattato da www.beniculturali.it

15-20

4 Rispondete alle domande.

1. **Cosa era la Domus Aurea?**

....
....

2. **Quando e dove Nerone costruì la Domus Aurea?**

....
....

3. **Quando si iniziò a distruggere la Domus Aurea?**

....
....

 5 a Cercate nel testo dell'attività A3 le forme dei verbi al passato remoto per completare la tabella.

b Secondo voi, quando si usa il passato remoto?

Verificate le vostre ipotesi a pagina 174.

Passato remoto (verbi regolari)

-are	-ere	-ire
iniziai	credei (-etti)	costruii
iniziasti	credesti	costruisti
inizi.......	credé (-ette)	costruì
iniziammo	credemmo	costruimmo
iniziaste	credeste	costruiste
iniziarono	crederono (-ettero)	costru.............

6 Completate le frasi con il passato remoto dei verbi tra parentesi.

1. Il Medioevo .... (*durare*) circa dieci secoli, dal 476 al 1492.
2. Nel 1492 il genovese Cristoforo Colombo .... (*arrivare*) in America.
3. Dieci anni fa .... (*lasciare*) il loro paese per andare a vivere a Milano.
4. Paolo .... (*vendere*) un vecchio quadro che aveva trovato a casa di sua nonna per poche decine di euro, senza sapere che era un dipinto di Fattori.
5. La Fiat .... (*lanciare*) la prima 500 nell'estate del 1957.
6. I fratelli Prada .... (*aprire*) il loro primo negozio di borse nel 1913.

es. 1-5
p. 134

MARCO MENGONI
ROMA

10 E 11 LUGLIO
AUDITORIUM (PARCO DELLA MUSICA)

B   In che senso?

 1 Ascoltate, quante volte necessario, il dialogo tra Michele e Andrea e completate il testo.

- Pronto? Ciao Andrea.
- Ciao Michele, come va? Sei pronto per domani sera?
- Domani sera? In che senso?
- .... (1) c'è il concerto, no?
- .... (2) Io ho comprato i biglietti per dopodomani sera!
- Dopodomani sera? .... (3), Michele! Ti avevo detto di prenderli per il 10 luglio, ... (4) domani!
- .... (5)! Mi avevi detto dopodomani, perché domani hai la lezione di yoga.
- .... (6) Ti avevo detto che non ero sicuro. E infatti non ci devo andare.
- Va beh, nessun problema... se vuoi chiamo la biglietteria e provo a cambiare la data.
- Sì, dai, forse è meglio. Fammi sapere, ok? Ciao!
- Ok! A dopo!

 2 In coppia. Completate la tabella con le espressioni del dialogo usate per spiegare meglio qualcosa o per contraddire qualcuno.

Chiarire	Contraddire
....	....
voglio dire...	....
nel senso che...	*Ma come...?*
	....
	Non proprio...

3 Completate le frasi usando anche le espressioni viste nella tabella dell'attività B2.

1. Il concerto di Cesare Cremonini non mi è piaciuto, ...
2. ● Quindi lei non ha studiato nessuno dei libri in bibliografia.   ● ...
3. ● Hai mangiato tutta la torta che avevo messo in frigo!   ● ...
4. Stasera non ho voglia di uscire con te, ...

4 Abbinate le frasi date alla vignetta giusta.

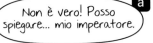

a) Non è vero! Posso spiegare... mio imperatore.

b) Visto che mi hai aiutato, sei libero!

c) Ma che dici? Ti sbagli...

d) ...cioè vuole essere il più forte e diventare imperatore al tuo posto.

es. 6-7
p. 135

C Medioevo e Rinascimento

1 Leggete il testo e indicate le affermazioni corrette.

Nel I secolo a.C. Roma diventò la capitale di un Impero sempre più grande nell'area del Mediterraneo e in Europa. In tutti i territori conquistati, i romani fecero città, strade, ponti, acquedotti, anfiteatri, terme, esportando ovunque il loro modello di civiltà. Il diritto romano, l'arte, la cultura e il progresso tecnico furono importanti non soltanto per la storia d'Italia, ma anche per la storia dell'intero mondo occidentale.

Il periodo d'oro trovò la sua fine dopo la divisione dell'Impero Romano in due parti, quella occidentale e quella orientale. Mentre l'Impero Romano d'Oriente continuò a esistere fino al 1453, Odoacre, un generale germanico, mise fine all'Impero Romano d'Occidente nel 476 d.C (anno in cui si fa iniziare il Medioevo) sconfiggendo l'ultimo imperatore d'occidente, Romolo Augusto.

Poco dopo la caduta dell'Impero Romano, l'Italia fu terra di conquista delle nuove potenze europee. Germani, Ostrogoti e Longobardi regnavano l'uno dopo l'altro su diverse zone della penisola. Dopo varie vicende avemmo il Paese diviso in tre parti: il Sacro Romano Impero Germanico al nord, lo Stato della Chiesa che regnava nel centro e diverse potenze che si alternarono al sud Italia.

Un forte desiderio di autonomia diede la forza ad alcune città portuali (Amalfi, Genova, Pisa e Venezia) di creare le famose Repubbliche marinare e poi più tardi, con lo sviluppo della borghesia, si formarono delle città-stato nell'Italia settentrionale e centrale, tanti piccoli Comuni, che lentamente si trasformarono, intorno al XIV secolo, in Signorie: Milano, Verona, Firenze, Urbino, Mantova, Ferrara e altre. Nel XV secolo, grazie ai suoi commerci, alle sue banche e ai suoi grandi artisti, l'Italia ebbe di nuovo il primato culturale ed economico in Europa: era il centro dell'Umanesimo e del Rinascimento.

1. Il modello di civiltà dei romani è alla base della storia
   - [ ] a. d'Italia
   - [ ] b. d'Italia e del mondo occidentale
   - [ ] c. del mondo occidentale

2. Dopo la caduta dell'Impero Romano d'Occidente, l'Italia
   - [ ] a. ritrova la sua indipendenza e autonomia
   - [ ] b. cade nelle mani di popolazioni straniere
   - [ ] c. è controllata tutta dallo Stato della Chiesa

3. Le Repubbliche marinare erano
   - [ ] a. 4
   - [ ] b. 10
   - [ ] c. 6

4. Nel XV secolo l'Italia ritrova il suo splendore in Europa grazie
   - [ ] a. al suo re
   - [ ] b. alle sue città
   - [ ] c. ai suoi artisti

2 Ora rileggete il testo e completate la tabella sotto.

Passato remoto (verbi irregolari I)

essere	avere	fare	dire	dare	mettere
fui	ebbi	feci	dissi	diedi (detti)	misi
fosti	avesti	facesti	dicesti	desti	mettesti
....	....	fece	disse	.... (dette)	....
fummo	....	facemmo	dicemmo	demmo	mettemmo
foste	aveste	faceste	diceste	deste	metteste
....	ebbero	....	dissero	diedero (dettero)	misero

Altri verbi irregolari sono nell'Approfondimento grammaticale a pagina 174.

3 Con l'aiuto della tabella sopra, completate le frasi.

1. Quel giorno io .... una grande fortuna ad incontrarti!
2. Gli disse "ti amo" e poi gli .... un bacio.
3. Roberto .... molto contento del regalo.
4. Gianni non .... nulla per aiutarmi, era immobilizzato dalla paura.
5. Lucia .... ai suoi bambini di stare attenti.
6. Quando abbiamo saputo che sarebbero arrivati i miei, ... subito in ordine la casa.

es. 8-11 p. 136

D C'era una volta...

1 Completate la favola, cerchiando l'opzione giusta.

A sbagliare le storie

- C'era una volta una bambina che si chiamava Cappuccetto Giallo.
- No, Rosso!
- Ah, sì, Cappuccetto Rosso. La sua mamma la chiamò e le .... (1): Senti, Cappuccetto Verde...
- Ma no, Rosso!
- Ah, sì, Rosso. Vai dalla zia Diomira a portarle questa buccia di patata.
- No: vai dalla nonna a portarle questa focaccia.
- Va bene: La bambina .... (2) nel bosco e incontrò una giraffa.
- Che confusione! Incontrò un lupo, non una giraffa.
- E il lupo le .... (3): Quanto fa sei per otto?
- Niente affatto. Il lupo le .... (4): dove vai?
- Hai ragione. E Cappuccetto Nero .... (5)...
- Era Cappuccetto Rosso, rosso, rosso!
- Sì, e rispose: vado al mercato a comprare la salsa di pomodoro.
- Neanche per sogno: vado dalla nonna che è malata, ma non so più la strada.
- Giusto. E il cavallo disse...
- Quale cavallo? Era un lupo.
- Sicuro. E disse così: Prendi il tram numero 33, scendi in piazza del Duomo, gira a destra, troverai tre scalini e un soldo per terra; lascia stare i tre scalini, prendi il soldo e comprati una gomma da masticare.
- Nonno, tu non sai proprio raccontare le storie, le sbagli tutte. Però la gomma da masticare me la compri lo stesso.
- Va bene: eccoti il soldo! E il nonno .... (6) a leggere il suo giornale...

Gianni Rodari

FAVOLE AL TELEFONO

disegni di Bruno Munari

1.	a. dire	4.	a. chiese
	b. disse		b. chiude
	c. diede		c. risponde
2.	a. andava	5.	a. risponde
	b. partì		b. rispose
	c. andò		c. risposte
3.	a. dissi	6.	a. continuai
	b. domanda		b. tornò
	c. domandò		c. finiva

da Favole al telefono di Gianni Rodari, edizioni Einaudi

2 Quali espressioni usa la bambina per contraddire quello che dice il nonno?

Passato remoto (verbi irregolari II)

chiedere	rispondere
chiesi	risposi
chiedesti	rispondesti
chiese	rispose
chiedemmo	rispondemmo
chiedeste	rispondeste
chiesero	risposero

3 Nel testo ci sono alcuni verbi irregolari come *chiese* e *rispose*. Osservate la tabella a destra e completate regola.

In questi verbi sono irregolari solo la .... e la 3ª persona singolare e la 3ª persona ....

4 Rileggete il testo di Gianni Rodari e riflettete sull'uso dei tempi al passato. Vi ricordate quando usiamo l'imperfetto?

Per consultare altri verbi irregolari e studiare la formazione e l'uso del trapassato remoto: Approfondimento grammaticale, pagina 174-176.

 5 Con l'aiuto della vostra fantasia, scrivete la storia di Cappuccetto Verde, la protagonista del racconto del nonno nel testo di Gianni Rodari.

C'era una volta Cappuccetto Verde, una bambina...

es. 12-17
p. 138

E E la storia continua...

 1 In coppia, abbinate le immagini alle opere date a destra.

- [ ] a. Castel Nuovo, Napoli, XIII-XV secolo
- [ ] b. Duomo, Milano, XIV-XIX secolo
- [ ] c. Palazzo Ducale, Venezia, X-XVII secolo
- [ ] d. Mole Antonelliana, Torino, XIX secolo

I numeri romani nell'Approfondimento grammaticale a pagina 175.

2 Come siamo arrivati all'Unità d'Italia? Osservando la cartina, raccontate cosa è successo, come nell'esempio.

6 maggio 1860

Garibaldi con 1000 soldati volontari parte da Genova per la Sicilia, che è sotto la dinastia dei Borboni, legati alla Spagna. **1**

1. Il 6 maggio 1860 Garibaldi partì da Genova per la Sicilia con 1000 soldati volontari.

20 luglio

A Milazzo, vicino a Messina, Garibaldi sconfigge l'esercito di Francesco II di Borbone. **2**

19 agosto

Garibaldi attraversa lo stretto di Messina per arrivare a Napoli. **3**

Esprimere il tempo nella storia in italiano:

- a.C. (avanti Cristo) ≠ d.C. (dopo Cristo);
- usiamo i secoli espressi con i numeri romani, ad esempio III (terzo, dal 201 al 300), XVII (diciassettesimo, dal 1601 al 1700) secolo, seguiti da d.C. (o a.C.);
- per indicare i secoli dopo l'anno 1000 d.C. usiamo anche il termine scritto con la maiuscola, ad esempio il Cinquecento (o il '500), il Novecento (o il '900), cioè il periodo che va dal 1900 al 1999;
- per indicare i decenni del XX secolo usiamo sia il termine sia il numero, ad esempio, gli anni Settanta (gli anni '70) per indicare il periodo di tempo che va dal 1970 al 1979.

7 settembre

Garibaldi entra a Napoli e costringe Francesco II di Borbone a scappare prima sull'isola di Gaeta e poi a Roma, ospite di Papa Pio IX. **4**

29 settembre

L'esercito piemontese entra nella città di Ancona, nello Stato della Chiesa che perde le regioni delle Marche e dell'Umbria. **5**

26 ottobre

Garibaldi e il re Vittorio Emanuele II (già re del Regno di Sardegna) si incontrano a Teano e il generale gli consegna il Regno delle due Sicilie. **6**

17 marzo 1861

Il Regno di Sardegna si trasforma in Regno d'Italia e Vittorio Emanuele II diventa il primo Re d'Italia. **7**

PRESENTE STORICO

A volte, usiamo il presente indicativo (*presente storico*) al posto di un tempo al passato (passato prossimo, imperfetto, passato remoto) per raccontare fatti che sono successi prima, nel passato.

Possiamo vedere un esempio nei testi dell'attività E3.

L'uso del presente storico è molto frequente nel giornalismo, nella narrativa storica, ma anche nella lingua orale. Lo scopo è quello di coinvolgere di più il lettore o l'ascoltatore.

3 Leggete e abbinate le affermazioni al testo corrispondente.

🅰 IL FASCISMO E LA SECONDA GUERRA MONDIALE

La vittoria della Prima Guerra Mondiale per molti italiani, tra questi anche il poeta Gabriele D'Annunzio, è una vittoria "mutilata", cioè incompleta. Proprio tra questi italiani insoddisfatti il partito fascista, fondato da Benito Mussolini, trova facilmente dei sostenitori e sale al potere nel 1922. Inizia così la dittatura fascista che dura circa 20 anni e che promuove la politica imperiale in Africa (con l'attacco all'Etiopia) e le leggi razziali del 1938, contro i cittadini italiani ebrei, particolarmente vergognose. Dopo la firma del "patto d'acciaio" con Hitler, nel giugno del 1940 Mussolini decide di entrare in guerra accanto alla Germania e dichiara guerra alla Gran Bretagna e alla Francia. Dopo tre anni di guerra, la debolezza dell'esercito italiano e le difficoltà dell'economia italiana spingono i membri del Gran Consiglio fascista a escludere Mussolini dal partito e il re Vittorio Emanuele III a unirsi agli Alleati, l'8 settembre 1943. L'Italia è divisa in due: da una parte il centro-sud occupato dagli Alleati, dall'altra il nord controllato dai nazi-fascisti, con Mussolini che si ritira a Salò. Nel 1945, grazie all'aiuto dei partigiani, gli Alleati liberano anche il Nord Italia.

🅱 L'ITALIA DEL DOPOGUERRA

L'immagine dell'Italia subito dopo la Seconda Guerra Mondiale è quella di un Paese completamente distrutto, un Paese che ha bisogno di essere ricostruito non solo economicamente ma anche politicamente. Infatti, nel 1946 gli italiani votano e tra la monarchia e la repubblica scelgono quest'ultima come forma di governo per l'Italia, costringendo il re a lasciare il Paese. Nel 1948, completata la nuova Costituzione della Repubblica italiana, si tengono le prime elezioni democratiche.

Dal punto di vista economico, l'Italia si riprende grazie agli aiuti degli Stati Uniti, il cosiddetto Piano Marshall pensato per tutti i Paesi europei. Tra gli anni '50 e '60 l'Italia vive un "boom economico": un grande sviluppo agricolo, industriale e delle infrastrutture. Lo Stato costruisce strade e ferrovie per collegare velocemente tutte le città d'Italia e gli italiani si trasferiscono nelle grandi città in cerca di lavoro. La Fiat produce la Seicento e la Cinquecento, due macchine piccole ed economiche. Anche gli operai le possono acquistare lasciando a casa la bici o la Vespa. L'Italia supera le difficoltà causate dalla guerra e diventa un Paese industriale, capace di esportare nel mondo i suoi prodotti.

adattato da www.anpi.it

⬜ 1. L'Italia aveva vinto, ma non tutti erano contenti.

⬜ 2. Lo Stato italiano voleva diventare un impero.

⬜ 3. Gli italiani fecero per la prima volta delle elezioni democratiche.

⬜ 4. L'Italia era divisa in due zone.

⬜ 5. L'aiuto delle forze alleate è stato fondamentale per vincere.

⬜ 6. L'economia italiana visse un periodo molto positivo.

4 Rileggete i due testi dell'attività precedente e provate a sottolineare tutti gli avverbi in -*mente*, poi completate la tabella sotto.

economic**o** – economic**a** politic**o** – politic**a** complet**o** – complet**a**	→	Micol è una donna .... indipendente. Non tutti i parlamentari hanno un atteggiamento .... corretto. Michelangelo ha affrescato .... la Cappella Sistina.	-a **amente**
sempli**ce** velo**ce**	→	Non possiamo fare molto per Valeria, dobbiamo starle semplic**emente** accanto. Le squadre dei partigiani dovevano muoversi	-e **emente**
faci**le**	→	Grazie alla metro in città ci muoviamo	-le **lmente**
particola**re**	→	L'esercito italiano non era .... attrezzato.	-re **rmente**

5 **In che modo?** Giocate in due squadre. La prima squadra scrive un verbo (all'infinito) e un avverbio su un foglietto, che dà a un giocatore della squadra avversaria. Il giocatore deve mimare l'azione. Se la sua squadra indovina il verbo e l'avverbio vince due punti. Se ha bisogno di aiuto, il giocatore può rivelare l'avverbio. Se la squadra indovina l'azione vince un solo punto. Vediamo quale squadra farà più punti!

es. 18-21
p. 140

F   Abilità

1 **Ascolto** Quaderno degli esercizi (p. 142)

2 **Parliamo**

1. Vi piace leggere libri di storia? A scuola o all'università vi piaceva studiare la storia?

2. «Un popolo che non ricorda la sua storia non ha futuro». Cosa ne pensate?

3. Quale personaggio della storia (del vostro Paese o internazionale) vi affascina di più? Perché?

4. Quali sono gli eventi più importanti della storia del vostro Paese? Parlatene in breve.

3 **Scriviamo**

1. Un tuo amico italiano vorrebbe conoscere meglio la storia del tuo Paese. Scrivigli un'email per raccontargli un evento storico in particolare.

2. Una rivista per bambini italiana ha organizzato il concorso *Favole da tutto il mondo*. Scrivi una favola tradizionale del tuo Paese da inviare alla rivista.

es. 22-23
p. 142   p. 88   Test finale

L'ITALIA: UNA SOCIETÀ IN CONTINUO CAMBIAMENTO

1 Leggete i testi e abbinate le parole evidenziate alle definizioni sotto.

■ L'Italia come nazione unita nasce nel 1861.

La giovane nazione si ritrova, dopo alcuni anni, a dover affrontare la Prima Guerra Mondiale, in cui muoiono, tra civili e militari, più di un milione di italiani.

Nel periodo tra le due guerre Benito Mussolini prende il potere e, dopo 18 anni di dittatura, porta l'Italia in guerra accanto alla Germania di Hitler. Dopo circa tre anni di guerra, l'Italia si arrende agli Alleati (Stati Uniti d'America, Inghilterra, Francia e Russia) e comincia il periodo della Resistenza contro i nazisti e i fascisti che occupano una parte del Paese.

Alla fine della Seconda Guerra Mondiale l'Italia è un Paese da ricostruire, anche politicamente. Nel referendum del 2 giugno 1946, gli italiani votano per la Repubblica e il re deve lasciare la nazione.

Tra gli anni '50 e '60 del Novecento, grazie al boom economico, l'Italia riesce a risollevare la sua economia, anche se sono molti gli italiani che emigrano all'estero in cerca di un futuro migliore.

■ Il Sessantotto

Il 1968 è un anno segnato dalle proteste in molti Paesi europei. Anche in Italia si protesta per il diritto allo studio, i diritti sul luogo di lavoro e l'emancipazione femminile, contro la società consumistica che nasceva e la guerra in Vietnam.

■ Gli anni di piombo

Alla fine degli anni '60, inizia in Italia un periodo di grande tensione politica, i cosiddetti "anni di piombo". Sono gli anni in cui la lotta politica tra estrema destra, servizi segreti deviati ed estrema sinistra diventa violenta. Tra le vittime: politici, magistrati, giornalisti ma anche molti cittadini innocenti. La fine di questo periodo comincia dopo il rapimento e l'uccisione di Aldo Moro, presidente del partito politico Democrazia Cristiana.

Tangentopoli e il cambiamento politico

Nel 1992, grazie all'inchiesta Mani Pulite, viene alla luce il sistema di corruzione e di tangenti esistente in Italia tra politica e imprenditoria, e questo provoca grandi cambiamenti tra i vecchi partiti politici. Alcuni cambiano nome e simbolo, altri si dividono in partiti più piccoli, altri scompaiono del tutto. Naturalmente, nascono nuovi partiti e coalizioni che guideranno per vent'anni la vita politica italiana.

Con il nuovo millennio l'Italia entra a far parte dei Paesi dell'Unione Europea che utilizzano l'Euro, abbandonando la Lira.

Nonostante la nuova moneta, l'economia italiana subisce un duro colpo in seguito alla crisi economica mondiale del 2008. Migliaia di giovani italiani sono costretti a emigrare perché, a causa della crisi economica, è diventato sempre più difficile trovare un lavoro stabile per potersi creare una famiglia. Allo stesso tempo, l'Italia resta sempre meta per i migliaia di immigrati che arrivano dal continente africano, e non solo, per trovare un futuro migliore.

L'Italia del nuovo millennio: l'Europa e la crisi

1. ....   a. stress, nervosismo, situazione di crisi
2. ....   b. quando il popolo si esprime su questioni politiche o istituzionali
3. ....   c. società che crea sempre nuovi consumi, spesso non necessari
4. ....   d. lasciare il proprio Paese e andare a vivere all'estero
5. ....   e. soldi che si pagano per corrompere qualcuno
6. ....   f. migliorare, riportare in alto
7. ....   g. tipo di soldi che usa un Paese
8. ....   h. governo in cui tutto il potere è in mano a una persona
9. ....   i. investigazione, indagine per capire come si sono svolti i fatti
10. ....   l. partito o gruppo politico radicale, non moderato
11. ....   m. accordo, unione tra partiti diversi allo scopo di governare
12. ....   n. movimento di lotta armata contro i nazisti e i fascisti

Attività online

Che cosa ricordi delle unità 3 e 4?

1 Sai...? Abbina le due colonne.

1. precisare	☐ a. *Garibaldi sbarcò in Sicilia l'11 maggio...*
2. fare un paragone	☐ b. *L'albergo è in centro?*
3. contraddire qualcuno	☐ c. *L'esame è tra due giorni, cioè martedì.*
4. chiedere informazioni	☐ d. *Gli piace più viaggiare che lavorare.*
5. raccontare eventi storici	☐ e. *Non è vero, io non le ho detto niente!*

2 Abbina le frasi.

1. Dove è stato assunto Paolo?	☐ a. Certo! C'era una volta una bambina...
2. Mamma, mi racconti una storia?	☐ b. No, ma abbiamo la palestra e la spa.
3. Quando iniziò il Rinascimento?	☐ c. Non proprio... ma ti spiego meglio domani.
4. Scusi, c'è la piscina?	☐ d. In un albergo del centro storico.
5. Sei d'accordo anche tu?	☐ e. Nel Trecento.

3 Completa.

1. Il XVI secolo scritto in lettere: ....
2. I due fratelli che fondarono Roma: ....
3. Il passato remoto di *fare* (3ª pers. singolare) : ....
4. L'avverbio che deriva da *facile*: ....
5. Il periodo di tensione dalla fine degli anni '60 alla fine degli anni '70: ....

4 Scopri le dieci parole nascoste relative ai viaggi e alla storia, in orizzontale e in verticale.

S	D	P	I	S	C	I	N	A	A	P	E	P	S
R	V	R	L	E	G	I	O	R	N	A	L	R	C
R	A	E	I	B	A	G	A	G	L	I	O	E	R
E	C	Q	D	E	S	L	Q	E	G	G	O	N	B
P	A	O	A	N	A	L	E	B	P	G	T	O	E
U	N	L	L	S	E	C	O	L	O	T	I	T	M
B	Z	R	M	I	E	F	T	R	G	S	U	A	E
B	E	Z	E	O	C	R	B	Q	U	I	N	Z	D
L	B	I	R	N	T	E	Q	E	E	H	S	I	I
I	N	F	O	N	D	A	T	O	R	E	C	O	O
C	H	N	Q	H	T	C	O	M	R	E	D	N	E
A	T	E	F	H	B	N	K	O	A	P	A	E	V
P	U	B	B	L	I	C	I	I	M	P	E	R	O

Castello di Ferrara, Emilia Romagna

Controlla le soluzioni a pagina 90. Sei soddisfatto/a?

Stare bene

Glossary
p. 194

Per cominciare...

1 Quanto siete in forma? Fate il test e poi leggete il risultato.

1 La domenica mattina:
- **a** vado a correre al parco
- **b** faccio una passeggiata in centro
- **c** dormo fino a tardi

2 La sera preferisco mangiare:
- **a** un'insalata leggera
- **b** pollo e verdure
- **c** hamburger e patatine

3 Di solito vado a dormire:
- **a** mai dopo le 10.30
- **b** intorno alle 11.30
- **c** mai prima dell'una

4 Se mi sento stressato/a:
- **a** faccio yoga
- **b** faccio una piccola vacanza
- **c** guardo tutte le stagioni della mia serie preferita

5 Faccio attività fisica:
- **a** tre volte alla settimana
- **b** tre volte al mese
- **c** tre volte all'anno

6 Se esco con gli amici:
- **a** prendo una bibita analcolica
- **b** bevo solo un bicchiere di vino
- **c** ordino come minimo 2 cocktail

Più risposte a : sei un vero salutista! Vivi una vita sana e sei sempre attento alla tua forma fisica.
Più risposte b : non sei un fanatico dello sport, ma ti piace sentirti bene e non esageri mai.
Più risposte c : sei un vero pigrone! Altro che sport, il divano è l'unica cosa che ti interessa!

2 Siete soddisfatti del risultato del test? Cosa dovreste migliorare? Confrontatevi con i compagni.

18
CD 1

3 Ascoltate il dialogo e indicate le affermazioni presenti.

- ☐ 1. Lorenzo fa dei complimenti a Stefania.
- ☐ 2. Stefania dice che andare in palestra è importante.
- ☐ 3. Secondo Lorenzo, correre aiuta a rilassarsi.
- ☐ 4. Lorenzo e Stefania decidono di andare a correre insieme.
- ☐ 5. Gianna vuole andare a correre con Lorenzo e Stefania.

In questa unità impariamo...
- *a parlare del mantenersi in forma e condurre una vita sana*
- *a formulare un'ipotesi*
- *a dare il permesso di fare qualcosa*
- *a esprimere opinioni, speranze, dubbi, paure*
- *a parlare delle attività fisiche e a motivare le nostre preferenze*
- *a parlare dello stress e delle sue cause*

- *il congiuntivo presente: verbi regolari e irregolari*
- *il congiuntivo passato*

- *alcune discipline sportive e il rapporto che hanno gli italiani con lo sport*
- *a conoscere le Paralimpiadi*

A Posso venire a correre con te?

1 Leggete il dialogo per verificare le vostre risposte all'attività precedente.

Lorenzo: Stefania, sei un fenomeno, sai!

Stefania: Io? In che senso?

Lorenzo: Ma come? Frequenti tutte le lezioni, superi tutti gli esami e trovi anche il tempo per fare attività fisica e tenerti così in forma!

Stefania: Ah, ecco perché... Grazie Lorenzo! Sì, è vero che mi alleno spesso. Sai, oltre alla mente, penso che sia importante prendersi cura del nostro corpo.

Lorenzo: È proprio ciò che penso anch'io.

Stefania: Ma non tanto nel senso dell'aspetto fisico, quanto della salute.

Lorenzo: Brava, giusto. Non credo che tutti la pensino come te. Tu che fai, vai in palestra?

Stefania: No, guarda, in palestra mi annoio. Faccio nuoto, ma soprattutto vado a correre quasi tutti i giorni.

Lorenzo: Ah, e corri molto?

Stefania: Mah, una mezz'oretta più o meno. E tu?

Lorenzo: Io? Sì, anch'io, meno spesso di te, ma sì, correre mi rilassa.

Stefania: Bravo, Lorenzo. Ma secondo te è normale che tante persone alla nostra età preferiscano fare una vita sedentaria?

Lorenzo: No, infatti, siamo in pochi a essere sportivi...

Stefania: E poi non pensare che lo sport da solo basti... è altrettanto importante mangiare sano.

Lorenzo: Quello che dico sempre anch'io. Comunque, chissà, magari un giorno possiamo andare a correre insieme.

Stefania: Certo, perché no? ...La settimana prossima?

Lorenzo: Eh?! ...Sì, molto volentieri...

...CINQUE MINUTI DOPO

Lorenzo: Pronto, ciao Gianna. Senti, domani posso venire a correre con te?

Gianna: A correre, tu?! Come mai?

Lorenzo: È importante che io riprenda a fare sport.

Gianna: Ok, ma sono anni che non fai sport, perché questa fretta?

Lorenzo: Perché non è normale che tante persone facciano una vita sedentaria!... Niente, ti spiego domani.

2 Rileggete il dialogo e poi collegate le parole di sinistra con quelle di destra.

☐	1. aspetto	a. sano
☐	2. tenersi	b. fisico
☐	3. prendersi	c. in forma
☐	4. vita	d. cura (di)
☐	5. mangiare	e. a correre
☐	6. andare	f. sedentaria

3 Lorenzo e Gianna si incontrano al parco il giorno dopo. Leggete il dialogo e completate con i verbi dati.

creda ❖ garantisca ❖ ricominci ❖ scopra ❖ corra

Lorenzo: Ciao Gianna! Allora, qual è il programma di oggi?

Gianna: Facciamo una mezz'oretta di corsa e poi un po' di addominali.

Lorenzo: Cosa?? Mezz'ora?! Ma sei pazza?... Io non so proprio come facciate a correre così tanto...

Gianna: Ma dai Lorenzo, sei sempre il solito! Penso che sia solo una questione di allenamento. Senti, perché hai deciso di venire a correre con me? E voglio la verità!

Lorenzo: Come ti ho detto al telefono... è necessario che io .... (1) a fare un po' di sport perché credo che possa farmi bene....

Gianna: Certo, come no... E tu pensi che io ci .... (2)?!

Lorenzo: E va bene... Ho conosciuto una ragazza, si chiama Stefania, e pare che .... (3) quasi tutti i giorni... per 30 minuti!!! Ovviamente le ho detto che anche io corro, ma ho paura che .... (4) la mia bugia e ora, se non voglio fare una figuraccia, devo allenarmi per rimettermi in forma.

Gianna: Beh, allora siamo molto lontani dall'obiettivo! Forse è meglio che tu le dica di andare a correre insieme tra un mese...

Lorenzo: Tra un mese?! No no, impossibile... Voglio che tu mi .... (5) che sarò pronto per questo fine settimana!

Gianna: Ma perché così tanta fretta? Ah... hai già preso un appuntamento? Ecco perché sei così motivato!

4 Cercate nel dialogo a pagina 70 le forme mancanti e completate la tabella.

Congiuntivo presente

	-are ➡ i	-ere ➡ a	-ire ➡ a	
	pensare	**riprendere**	**partire**	**preferire**
	Gianna crede che...	*È necessario che...*	*Penso che oggi non...*	*È normale che...*
io	pensi	riprend.........	parta	preferisca
tu	pensi	riprenda	parta	preferisca
lui, lei	pensi	riprenda	parta	preferisca
noi	pensiamo	riprendiamo	partiamo	preferiamo
voi	pensiate	riprendiate	partiate	preferiate
loro	pens.........	riprendano	partano	prefer.........

5 Con l'aiuto della tabella, completate le frasi mettendo il verbo tra parentesi al congiuntivo.

1. Signora, non è sicuro che il suo volo .... (*partire*) in orario.
2. Mi pare che sempre più persone .... (*praticare*) sport estremi.
3. Dopo un infortunio in campo, è importante che un calciatore .... (*riprendere*) velocemente la sua forma fisica.
4. Credo che noi italiani .... (*riuscire*) a essere competitivi non solo nel calcio ma anche in altri sport, come il ciclismo, il nuoto e lo sci.
5. È necessario che tu .... (*allenarsi*) molto per riuscire a vincere la prossima gara.
6. Se continuate così è molto probabile che voi .... (*vincere*) il primo premio.

6 Osservate la tabella e completate l'affermazione, selezionando l'alternativa giusta.

> Il verbo *essere* e il verbo *avere* al congiuntivo presente sono regolari/irregolari.

Congiuntivo presente

essere	avere
sia	abbia
sia	abbia
sia	abbia
siamo	abbiamo
siate	abbiate
siano	abbiano

7 Guardate le foto e fate delle ipotesi con le informazioni date sotto ogni foto, come nell'esempio.

(Non) Credo che/ Penso che Stefania sia una studentessa di Lettere.

studentessa di Lettere
una vera sportiva
24 anni

simpatico
innamorato di Stefania
il numero di Stefania

28 anni
fidanzato di Stefania
di Milano

es. 1-4
p. 145

B Fa' come vuoi!

19
CD 1

1 Ascoltate i mini dialoghi e associateli alle foto sotto. Attenzione, c'è una foto in meno!

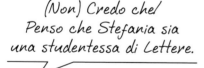

a

b

c

d

e

2 Ascoltate di nuovo e completate i dialoghi con le espressioni per dare il permesso di fare qualcosa.

1. • Scusi, possiamo farci una foto con Lei?
   • ...., nessun problema!

2. • Senti, credo che sia meglio che non mi vedano arrivare insieme a te, meglio separarci... potrebbero reagire male!
   • ...., ma secondo me non abbiamo niente da nascondere!

3. • Salve, senta, vedo che ha appena finito di pulire, ma ho urgente bisogno di usare il bagno... Le dispiace se...
   • Prego, Prego! ....!

4. • Marco, c'è l'ultimo spettacolo teatrale di Emma Dante e vado a comprare il biglietto, ne prendo uno anche per te?
   • .... Fabio, è una delle mie registe preferite!

5. • Marina, posso anticipare il nostro appuntamento con la direttrice a domani?
   • ...., domani non ho altri impegni!

6. • Mi scusi, volevo chiederle se posso assentarmi dagli allenamenti giovedì prossimo.
   • ...., ma che non diventi un'abitudine.

3 Sei *A* e chiedi a *B*...

- *di usare le sue scarpe da ginnastica perché hai dimenticato le tue;*
- *di usare il suo cellulare per una chiamata urgente;*
- *di andare ad allenarti al parco con lui/lei;*
- *di interrompere gli allenamenti per andare in vacanza;*
- *di organizzare insieme una gita in montagna per il fine settimana.*

Sei *B*: rispondi ad *A* usando le espressioni viste nell'attività precedente.

4 Rileggete il dialogo A3 a pagina 71. Sapete individuare quali sono le forme del congiuntivo dei verbi *fare*, *potere* e *dire*? Completate la tabella e poi la regola che trovate nella pagina successiva.

Congiuntivo presente: verbi irregolari

	fare	potere	dire
io	faccia	....	dica
tu	faccia	....	dica
lui, lei	faccia	possa	....
noi	facciamo	possiamo	....
voi	....	possiate	diciate
loro	....	possano	dicano

Congiuntivo presente: verbi irregolari

	dare	stare	dovere
io	dia	stia	debba
tu	dia	stia	debba
lui, lei	dia	stia	debba
noi	diamo	stiamo	dobbiamo
voi	diate	stiate	dobbiate
loro	diano	stiano	diano

Alcune forme irregolari del congiuntivo presente si formano a partire dalla .... persona singolare dell'indicativo .... dei verbi.

Altri verbi che hanno il congiuntivo irregolare nell'Approfondimento grammaticale a pagina 178.

5 Completate le frasi con i verbi dati a destra.

1. Penso che Chiara ☐ l'esame di Diritto a giugno.
2. I miei non vogliono che noi ☐ tardi stasera. Domani dobbiamo andare a scuola.
3. Giulio ha paura che non ☐ nessuno alla sua festa di laurea.
4. È meglio che ☐ voi alla posta a spedire il pacco. Io non ho tempo oggi.
5. Non credo che Luigi e Sara ☐ vedere la partita con noi. A loro non piace il calcio.
6. Non penso che alla fine Stefania ☐ con Lorenzo.

a. vogliano
b. andiate
c. dia
d. esca
e. facciamo
f. venga

es. 5-7
p. 146

C Come mantenersi giovani

 1 In coppia, inserite nella tabella cosa fa invecchiare e cosa aiuta a rimanere giovani. Poi confrontate le vostre scelte con quelle dei compagni e riportate il risultato finale in una tabella simile a questa alla lavagna.

dormire almeno 7 ore a notte | fumare | ansia | consumare frutta e verdura di stagione
consumare troppe bevande alcoliche | solitudine | camminare almeno un'ora al giorno | annoiarsi
vita sedentaria | mangiare poca carne | muoversi molto in macchina | fare yoga
saltare la prima colazione | vivere in montagna o in campagna | non avere degli hobby
fare una piccola vacanza | bere almeno 2 litri di acqua al giorno | stress | consumo di cibo spazzatura

cosa fa invecchiare	cosa fa rimanere giovani

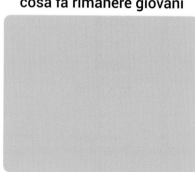

2 Rispondete alle domande.

1. Osservate la tabella che avete completato: pensate di seguire un'alimentazione corretta?

2. Pensate di condurre una vita sana? Vorreste cambiare qualcosa delle vostre abitudini? Parlatene tra di voi.

3. In base alle informazioni ricavate dalla discussione, date tre consigli ad un vostro compagno per mantenersi in salute.

4. Osservate la foto a sinistra. Quanto credete sia equilibrata la vostra alimentazione?

 100-120

3 Scrivete una mail a un vostro amico per dire che avete deciso di cambiare stile di vita: motivate la vostra decisione e chiedete consigli.

4 a Con l'aiuto dell'insegnante, osservate le frasi a destra.

Frase principale	Frase subordinata/secondaria (che dipende dalla principale)		
(io) Credo	(io) **di** accettare l'offerta di lavoro.	(1) ➜	stesso soggetto
	che (lui/lei) accetti l'offerta di lavoro.	(2) ➜	soggetto diverso

b Ora osservate la tabella sull'uso del congiuntivo e fate l'abbinamento come nell'esempio.

Uso del congiuntivo (I)

Usiamo il congiuntivo nelle frasi .... quando i due soggetti (quello della frase principale e quello della subordinata) sono diversi, come in (2). In particolare, quando le frasi esprimono:

opinione	Sono felice / contento che vada tutto bene.
dubbio	Aspetto che mi venga a prendere Tiziana per uscire.
volontà	Credo / Penso che tu debba cambiare le tue abitudini alimentari.
stato d'animo	Ho paura che / Temo che lui parta prima di giovedì.
speranza	(Non) Voglio che tu torni presto a casa stasera.
attesa	Spero che / Mi auguro che il colloquio vada bene.
paura	Non sono sicuro / certo che Marco sia sincero.

Usiamo il congiuntivo anche con verbi e forme *impersonali*:

Bisogna che si alleni, se vuole vincere la gara.

Si dice che l'azienda attraversi serie difficoltà economiche.

Sembra / Pare che abbia un problema alla gamba.

(non)	È necessario che tutti siano d'accordo per cambiare l'orario della lezione.
	È possibile / impossibile che tutti siano andati via.

Attenzione!	Se una frase esprime certezza, usiamo l'indicativo:	Sono sicuro che Marco verrà alla festa.
		So che è partito ieri.

Altre forme che richiedono il congiuntivo nell'Approfondimento grammaticale a pagina 178.

5 Riscrivete le frasi secondo l'esempio, usando il congiuntivo dove necessario.

Luigi ha dei problemi. (credo) → *Credo che Luigi abbia dei problemi.*

1. Laura non viene al concerto di Niccolò Fabi. (*dubito*)
2. Gli studenti rispettano sempre gli orari della biblioteca. (*è giusto*)
3. La squadra può vincere la partita. (*sono certo*)
4. Scegli attentamente le parole da utilizzare in questa email. (*bisogna*)
5. Vengono anche gli zii per le feste di Natale? (*sai se*)
6. Paolo ha la farina? Se no, non possiamo fare la torta. (*spero*)

es. 8-10
p. 148

Niccolò Fabi

D Viva la salute!

1 Osservate queste foto: quale tipo di esercizio fisico preferite e perché? Confrontatevi con i compagni.

2 Lavorate in coppia.
Ascoltate l'intervista a una ragazza che frequenta la palestra e indicate l'affermazione corretta.

1. La palestra frequentata dalla ragazza:
   - [ ] a. è piccola e pulita
   - [ ] b. è frequentata da bambini
   - [ ] c. offre molti servizi e corsi diversi
   - [ ] d. ha corsi per anziani

2. La ragazza ha scelto questa palestra anche perché:
   - [ ] a. ci vanno i suoi amici
   - [ ] b. costa poco e non è lontana da casa
   - [ ] c. è aperta fino a tardi
   - [ ] d. conosce bene l'istruttore

3. La ragazza va in palestra:
   - [ ] a. per passare un po' il tempo
   - [ ] b. per perdere peso
   - [ ] c. perché è un tipo molto sportivo
   - [ ] d. perché si vuole rilassare

4. La ragazza frequenta la palestra:
   - [ ] a. due o tre volte alla settimana
   - [ ] b. tre o quattro volte al mese
   - [ ] c. tre o quattro volte alla settimana
   - [ ] d. tre o quattro volte al giorno

3 Leggete il titolo del testo dell'attività 4. Di che cosa parla, secondo voi?
A voi piace il calcio? Confrontatevi con i compagni.

4 Ora leggete il testo e indicate le cinque affermazioni presenti.

COME NON PARLARE DI CALCIO

Io non ho nulla contro il calcio. Non vado negli stadi per la stessa ragione per cui non andrei a dormire di notte nei sotterranei della Stazione Centrale di Milano, ma se mi capita mi guardo una bella partita con interesse e piacere alla televisione, perché riconosco e apprezzo tutti i meriti di questo nobile gioco. Io odio gli appassionati di calcio.

Non amo il tifoso perché ha una strana caratteristica: non capisce perché tu non lo sei, ma insiste nel parlarne con te. Per far capire bene cosa intendo dire faccio un esempio. Io suono il flauto dolce. Supponiamo ora che mi trovi in treno e chieda al signore di fronte a me, per attaccare discorso:

- Ha sentito l'ultimo CD di Frans Brüggen?

- Come, come?

- Dico la *Pavane Lachryme*. Secondo me, rallenta troppo all'inizio.

- Scusi, non capisco.

- Ah, ho capito, Lei non...

- Io non.

- Curioso... Lo sa che per avere un flauto *Coolsma* fatto a mano bisogna attendere tre anni? Ma Lei ci arriva fino alla quinta variazione di *Derdre D'Over*?

- Veramente io vado a Parma...

- Ah, ho capito, Lei suona in *F* non in *C*. Non userà mica una tecnica tedesca?

- Io sinceramente i tedeschi..., la BMW sarà una gran macchina e li rispetto, ma...

- Ho capito. Usa una tecnica barocca. Ma...

Ecco, non so se abbia reso l'idea. Lo stesso più o meno avviene con il tifoso. La situazione è particolarmente difficile con il tassista.

- Ha visto Ronaldo?

- No, deve essere venuto mentre non c'ero.

- Ma stasera guarda la partita?

- No, devo occuparmi del libro Zeta della Metafisica, sa, lo *Stagirita*.

- Bene. Io credo che non sia affatto facile vincere, Lei che ne dice?

E via dicendo, come parlare al muro. Il problema è che lui non riesce a concepire che a qualcuno non importi niente di queste cose.

adattato da *Il secondo diario minimo* di Umberto Eco

1. Umberto Eco non è mai andato allo stadio.

2. Eco odia le persone che si interessano solo di calcio.

3. Nel primo episodio parla con un passeggero che va a Parma.

4. I due uomini non hanno gli stessi interessi.

5. Il passeggero preferisce la musica italiana a quella tedesca.

6. Il tassista è un appassionato di calcio.

7. Lo scrittore non guarda la partita di cui parla il tassista.

8. A Eco dà fastidio il fatto che il tassista non ami la letteratura.

5 Rileggete la frase evidenziata nel testo. Secondo voi, a che tempo è il verbo?

6 Osservate la tabella e rispondete oralmente alle domande.

Congiuntivo passato

> Non so se abbia reso l'idea.
>
> congiuntivo presente di *essere* o *avere*   participio passato del verbo

Secondo voi, qual è la differenza tra congiuntivo presente e congiuntivo passato?
Quando si usa il congiuntivo passato?

7 Completate le frasi con il congiuntivo passato.

1. Credo che Alberto .... (*mangiare*) tutta la torta che era in frigo.
2. Dubito che ieri voi .... (*arrivare*) in orario all'appuntamento.
3. Non so se Marta .... già .... (*finire*) di studiare.
4. Nicola è contento che i suoi figli .... (*entrare*) alla facoltà di Medicina.
5. Mi dispiace che i ragazzi non .... (*riuscire*) a finire la maratona.

La concordanza dei tempi al congiuntivo

> Quando il verbo della frase principale è al presente, possiamo avere queste alternative:
>
> Credo che Laura   faccia/farà un buon lavoro. (domani, nel futuro)
>   faccia un buon lavoro. (oggi, nel presente)
>   abbia fatto un buon lavoro. (ieri, nel passato)

es. 11-14
p. 149

E   Attenti allo stress!

1 Chi di voi si sente stressato? Quali cose vi stressano e come reagite quando siete sotto stress?

2 I cambiamenti nella vita spesso ci stressano. Mettete in ordine, dal più al meno stressante, i fattori di questa lista elaborata da un gruppo di psicologi. Lavorate in coppia e alla fine scambiatevi idee. (La lista completa in Appendice delle situazioni comunicative a pagina 164)

- [ ] Difficoltà economiche
- [ ] Figlio/a che lascia la casa
- [ ] Fine di una storia d'amore
- [ ] Problemi in famiglia
- [ ] Cambiare scuola
- [ ] Scelta del percorso universitario
- [ ] Esame importante all'università
- [ ] Lite con un amico o un familiare
- [ ] Cambio di casa / Trasloco
- [ ] Arrivo di un/una figlio/a
- [ ] Perdita del lavoro
- [ ] Ricerca del lavoro

- [ ] Problemi al lavoro / a scuola
- [ ] Cambiare abitudini quotidiane
- [ ] Matrimonio

21
CD 1

3 Ascoltate queste persone e descrivete la situazione che affronta ognuno di loro.

Alfredo R.
30 anni
....
....
....

Paola L.
24 anni
....
....
....

Federico M.
19 anni
....
....
....

Marisa C.
55 anni
....
....
....

4 Osservate i disegni e raccontate la storia, oralmente o per iscritto.

5 Nell'ascolto dell'attività 3 abbiamo sentito Alfredo che diceva *"credo che sia colpa mia sebbene mi sia impegnato..."* e Paola che diceva *"non voglio credere che non accettino una critica, nonostante sia costruttiva..."*. Si tratta dell'uso del congiuntivo dopo alcune congiunzioni. Osservate la tabella.

Uso del congiuntivo (II)

benché / nonostante / sebbene	Luca mi ha invitato, **nonostante** mi *conosca* poco.
a condizione che / basta che / purché	Gioca con noi, **a condizione che** *scelga* lei il gioco.
senza che	Andrò allo stadio, **senza che** i miei lo *sappiano*.
prima che	Dobbiamo fare gol **prima che** *finisca* la partita.
affinché / perché	Le dirò tutto, **affiché** lei mi *perdoni*.
nel caso (in cui)	**Nel caso** ci sia sciopero, vi verrò a prendere io.

Nell'Approfondimento grammaticale, a pagina 179, trovate le altre congiunzioni che richiedono il congiuntivo.

6 Completate le frasi con le congiunzioni date a destra.

1. Ti dirò cosa è successo, ... tu non lo dica a nessuno.
2. Gli telefono subito, ... faccia in tempo a prepararsi.
3. .... siano divorziati, continuano a vivere insieme.
4. Vorrei parlare con Carla, ... prenda una decisione.
5. Mario è venuto alla festa .... nessuno lo abbia invitato.

senza che
sebbene
purché
prima che
affinché

7 Osservate la tabella per capire quando non usare il congiuntivo.

Quando NON usare il congiuntivo

Abbiamo visto in C4a l'uso dell'infinito quando abbiamo lo stesso soggetto nella frase principale e dipendente. Usiamo l'infinito o l'indicativo e non il congiuntivo anche in altri casi. Vediamo quali:

espressioni impersonali	→ **Bisogna** / **È meglio** fare presto. [**Bisogna che** tu faccia presto.]
secondo me / forse / probabilmente	→ **Secondo** me, hai torto. / **Forse** Mario non vuole vedermi.
anche se / poiché / dopo che	→ La nazionale italiana ha vinto **anche se** aveva un giocatore in meno.

es. 15-19
p. 151

F Vocabolario e abilità

1 Abbinate gli oggetti agli sport. Cosa sapete e cosa pensate di questi sport?

ciclismo ❖ *pallavolo* ❖ *tennis* ❖ *nuoto* ❖ *calcio* ❖ *pallacanestro*

....

 2 Ascolto
Quaderno degli esercizi (p. 155)

 3 Parliamo
Sei A: ultimamente sei ingrassato/a di qualche chilo. Un amico/un'amica (**B**) cerca di convincerti ad andare in palestra, o almeno a cambiare la tua dieta, anche per motivi di salute. Ma tu, poiché sei un po' pigro/a, inventi sempre delle scuse.

4 Scriviamo

 100-120

1. In Italia lo sport più seguito, amato e praticato è il calcio. Nel tuo Paese invece? Qual era e qual è lo sport più amato e praticato? Racconta quanto sai di questo sport e prova a spiegare come funziona.

120-160

2. Negli ultimi 50 anni lo sport è diventato un importantissimo fenomeno sociale: sempre più persone lo seguono e lo praticano. Tuttavia non mancano i problemi. Quali sono, secondo te? Nonostante questo, cosa ci offre lo sport?

es. 20-24
p. 153   p. 89   Test finale

LO SPORT E GLI ITALIANI: NON SOLO CALCIO E DIVANO

1 Leggete il testo e associate il titolo giusto a ogni paragrafo.

1 Quali sono gli sport preferiti dagli italiani? Unendo giocatori e tifosi, il **calcio** resta sicuramente lo sport di maggior successo, sempre in prima pagina sui giornali sportivi. Amato soprattutto dagli uomini, il calcio è lo sport più giocato dagli under 35, ma una ricerca fatta dal colosso della vendita online Ebay ha rivelato che nell'ultimo anno sono aumentate le vendite di gadget e attrezzature sportive per il **ciclismo**. Infatti, questo sport sta raccogliendo sempre più praticanti. Altri sport sempre amati sono la **pallavolo**, soprattutto per le donne, il **nuoto** e il **tennis**.

2 Se gli uomini preferiscono sport che richiedono più energia come il **rugby** e il calcio, per decenni lo sport preferito dagli italiani, le donne per tenersi in forma preferiscono invece **ginnastica** e **aerobica** ormai primo in classifica tra gli sport più praticati dagli italiani. Gli uomini praticano sport più delle donne, per un buon 10%. Sebbene gli italiani non siano un popolo di sportivi, il numero di persone che pratica sport è in costante aumento: negli ultimi trent'anni è quasi raddoppiato.

Il livello di istruzione, sia per gli uomini che per le donne, influisce sulla pratica sportiva: coloro che hanno un titolo di studio elevato, laureati e diplomati, dedicano più tempo alla pratica sportiva. Anche se le differenze tra laureati e persone con titoli di studio bassi diminuiscono con l'aumentare dell'età. Analizzando la condizione professionale emerge come coloro che praticano sport siano gli studenti (60,5%), seguiti dagli occupati (35,5%). I livelli più bassi si riscontrano tra le casalinghe e chi è fuori dal mercato del lavoro, dove la percentuale non raggiunge il 12%. 3

Se gli italiani sono sempre pronti a seguire in tv la loro squadra del cuore, o il ciclismo e il Giro d'Italia, o il Gran Premio di Formula 1, facendo il tifo per la Ferrari, la scuderia* di Maranello, non tutti hanno voglia di uscire di casa e mettersi a correre. Sono infatti circa 22 milioni gli italiani sedentari*, che nella fascia di età degli ultra 65enni rappresentano il 50%. 4

☐ a. Non tutti praticano sport
☐ b. Livello di istruzione e livello di pratica sportiva
☐ c. Vendite contro ogni previsione
☐ d. Lo sport più praticato dagli italiani

2 Leggete di nuovo il testo e indicate le affermazioni vere o false.

	V	F
a. Il calcio è lo sport più praticato in Italia.		
b. Sempre più italiani praticano il ciclismo.		
c. Le donne praticano più sport degli uomini.		
d. Gli italiani sono sempre più sportivi.		
e. Una laureata dedica più tempo alla pratica sportiva		
f. I disoccupati praticano più sport degli occupati.		
g. Agli italiani non piace seguire lo sport in TV.		
h. Gli italiani anziani che non fanno sport sono il 50%.		

Glossario. *scuderia:* squadra di auto o di moto da corsa; *sedentario:* persona che fa poco movimento; *abnegazione:* dedizione, sacrificio; *tenacia:* costanza, fermezza, perseveranza; *incentivare:* motivare, spingere, incoraggiare a fare qualcosa; *inclusione:* aiutare l'altro a sentirsi parte di un gruppo, di una comunità.

3 Scrivete il nome degli sport dati sotto ogni fotografia.

> tennis
> calcio
> rugby
> pallacanestro
> sci

....

....

4 Leggete il testo e indicate le affermazioni corrette.

LE PARALIMPIADI

Le Paralimpiadi sono le Olimpiadi riservate agli atleti diversamente abili che si tengono ogni quattro anni, circa due settimane dopo i Giochi Olimpici e nella stessa sede: a sfidarsi nelle diverse discipline, praticate con passione e abnegazione*, grazie anche al supporto, all'aiuto della tecnologia, sono sempre atleti di altissimo livello. L'Italia ha sempre collezionato numerosi successi e alcuni tra gli atleti paralimpici italiani sono diventati esempi di tenacia*, forza e passione nello sport e nella vita.

Rispetto al passato, oggi i giochi paralimpici hanno maggiore visibilità mediatica. Questo grazie al Comitato Paralimpico Internazionale che ha creato vari progetti per diffondere, incentivare* e avvicinare il maggior numero di persone allo sport praticato da atleti con disabilità. Oggi i pregiudizi nei confronti della disabilità sono ancora troppo forti. Il pubblico che partecipa alle Paralimpiadi è ancora in prevalenza rappresentato da coloro che vivono direttamente o indirettamente la disabilità. È una questione di cultura e di educazione. E qui la scuola potrebbe giocare un ruolo importante. La Federazione e il Comitato Paralimpico avviano presso le scuole percorsi di sensibilizzazione di adulti e bambini sul tema dell'inclusione* e della diversità come risorsa. Vengono organizzati anche corsi ad hoc per formare maestri e docenti in grado di saper affrontare le problematiche legate alla disabilità, perché è dalle scuole che può partire il cambiamento della percezione sociale della disabilità.

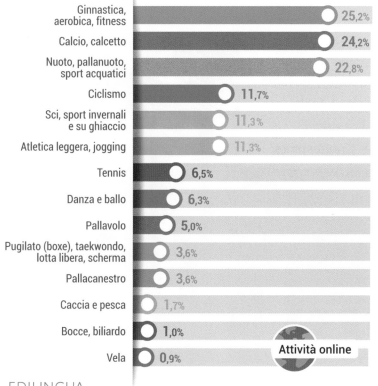

1. Le paralimpiadi
   - [ ] a. si tengono ogni quattro anni
   - [ ] b. durano non più di due settimane
   - [ ] c. si svolgono sempre nella stessa città

2. Rispetto al passato
   - [ ] a. non esistono più pregiudizi nei confronti dei disabili
   - [ ] b. si parla di più in tv e sui giornali delle paralimpiadi
   - [ ] c. gli atleti non hanno l'aiuto della tecnologia

3. Nelle scuole, il Comitato Paralimpico organizza
   - [ ] a. viaggi nel mondo per seguire i giochi
   - [ ] b. gare e giochi per gli studenti
   - [ ] c. corsi specifici per i docenti

Attività online

Che cosa ricordi delle unità 4 e 5?

1 Sai...? Abbina le due colonne.

1. permettere	☐ a. *Siamo pochi, voglio dire siamo solo tre.*
2. esprimere un'opinione	☐ b. *Non so, forse non è una buona idea...*
3. esprimere incertezza	☐ c. *Prego, si sieda pure! Io resto in piedi.*
4. contraddire qualcuno	☐ d. *Non sono d'accordo, ti sbagli su questo.*
5. precisare	☐ e. *Credo che sia meglio partire alle 7:00.*

2 Abbina le frasi. Attenzione, nella colonna a destra c'è una frase in più.

1. Domani verrò con voi alla partita,	☐ a. Laura vuole solo trovare un buon lavoro.
2. Non credo. Secondo me,	☐ b. a meno che non debba rimanere in ufficio.
3. Ha perso l'ultima gara di ciclismo,	☐ c. nonostante sia un atleta esperto.
4. Mi piace molto la pallavolo,	☐ d. durante la dittatura fascista.
5. L'Italia visse anni difficili	☐ e. perché è uno sport di squadra.
	☐ f. sia bravo nello sport.

3 Completa.

1. Non richiede mai il congiuntivo: perché / forse / prima che
2. Il congiuntivo presente (prima per. sing.) di *leggere* e *dire*: ....
3. Lo sport che si fa in acqua: ....
4. Le gare per gli atleti diversamente abili che ci sono ogni 4 anni: ....
5. L'Italia lo diventò nel 1946: ....

4 Trova l'intruso.

1. repubblica | impero | monarchia | dittatura | governo
2. pallavolo | calcio | nuoto | pallacanestro | rugby
3. calciatore | gara | giocatore | atleta | sportivo
4. perciò | malgrado | purché | sebbene | nonostante

Controlla le soluzioni a pagina 90.
Sei soddisfatto/a?

Episodio - Com'è andato l'esame?

Per cominciare...

 1 Guardate i primi 25 secondi dell'episodio. Secondo voi, dove sono Lorenzo e Gianna?

 2 Cosa succederà ora? In coppia, provate a fare delle ipotesi su come continuerà l'episodio.

Guardiamo

1 Guardate tutto l'episodio e verificate le vostre ipotesi.

2 Guardate di nuovo l'episodio e abbinate le parole seguenti al personaggio che le dice. Poi provate a spiegare cosa significano.

a. *bocciato* ✖ b. *mattone* ✖ c. *appello* ✖ d. *secchiona* ✖ e. *media*

Lorenzo   *Gianna*

3 Osservate le espressioni in blu e abbinatele al loro significato.

Gianna, non ti ci mettere anche tu! **a**

1. Non cominciare.
2. Non ti muovere.

Ma sì, a questo punto fregatene della media, l'importante è finire! **b**

1. Non devi dimenticare.
2. Non devi preoccuparti.

Facciamo il punto

Completate i dialoghi tra i due protagonisti con le frasi date. Poi confrontatevi tra voi.

a. ...un 23 lo prendo! ✖ b. Indovina? Bocciato... ✖ c. ...Allora? Com'è andata?
d. ...tra due mesi l'esame lo passi di sicuro.

1 Lorenzo... ☐
☐ ...di nuovo!

2 Sì... la prossima volta... ☐
Beh dai! Prendi questo nuovo libro e... ☐

Episodio - Lorenzo cerca lavoro

Per cominciare...

 1 Guardate i primi 35 secondi dell'episodio senza l'audio. Che cosa succede? Descrivete la situazione utilizzando soltanto tre parole tra quelle date, che avete già incontrato a pagina 23.

   contanti ✕ *assegno* ✕ *prelevare* ✕ *cercare* ✕ *carta di credito* ✕ *sportello bancomat*

 2 Adesso continuate a guardare l'episodio, con l'audio, fino a 2'12''. Cosa succederà? Lorenzo otterrà o no il lavoro? A coppie, lo studente *A* crea un finale di episodio positivo, mentre lo studente *B* uno negativo.

Guardiamo

1 Guardate l'intero episodio e verificate le vostre ipotesi.

2 Mettete in ordine cronologico le immagini.

Facciamo il punto

 1 Fate un breve riassunto orale dell'episodio.

2 Cosa dice o chiede il responsabile dell'azienda a Lorenzo durante la chiamata? Immaginate le possibili frasi e scrivetele.

🙍 *responsabile:* .... (1)

   🙎 *Lorenzo:* Beh sì, l'inglese lo so molto bene perché ho fatto una vacanza studio in Scozia...

🙍 *responsabile:* .... (2)

   🙎 *Lorenzo:* Conoscenze informatiche... sì, ho anche un diploma ECDL...

🙍 *responsabile:* .... (3)

   🙎 *Lorenzo:* Esperienza...? Beh no... sinceramente devo ancora finire l'università e...

🙍 *responsabile:* .... (4)

   🙎 *Lorenzo:* Sì sì, sono studente.

🙍 *responsabile:* .... (5)

   🙎 *Lorenzo:* Leggermente fuori corso... diciamo così...

Episodio - Finalmente a Roma

Per cominciare...

 Leggete alcune frasi di Lorenzo e Gianna e fate delle ipotesi su cosa succederà nell'episodio.

Ma come le stanze non sono pronte?!

Del resto, anche questi dicevano: a due passi dal centro...

Lorenzo   Gianna

Vediamo se c'è un autobus che ci porta fino in centro

Guardiamo

1 Guardate tutto l'episodio e verificate le vostre ipotesi.

2 Osservate i simboli dei servizi alberghieri che avete già visto a pagina 45. Indicate di quale servizio parla Lorenzo e di quale Gianna? Poi completate gli spazi bianchi.

(a) ....

(b) ....

(c) ....

(d) ....

(e) ....

(f) ....

Facciamo il punto

Leggete le battute e abbinate le parole in blu al loro sinonimo.

☐ **a.** esattamente   ☐ **b.** problema   ☐ **c.** iniziamo   ☐ **d.** nel frattempo

Arrivederci e scusate per l'inconveniente.

1

2

Senta, possiamo almeno lasciare i bagagli qui e andare a fare un giro intanto?

Ce n'è uno che porta proprio in Piazza Venezia

3

Comunque, godiamoci Roma! Allora, da dove cominciamo?

4

Episodio - In giro per Roma

Per cominciare...

 1 Che cosa conoscete di Roma? A coppie, fate una lista dei posti e dei monumenti famosi che conoscete e poi immaginate la vostra giornata da turisti a Roma: cosa visitereste e perché.

 2 Guardate l'episodio senza audio da 0'50'' a 1'54''. Cosa succede? Osservate i gesti e le espressioni dei due protagonisti: cosa comunicano secondo voi? Poi confrontatevi e fate ipotesi sul proseguimento dell'episodio.

Guardiamo

1 Adesso guardate l'intero episodio con l'audio e verificate le vostre ipotesi.

2 Abbinate le informazioni storiche alle immagini dei luoghi di Roma corrispondenti.

a. Il leone di San Marco viene dalle mura di Padova.

b. Fu progettata da Michelangelo alla metà del '500.

c. La sua costruzione iniziò nel 72 sotto l'imperatore Vespasiano.

d. In epoca romana era uno stadio.

e. Fu la tomba di Adriano.

f. Si chiama così perché nel '700 c'era l'Ambasciata spagnola.

Facciamo il punto

 50-60 Scrivete un breve riassunto dell'episodio.

Episodio - Facciamo un po' di sport!

Per cominciare...

Guardate, senza audio, una scena centrale dell'episodio (da 1'19" a 2'20"). In coppia, lo studente A spiega cosa succede nella scena e fa ipotesi su cosa è successo prima; lo studente B spiega cosa succede nella scena e fa ipotesi su cosa succederà dopo.

Guardiamo

1 Ora guardate l'intero episodio con l'audio e verificate le vostre ipotesi.

 2 Osservate le immagini che sono già in ordine e descrivete cosa succede in ogni scena.

Facciamo il punto

Osservate le immagini, leggete le battute e scegliete la spiegazione corretta delle espressioni in blu.

1 Comunque, d'accordo che adesso faccio vita sedentaria...

1. Lorenzo usa l'espressione in blu per dire:
   - [ ] a. è giusto che
   - [ ] b. è strano che
   - [ ] c. è vero che

2. Gianna usa l'espressione in blu per dire:
   - [ ] a. assolutamente no
   - [ ] b. sicuramente
   - [ ] c. forse

3. Lorenzo usa il verbo in blu per dire:
   - [ ] a. poter respirare
   - [ ] b. poter continuare
   - [ ] c. essere capace

2 Io mica intendo fermarmi per te, eh!?

3 Fai come vuoi, io non credo di farcela...

2

Unità 1

1. 1. d, 2. a, 3. c, 4. e, 5. b

2. 1. d, 2. e, 3. a, 4. c, 5. b

3. 1. 6 anni, 2. esame di maturità (esame di Stato),
   3. ce lo, 4. glieli ha regalati, 5. quale, chi, che cosa

4. **Orizzontale:** appello, corso, ingegneria, materia;
   Verticale: insegnante, laurea, lingue, studente

Unità 2

1. 1. b, 2. d, 3. a, 4. e, 5. c

2. 1. c, 2. d, 3. a, 4. e, 5. b

3. 1. male alloggia; 2. autostrada del Sole; 3. ce ne;
   4. che, la quale, per cui; 5. tutti coloro che vogliono...

4. 1. licenziare, 2. assumere, 3. prelevare, 4. risparmiare,
   5. disoccupato, 6. colloquio di lavoro, 7. frequentare

Unità 3

1. 1. d, 2. e, 3. a, 4. c, 5. b

2. 1. b, 2. e, 3. a, 4. d, 5. c

3. 1. vicinissimo; 2. i portici; 3. Venezia, Firenze;
   4. superiore; 5. Piazza Navona, Piazza Duomo, Piazza
   San Marco, Piazza del Plebiscito

4. 1. volo, valigie; 2. colloquio, posto; 3. credito, sconto;
   4. Piemonte, lombardi; 5. matrimoniale, piscina

Unità 4

1. 1. c, 2. d, 3. e, 4. b, 5. a

2. 1. d, 2. a, 3. e, 4. b, 5. c

3. 1. Sedicesimo; 2. Romolo, Remo; 3. fece;
   4. facilmente; 5. anni di piombo

4. **Orizzontale:** bagaglio, impero, infondato, piscina, secolo;
   Verticale: guerra, medioevo, prenotazione, repubblica,
   vacanze

Unità 5

1. 1. c, 2. e, 3. b, 4. d, 5. a

2. 1. b, 2. a, 3. c, 4. e, 5. d

3. 1. forse; 2. legga, dica; 3. nuoto; 4. Paralimpiadi;
   5. Repubblica

4. 1. governo, 2. nuoto, 3. gara, 4. perciò

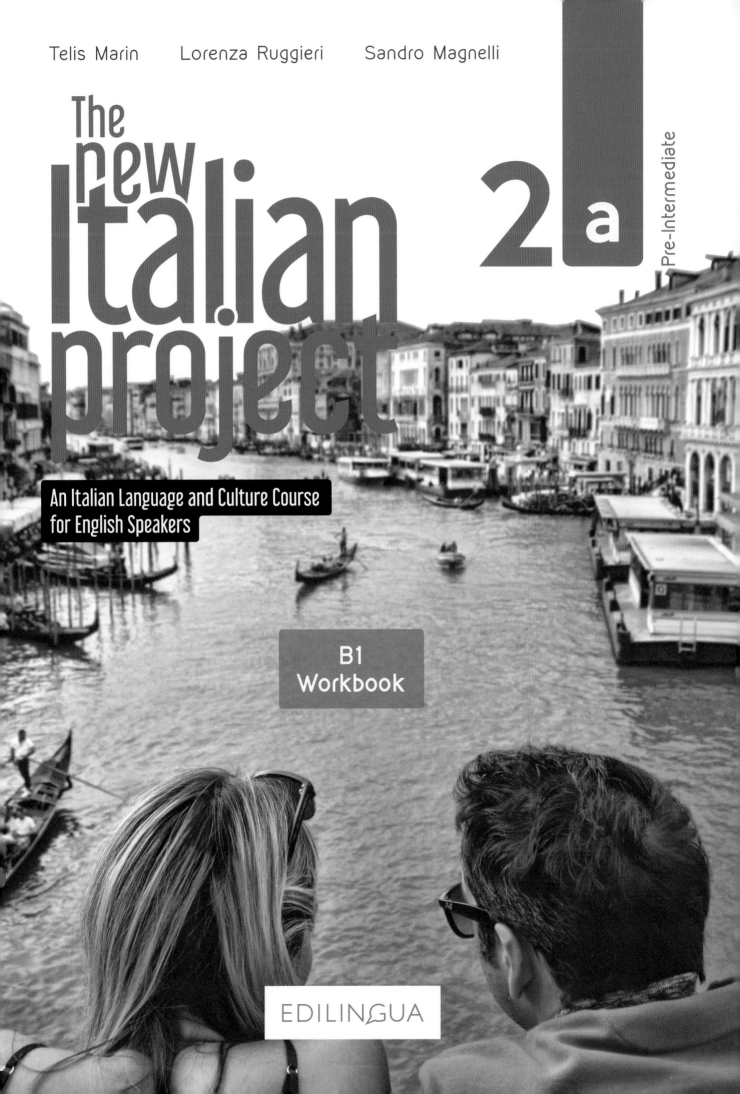

Telis Marin   Lorenza Ruggieri   Sandro Magnelli

The new Italian project

2ª

Pre-Intermediate

An Italian Language and Culture Course
for English Speakers

B1
Workbook

EDILINGUA

Prima di... cominciare

G lossary
p. 181

Quaderno degli esercizi

1 Fill in the blanks with the appropriate definite or indefinite article.

Per molti italiani entrare in .... (1) bar fa parte del loro programma giornaliero. Ci possono andare .... (2) mattina a fare colazione con cappuccino e cornetto, all'ora di pranzo per .... (3) panino, ... (4) pomeriggio per .... (5) dolce seguito da .... (6) buon caffè, oppure .... (7) sera per bere qualcosa con .... (8) amici: .... (9) aranciata, ... (10) birra o .... (11) aperitivo. .... (12) caffè non costa molto e, di solito, prima di ordinare al barista dietro .... (13) banco dobbiamo pagare, dobbiamo "fare .... (14) scontrino".

2 Complete the sentences with the possessive and (if necessary) the definite article.

1. Ho prenotato il treno per Milano, partiamo nel pomeriggio. .... treno è quello delle 18.25.

2. Il fratello di Gianni è molto simpatico, invece .... sorella Eva è proprio antipatica.

3. Flavia, di chi è questo cellulare? È .... o di Carla?

4. ● Questo è l'indirizzo di Luca? ● Sì, è ....

5. Io ho molte cugine, ma Chiara è .... cugina preferita.

6. ● Marco è lo zio di Piero?
   ● No, non è .... zio, è .... fratello.

3 Write the opposite of each of the following adjectives.

1. freddo ....
2. simpatico ....
3. dolce ....
4. felice ....
5. alto ....

6. piccolo ....
7. bello ....
8. buono ....
9. magro ....
10. stretto ....

4 Match the sentences.

A

1. Mi chiamo Tiziana.	a. Niente di bello.
2. Scusa, per l'università?	b. Preferisco solo un secondo.
3. Grazie mille!	c. Piacere, io sono Paolo.
4. Cosa prende per primo?	d. 25 euro con lo sconto.
5. Quando è il tuo compleanno?	e. Va' dritto e al primo incrocio gira a sinistra.
6. Cosa danno al cinema?	f. Figurati!
7. Quant'è?	g. Il 4 agosto.

B

1. Quanti anni ha Carlo?	a. In via Matteotti, in centro.
2. Fai tu i biglietti per Firenze?	b. Un po' piccolo. Mi dà una taglia più grande, per favore?
3. Come Le sta il vestito, signora?	c. Tre etti vanno bene, grazie.
4. Dove abiti ora?	d. Prendilo pure!
5. Quanto formaggio vuole?	e. Sì, c'è in rosso e in nero.
6. Mi presteresti il tuo cellulare?	f. Avrà trent'anni, non di più.
7. Avete anche altri colori?	g. Sì! Andata e ritorno?

5 *Presente*, *passato prossimo*, *imperfetto* or *trapassato prossimo*? Fill in the blanks with the correct form of the verbs in parentheses.

Cara Flavia,

una volta mi .... (1. *chiedere*): «Ma dove vi siete conosciuti tu e lo zio Edoardo?». E tua madre ha risposto per me: «In Brasile». «E dove .... (2. *stare*) il Brasile?» hai detto tu. Tuo zio Edoardo ed io .... (3. *conoscersi*) a Rio de Janeiro dove io tenevo un corso sulla scrittura teatrale all'Università Alvares Penteado e lui .... (4. *insegnare*) violino alla scuola di musica municipale oltre a dare concerti in varie altre città. Io abitavo nell'Istituto italiano di cultura, ospite di Antonio De Simone e di sua moglie Monique. I De Simone .... (5. *essere*) molto gentili, amavano avere la casa piena di gente: ogni volta che qualcuno arrivava dall'Italia, lo .... (6. *ospitare*) a casa loro. Per questo avevano due camere sempre pronte.

In una fotografia fatta da tuo zio Edoardo, io .... (7. *scendere*) da una scala che era quella interna dell'Istituto e tengo in mano dei quaderni. Passavo la giornata a leggere e a prendere appunti per la lezione serale: l'università .... (8. *aprire*) solo dopo le cinque. Gli studenti a Rio hanno tutti un lavoro e perciò .... (9. *potere*) dedicarsi agli studi solo nel tardo pomeriggio. Tuo zio continuava a fotografarmi, coi libri sotto il braccio mentre scendevo le scale, uscivo dall'Istituto, ... (10. *mangiare*) al tavolo di cucina dei De Simone. Ma io non .... (11. *capire*) che gli piacevo. Era tanto timido tuo zio. Infine i giorni a Rio sono terminati. .... (12. *Partire*) con due aerei diversi, ad un giorno di distanza, e lui mi aveva chiesto solo il numero di telefono di Roma. Dopo una decina di giorni mi ha telefonato e mi .... (13. *invitare*) a cena per la sera dopo.

adattato da Dolce per sé di Dacia Maraini

6 Fill in the blanks with the appropriate direct or indirect pronoun.

1. Stasera io sono a casa, se vuoi .... puoi chiamare verso le otto.

2. Allora ragazzi, ... è piaciuto il film?

3. Non riesco a trovare le chiavi di casa. Dici che .... ho perse?

4. Che ne dici? .... piace la mia nuova sciarpa?

5. Andrea ha mandato un'email al suo capo, ma non .... ha ancora risposto.

6. • Gloria, vuoi un caffè? • Sì, grazie, ... prendo volentieri.

7 Fill in the blanks with the simple future or (present or past) conditional forms of the verbs in parentheses, as in the examples.

È dai tempi dell'università che dicevo a Federica che ....*vorrei*............ (1. *volere*) andare negli Stati Uniti. Finalmente, la prossima estate ci ....*andremo*............ (2. *andare*) e sono sicuro che .... (3. *divertirsi*) tanto. In realtà, Federica .... (4. *preferire*) andare in Giappone, ma... pazienza. .... (5. *volere*) venire anche Sandra e Gianni, ma ancora non sono sicuri. Dicono che non .... (6. *sapere*) dove lasciare il loro cane. Al posto loro, io lo .... (7. *portare*) con me. Ci fermeremo un mese negli Stati Uniti, ... (8. *visitare*) varie città e a San Francisco ci .... (9. *ospitare*) una nostra amica, Roberta. .... (10. *fare*, io) già i biglietti aerei, però all'agenzia di viaggi mi hanno detto di aspettare qualche giorno perché .... (11. *esserci*) sicuramente delle offerte.

8 Fill in the blanks with the correct simple or articulated prepositions.

EDIZIONI › **Mediterraneo** | Europa-Ue | NuovaEuropa | America Latina | Brasil | English | 🎙 Podcast | ANSAcheck | Social: 🔊 👍 💬 🔗 ▶ 📷

ANSAit AGENZIA ANSA | 🔍 Fai la ricerca | 💻 Il mondo in Immagini | 📊 Vai alla Borsa | ☀ Vai al Meteo | ANSA Corporate Prodotti

Lo *Street Art*, il festival romano .... (1) Arti di Strada, arriva .... (2) sua quarta edizione: 11 e 12 maggio nel Rione Borgo, luogo storico .... (3) capitale.
Sotto la cupola di S. Pietro, lungo Borgo Vittorio e Borgo Pio, ... (4) via dei Tre Pupazzi e via Degli Ombrellari fino .... (5) Piazza delle Vaschette e Piazza del Canalone, gli artisti inviteranno romani e turisti .... (6) partecipare. Il Municipio Roma XVII (ora Municipio Roma I) ha promosso l'evento: «Siamo felici .... (7) poter regalare questa importante esperienza – spiegano gli organizzatori – non solo .... (8) artisti che partecipano ma anche a tutti gli spettatori. Il rapporto .... (9) artista e spettatore – continuano gli organizzatori – è un'esperienza magica: gli artisti di strada dimostrano che l'arte non è qualcosa .... (10) lontano, ma fa parte di noi, è la vera chiave .... (11) migliorare la vita». Infine, l'edizione di quest'anno di *Street Art* ospiterà anche una mostra fotografica .... (12) teatro di strada e altre iniziative "top secret".

adattato da *www.ansa.it*

9 Complete the sentences with the imperative form of the verbs in parentheses.

1. Lucia, questa sera .... (*venire*) a cena da noi!
2. Ragazzi, non .... (*dimenticare*) di telefonare a vostra madre!
3. Antonio, non .... (*fumare*) in macchina!
4. È tutto il giorno che lavori, ... (*riposarsi*) un po'!
5. Elisa, ... (*stare*) tranquilla!
6. Ragazzi, ... (*guardare*) questo video su YouTube!

10 Complete the sentences with the verbs provided.

ci vogliono ◆ ci metto ◆ si mette ◆ ci vorranno ◆ ci hai messo ◆ si vive ◆ ci sono voluti

1. Da casa mia alla stazione, in macchina, ... dieci minuti.
2. Per fare gli spaghetti alla carbonara .... le uova.
3. Nelle piccole città .... meglio.
4. Per finire questo nuovo ospedale .... almeno cinque anni.
5. Hai fatto in fretta, ... poco a prepararti.
6. Per completare questo lavoro .... tanti anni.
7. Luca .... sempre il cappello prima di uscire.

11 Study the images and solve the crossword.

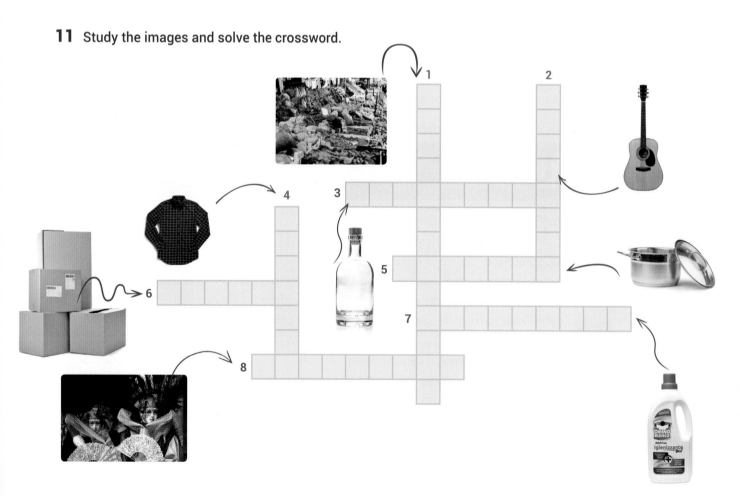

Esami... niente stress!

1 Using the words provided, fill in the missing information in Lorenzo's exam appointment, as in the example.

*matricola ♦ Lettere moderne ♦ prova ♦ voti
Studi Umanistici ♦ appello ♦ docente*

Prenotazione appello d'esame

Se fai delle modifiche clicca il tasto ⟳ per visualizzare i dati aggiornati

Cognome e nome: Sorrentino Lorenzo

.... (1) **del 25 marzo, ore 18**

Facoltà: .... (2)

Corso di laurea: .... (3)

Tipologia corso: Laurea Triennale

Matricola .... (4)**: 765290**

Media .... (5)**: 24/30**

Insegnamento: Storia della letteratura italiana moderna e contemporanea (SSD: L-FIL/LET 10)

.... (6): **Alessandra Levi**

Luogo: aula 12b

Tipologia esame: l'esame consiste in una

.... (7) **orale**

🐦 f g+ ✉

2 Match the sentences with the corresponding objects.

1. Ve le lascio sul tavolo della cucina.
2. A Verona li preparano per Carnevale.
3. Me lo offri al bar?
4. Chi l'ha rotto?
5. Se è troppo pesante, te lo porto io.
6. Gliela regalo a mia moglie per il suo compleanno.
7. Me li presta lui.

a ⬜ la collana

b ⬜ le chiavi

c ⬜ il bicchiere

d ⬜ gli gnocchi

e ⬜ il caffè

f ⬜ gli appunti

g ⬜ lo zaino

The New Italian project 2

3 Complete the matching exercise.

1. Luca, mi presti gli appunti di Storia?
2. Puoi dire tu a Lorenzo che partiamo alle 6?
3. Sono arrivati i miei amici dalla Francia!
4. Mi passeresti il sale?
5. Qualcuno può prestarci la macchina fotografica?
6. Luca, porteresti tu questo caffè alla signora Lindi?

a. Che bello! Quando ce li farai conoscere?
b. Sì, glielo dico io.
c. Ve la presto io: a casa ne ho due.
d. Sì, glielo porto subito...
e. Sì, te li porto domani a lezione.
f. Certo, te lo passo subito.

4 Select the correct combined pronoun.

1. ● Lorenzo, davvero hai studiato sul libro sbagliato?
   ● Sì, la professoressa ha cambiato programma e nessuno me l' / te l' ha detto!
2. ● Questa proprio non gliel' / me l' aspettavo da te! Io mi fidavo di te!
   ● No, aspetta, non arrabbiarti! Posso spiegarti tutto!
3. ● Maria, se vuoi te la / me la dico la verità. Tu sei pronta ad ascoltarla?
   ● Certo! Cosa sarà mai?
4. ● Luca e Giacomo sono malati. Chi gli porterà i compiti?
   ● Ce li / Glieli porterò io! Abito vicino a casa loro.
5. ● Mamma, ci presti il cellulare? Vogliamo cercare il significato di alcune parole.
   ● No, non ve lo / ce lo presto. Perché non usate il dizionario?

5 Complete the sentences with the combined pronouns and the correct form of the verbs in parentheses, as in the example.

1. Se vuoi questa rivista, _te la compro_ (comprare).
2. Se ti piacciono i miei quadri, ... (regalare) uno volentieri!
3. Signora, gli antipasti li prepariamo ogni giorno con ingredienti freschi... .... (consigliare)!
4. Non hai letto l'ultimo libro di Elena Ferrante?! Appena avrò finito di leggerlo, ... (prestare).
5. Quando ordiniamo la pizza alle nove, ... (portare) sempre dopo due ore! La dobbiamo ordinare prima.
6. Se Anna vuole conoscere la trama del film, ... (raccontare), ma dopo non so se vorrà venire ancora al cinema!
7. Da piccolo mi piacevano molto i puzzle, i miei genitori .... (regalare) uno al mese.

6 Complete the sentences, as in the example. Underline the word to which *ne* refers.

1. Ho finito il latte,	**ve ne**	a. diamo noi una copia.
2. Vuoi dell'acqua?	**gliene**	b. consiglio uno molto bello.
3. A Lucio serve una <u>bicicletta</u> nuova:	**me ne**	c. compri un litro?
4. Abbiamo già finito gli esercizi! Professoressa,	**ce ne**	d. regaliamo una noi?
5. Se volete leggere un libro	**Te ne**	e. dà ancora?
6. Se vogliono gli appunti delle lezioni,	**gliene**	f. porto un bicchiere.

7 Complete the posts with the combined pronouns. Refer also to page 168 of the *Approfondimento grammaticale*.

Uniappunti

NUOVE ATTIVITÀ ▾

🔒 Gruppo Privato

Informazioni
Discussione
Comunicazioni
Membri
Eventi
Video
Foto
File
Video party

Emma Bi
Cerco le ultime lezioni di Fisica 2. Qualcuno .... (1. *a me*) può prestare?

Francy
Io le ho, se vuoi .... (2. *a te*) posso portare in facoltà, ma dovresti
ridar.................... (3. *a me*) al più presto.

Niccolò
Ho bisogno del libro di Diritto Civile 2 per preparare l'esame.
Chi.................... (4. *a me*) vende?

Marisa
Un mio amico ha appena dato l'esame. Forse non gli serve più e vuole venderlo.
.... (5. *a lui*) chiedo.

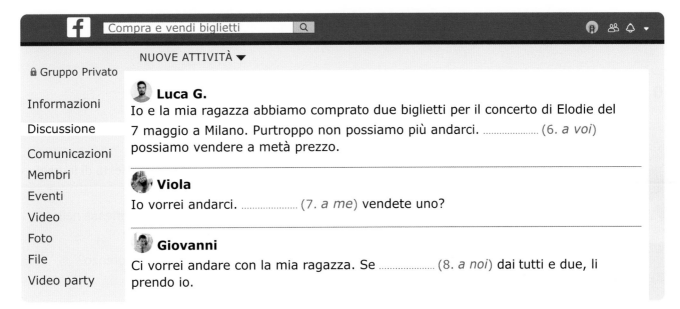

Compra e vendi biglietti

NUOVE ATTIVITÀ ▾

🔒 Gruppo Privato

Informazioni
Discussione
Comunicazioni
Membri
Eventi
Video
Foto
File
Video party

Luca G.
Io e la mia ragazza abbiamo comprato due biglietti per il concerto di Elodie del
7 maggio a Milano. Purtroppo non possiamo più andarci. .... (6. *a voi*)
possiamo vendere a metà prezzo.

Viola
Io vorrei andarci. .... (7. *a me*) vendete uno?

Giovanni
Ci vorrei andare con la mia ragazza. Se .... (8. *a noi*) dai tutti e due, li
prendo io.

8 Transcribe and complete the sentences, as in the examples. Attach the pronoun to the end of the infinitive verb in the odd-numbered sentences (1, 3, 5) and put it before the modal verb (*potere*, *volere*) in the even-numbered sentences (2, 4, 6).

es. Se desideri quel libro, *(potere regalare)* posso regalartelo / te lo posso regalare io per Natale.

1. I documenti che mi hai chiesto, *(potere mandare)* solo la settimana prossima.

   ....

2. Caterina non mi ha dato il numero di Piero. *(Potere dare)* tu?

   ....

3. Se volete dei libri da leggere sotto l'ombrellone, *(potere prestare)* io un paio.

   ....

4. Laura, per sbaglio ho cancellato le foto che abbiamo fatto a Roma. *(Potere mandare)*, per favore?

   ....
   ....

5. Ho bisogno di un buon caffè: caro, *(volere preparare)* uno?

   ....

6. Perché hai comprato un nuovo cellulare, Luca? *(Volere regalare)* io!

   ....

9 Complete the dialogues with the expressions provided.

importa ♦ *figurati* ♦ *non si preoccupi* ♦ *mi scusi* ♦ *dispiace* ♦ *perdonami*

1. Mi .... Antonio! Ma non sono riuscito a portare i libri in biblioteca.
   Non ...., ci andrò io nel pomeriggio, Franco!

2. Direttore, ..., ma non posso rimanere, devo proprio andare via.
   ....! Chiederò alla signora Barbara se può sostituirLa.

3. .... Franco, veramente, non volevo offenderti.
   ....! Per fortuna siamo fra amici.

10 Choose the correct answers.

1. • Ho saputo che Aldo si è laureato. Mel' / Mela / Me lo ha detto Luca.
   • Sì, il mese scorso. Sono andata alla sua festa di laurea!

2. • Non mi ricordo: mi hai dato le chiavi?
   • Te le / Te lo / Te l' ho date poco fa, le hai messe nella borsa.

3. • Chi ha dato il mio numero di telefono a Lorenzo?
   • Te l' / Ce l' / Gliel' ho dato io.

4. • Hai chiesto a Marco se ci può ospitare il prossimo fine settimana?
   • No, non te l' / gliel' / me l' ho ancora chiesto. Ora gli mando un messaggio!

5. • Hai tu le mie fotocopie?
   • Sì, me li / me l' / me le hai date ieri, non ti ricordi?

6. • Quanti maglioni vi ha preparato la nonna?
   • Me ne / Ce ne / Ve ne ha fatti due a testa! Sono bellissimi e caldissimi!

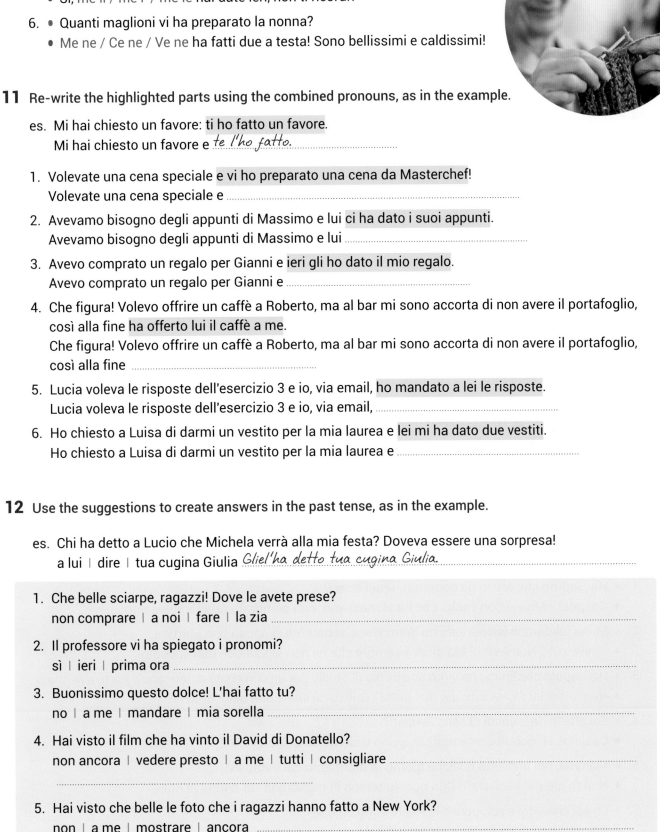

11 Re-write the highlighted parts using the combined pronouns, as in the example.

es. Mi hai chiesto un favore: ti ho fatto un favore.
    Mi hai chiesto un favore e *te l'ho fatto.*

1. Volevate una cena speciale e vi ho preparato una cena da Masterchef!
   Volevate una cena speciale e ....

2. Avevamo bisogno degli appunti di Massimo e lui ci ha dato i suoi appunti.
   Avevamo bisogno degli appunti di Massimo e lui ....

3. Avevo comprato un regalo per Gianni e ieri gli ho dato il mio regalo.
   Avevo comprato un regalo per Gianni e ....

4. Che figura! Volevo offrire un caffè a Roberto, ma al bar mi sono accorta di non avere il portafoglio, così alla fine ha offerto lui il caffè a me.
   Che figura! Volevo offrire un caffè a Roberto, ma al bar mi sono accorta di non avere il portafoglio, così alla fine ....

5. Lucia voleva le risposte dell'esercizio 3 e io, via email, ho mandato a lei le risposte.
   Lucia voleva le risposte dell'esercizio 3 e io, via email, ...

6. Ho chiesto a Luisa di darmi un vestito per la mia laurea e lei mi ha dato due vestiti.
   Ho chiesto a Luisa di darmi un vestito per la mia laurea e ....

12 Use the suggestions to create answers in the past tense, as in the example.

es. Chi ha detto a Lucio che Michela verrà alla mia festa? Doveva essere una sorpresa!
    a lui | dire | tua cugina Giulia *Gliel'ha detto tua cugina Giulia.*

1. Che belle sciarpe, ragazzi! Dove le avete prese?
   non comprare | a noi | fare | la zia ....

2. Il professore vi ha spiegato i pronomi?
   sì | ieri | prima ora ....

3. Buonissimo questo dolce! L'hai fatto tu?
   no | a me | mandare | mia sorella ....

4. Hai visto il film che ha vinto il David di Donatello?
   non ancora | vedere presto | a me | tutti | consigliare ....
   ....

5. Hai visto che belle le foto che i ragazzi hanno fatto a New York?
   non | a me | mostrare | ancora ....

13 Complete Pietro and Federico's conversation using combined pronouns.

ve la ♦ me ne ♦ te l' ♦ te li ♦ gliel' ♦ te l' ♦ glieli ♦ me li

> Ciao Pietro! Allora? Com'è andato l'esame?

> Bene! 25! .... (1) avevo detto che con gli appunti di Valeria sarebbe stata una passeggiata!

> Gli appunti di Valeria? Sei riuscito a far .... (2) dare? Di solito è molto gelosa dei suoi appunti!

> Già... ma .... (3) ha mandati via email lunedì. Pensa che li ho passati anche a Lorenzo!

> Cosa? .... (4) hai dati anche a Lorenzo?! Ma Valeria lo sa? Se lo scopre, non ti rivolgerà più la parola!

> Ma va... e comunque non lo scoprirà perché l'hanno bocciato! .... (5) avevo detto che non bastava imparare a memoria gli appunti, ma che bisognava anche sapere le trame di tutti i romanzi!

> No! Davvero?! Poverino! Senti, ti è arrivata la presentazione di Storia? Io e Giulia l'abbiamo finita ieri sera e .... (6) abbiamo mandata... Dovresti aggiungere il tuo pezzo.

> Sì, scusa, volevo rispondervi, ma stavo studiando e poi .... (7) sono dimenticato. Do un'occhiata, la completo e .... (8) rimando entro domani!

> Perfetto, grazie! A domani allora!

14 Choose the correct answers.

1. ● Hai saputo che Attilio ha comprato una Ferrari?
   ● Caspita! / Ma va! Con i soldi che ha al massimo avrà comprato una Cinquecento...

2. ● Mi ha telefonato Nicola e mi ha detto che a settembre si sposa con Martina.
   ● Davvero?! / Non è vero! Ma diceva sempre che lui non si sarebbe mai sposato!

3. ● Hai saputo che Emma ha vinto una borsa di studio per un'università americana?! Parte a gennaio!
   ● Non importa! / Chi l'avrebbe mai detto? Questa sì che è una bella notizia!

4. ● Sai che Ilaria e Vanni si sono lasciati?
   ● Caspita! / Figurati! Come mai? Stavano insieme da quindici anni!

5. ● Mamma, noi andiamo qualche giorno in montagna coi bambini...
   ● Non fa niente! / Scherzi?! Con questo tempo in montagna? Io andrei al mare.

6. ● Lo sai che oggi è sciopero e le Poste sono chiuse?
   ● Prego! / Non ci credo! Proprio oggi che dovevo spedire un pacco!

15 Write questions using the suggestions, as in the example. Use the present tense.

es. uova | torta | preparare → • *Quante uova servono per preparare la torta?*
                      • Ne servono 3.

1. Bianca | non venire | laurea | Marco → • ....
                • Come?! Non lo sai? È dovuta partire ieri per Milano per lavoro!

2. tempo | studiare | italiano | tuo ragazzo → • ....
                • Da circa sei mesi. È già molto bravo, secondo me!

3. fare | Natale | gli italiani → • ....
                • Stanno con la famiglia e si divertono!

4. partire | Stati Uniti → • ....
                • Partiamo domenica mattina. Non vediamo l'ora!

5. costare | biglietto | treno | Francia → • ....
                • Dipende: se trovi un'offerta è più economico del biglietto aereo.

6. donna | seduta | vicino | Simona → • ....
                • Secondo me, è sua sorella: sono uguali!

7. andare | voi | vacanze | Pasqua → • ....
                • Non lo sappiamo ancora, forse in Sicilia.

8. occuparsi | tuoi zii | Australia → • ....
                • Hanno una piccola azienda: producono vino.

16 Choose the correct answers.

1. Oltre a Santorini, quale/quali altre isole greche avete visitato?

2. Quale/Quali sono le città giapponesi che ti sono piaciute di più?

3. Quando andavi a scuola, quale/quali materia preferivi?

4. Quale/Quali di queste giacche è più adatta ad un colloquio di lavoro?

5. Quale/Quali pizza vuoi? Qui sono tutte buonissime!

6. Secondo te, quale/quali colore mi sta meglio? Il rosso o il rosa?

17 You are looking for a job. Fill in the blanks with interrogatives to complete some of the questions that you might be asked during the interview.

1. • .... anni ha?

2. • .... facoltà universitaria ha finito?

3. • Da .... tempo lavora?

4. • .... vuole cambiare lavoro?

5. • .... Le ha consigliato la nostra azienda?

6. • .... è il suo punto di forza? E il suo punto debole?

7. • .... fa nel tempo libero?

18 Fill in the blanks with interrogatives (in the **black** spaces) and the correct form of the verbs in the appropriate tense (in the green spaces), as in the examples.

Lisbona, *Portogallo*

1. _Perché_ ieri non _hai detto_ la verità? Non ti ha creduto nessuno. (*dire*)

2. .... sei andata l'ultima volta che .... un aereo? In Francia o in Portogallo? (*prendere*)

3. Andrea, a .... amici .... del concerto? Lo sai che non ho molti inviti! (*dire*)

4. .... il tuo programma televisivo preferito, quando eri piccolo? (*essere*)

5. Giulia, ... lo zucchero che abbiamo comprato ieri? (*mettere*)

6. Ragazzi, ... alla festa questa sera? Avete bisogno di un passaggio? (*andare*)

19 Write the names of the university departments that prepare students for the following professions.

Chirurgo

Ingegnere

Architetto

Avvocato

Dentista

Insegnante di Storia

20 Match the verbs with the nouns.

1. iscriversi	a. un esame
2. frequentare	b. per una vacanza-studio
3. sostenere	c. alla mensa
4. prendere	d. all'università
5. partire	e. un corso
6. mangiare	f. appunti

Università di Bologna

21 Complete the ads with the correct prepositions (simple or articulated prepositions). Note: in three of the sentences, the preposition is optional.

Milano Centro, Lombardia

Cerchiamo un impiegato .... (1) l'assistenza ai clienti.
Il suo compito principale sarà risolvere .... (2) problemi riguardo a spedizioni non andate a buon fine.
Il/La candidato/a ideale è una persona diplomata, ... (3) esperienza in attività di servizio clienti in azienda .... (4) trasporti. Ha buone capacità comunicative e una discreta conoscenza .... (5) strumenti informatici e della lingua inglese.

Bologna – bilocale 520 €/mese

Affittasi appartamento .... (6) 15 aprile in via De Gasperi 7A a meno di un chilometro .... (7) facoltà di Giurisprudenza. In zona ci sono .... (8) supermercati, farmacie, ristoranti, tutto il necessario. L'appartamento si trova .... (9) secondo piano senza ascensore. È composto da soggiorno, bagno, camera e due balconi. Per informazioni scrivere .... (10) beppez@vitali.it.

Canileonline Oscar cerca famiglia

Ha tanto bisogno .... (11) trovare una casa! È quasi un anno che è qui da noi.
Pesa .... (12) 17 kg, gli piace molto stare all'aria aperta e in compagnia di altri cani. Va d'accordo anche .... (13) i gatti. Per lui cerchiamo una magnifica famiglia! Si trova in provincia .... (14) Roma, ma potete adottarlo da tutta Italia!
Per informazioni contattare Roberta al canile Miciobau.

22 Listen to the audio file about retention rates in Italian schools. Play the recording twice and fill in the missing words (maximum 4 words).

🎧 5 CD 1

1. Sono 62mila circa i cervelli in fuga che hanno lasciato l'Italia per ....

2. Mentre sono 598mila giovani in .... 18 e i 24 anni che hanno abbandonato l'attività scolastica.

3. Le imprese .... poter contare su nuovi lavoratori preparati.

4. Negli ultimi anni sono diminuiti gli abbandoni, ma .... di giovani continua a lasciare la scuola, anche dell'obbligo.

5. I ragazzi che provengono da ambienti svantaggiati e da famiglie con uno scarso .... hanno più probabilità di abbandonare la scuola.

6. L'Italia si colloca .... per abbandono scolastico dei giovani in età compresa tra i 18 e i 24 anni.

7. Se da noi la percentuale è del 14,5 per cento, ... si attesta all'11 per cento.

8. A livello territoriale italiano sono .... a registrare i livelli più elevati di abbandono scolastico.

A Complete the dialogues with the correct combined pronouns and endings for the past participles.

1

● Ciao Giovanna!

● Ciao Lucia!

● Che bella questa collana! È un regalo?

● Sì, ... (1) ha regalat......... Matteo per il nostro primo anniversario.

● Ah già, era il vostro anniversario! E tu, cosa gli hai regalato?

● Avevo visto un orologio molto bello in un negozio in centro e .... (2) ho comprat.......... Sapevo che a lui piaceva: .... (3) aveva dett......... tante volte!

2

● Allora, che cosa vi hanno regalato per il matrimonio?

● Il regalo più bello .... (4) hanno fatt.......... i miei genitori: una vacanza in Tailandia!

● Davvero? .... (5) ho sempre dett.......... che i tuoi sono fantastici!

B Choose the correct answers.

1. ● ...... (1) che stasera facciamo una cena a casa mia? La solita compagnia.

   ● No, non ...... (2). A che ora?

   (1)   a. Te l'ho detto   (2)   a. ce lo dici
         b. Gliel'ho detto   b. me l'avevi detto
         c. Te l'hanno detto   c. te l'abbiamo detto

2. ● Signora, può dare a me la sua valigia: ...... (1) io.

   ● Grazie. Veramente... ne ho anche un'altra... ...... (2)

   (1)   a. te la porto   (2)   a. Gliele potrei dare?
         b. gliela porto   b. Posso darla?
         c. me la porto   c. Posso dargliela?

3. ● Amore, mi hanno chiamato dal canile: hanno trovato Bello!

   ● No! ...... (1) Sei sicuro?

   ● Sì, mi hanno detto che è lì e possiamo andare a prenderlo!

   ● Andiamo subito!

   (1)   a. Non ci posso credere!
         b. Quale?
         c. Cos'è!?

4. Sono certo che Alessandra ...... (1) la macchina, se tu ...... (2) in modo gentile.

   (1)   a. ce la presterà   (2)   a. gliela chiederai
         b. ve le presterà   b. gliele chiederai
         c. ce li presterebbe   c. glieli avresti chiesti

5. • ...... (1) vuoi andare a vedere l'ultimo episodio di *Star Wars*?

   • Oggi pomeriggio va bene? Non sai da ...... (2) tempo lo aspetto!

   (1)   a. Che cosa   (2)   a. quale
          b. Quando   b. che
          c. Chi   c. quanto

6. Luigi è al quinto anno di ...... (1), dovrebbe ...... (2) l'anno prossimo.

   (1)   a. Ingegneria gestionale   (2)   a. lavorare
          b. Letteratura   b. laurearsi
          c. Medicina   c. iscriversi all'università

C Solve the crossword.

Orizzontali

2. Alla fine delle scuole superiori facciamo l'esame di...

4. Lo sosteniamo se abbiamo studiato abbastanza.

5. Lo sono gli studenti che non si laureano in tempo.

7. Durante la lezione, mentre il professore spiega, gli studenti prendono...

8. All'università, gli studenti che vogliono pranzare vanno alla...

9. Di solito i libri sono suddivisi in diverse parti e ogni parte la chiamiamo...

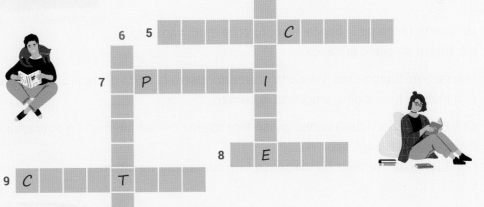

Verticali

1. Il ... d'esame raccoglie tutti gli argomenti da studiare per lo specifico esame.

3. Vado in segreteria per l'... al corso di spagnolo.

6. Quando finiamo la scuola superiore, possiamo iscriverci a una ... universitaria.

Risposte giuste: .... /25

Giochi

Soldi e lavoro

All of the exercises are available in an interactive format at www.i-d-e-e.it

1 Fill in the blanks with the words provided.

∘⟨ *bancomat* ✦ *conto corrente* ✦ *prestito* ✦ *tasso di interesse* ✦ *disoccupato* ✦ *vantaggioso* ⟩∘

1. Il .... è la percentuale di guadagno della banca quando presta dei soldi o fornisce un servizio.
2. Il .... bancario è un servizio che offrono le banche.
3. .... è un aggettivo che usiamo come sinonimo di "conveniente".
4. Chiediamo un .... alla banca quando abbiamo bisogno di soldi.
5. Il .... è una carta che serve per fare acquisti senza contante o per prelevare soldi dagli sportelli automatici.
6. Un .... è una persona che non lavora.

2 Combine the sentences, as in the example.

es. Emanuela è una ragazza. Emanuela ha studiato in Italia.
Emanuela è una ragazza *che ha studiato in Italia.*

1. Ho parlato con un'impiegata della banca. L'impiegata è stata molto gentile.
Ho parlato con un'impiegata della banca
....

2. Ho aperto un conto in banca. Il conto offre molti vantaggi.
Ho aperto un conto in banca ....

3. In banca mi hanno dato una carta di credito. Userò la carta di credito per fare acquisti online.
In banca mi hanno dato una carta di credito ....

4. Con l'applicazione della banca posso fare operazioni via Internet. Le operazioni via Internet mi eviteranno le file agli sportelli.
Con l'applicazione della banca posso fare operazioni via Internet
....

5. Grazie al bancomat posso prelevare soldi dagli sportelli automatici. Gli sportelli automatici sono aperti tutto il giorno.
Grazie al bancomat posso prelevare soldi dagli sportelli automatici ....

6. Michele ha scelto una banca. La banca offre un conto vantaggioso per i neolaureati.
Michele ha scelto una banca ....

3 Fill in the blanks using the phrases in the box.

> che si trova ◆ che preferiscono ◆ che ospita
> che poi sarebbe diventata ◆ che gioca

1. Ti presento Luca, l'amico .... a tennis con me il sabato.
2. A quella festa avevo conosciuto Silvana, ... una mia grande amica.
3. Federico e Chiara hanno visitato un'isola, ... vicino alla Toscana, piccola ma molto bella.
4. Il museo .... molte opere di Depero, un artista futurista, si trova in Trentino.
5. Sono in aumento gli italiani .... il treno per le gite del fine settimana.

4 Rewrite the sentences from exercise 3 by replacing the pronoun *che* with *il/la quale, i/le quali*.

....

....

....

....

5 Complete the sentences with the pronouns on the right, as in the example.

es. L'aereo ....*b*.... viaggiamo è dell'Alitalia.

1. Il professore .... prendo lezioni abita vicino a casa mia.
2. La casa .... abita Giovanni ha un giardino molto bello.
3. La rivista .... scrive Giulio è molto famosa.
4. Il turista .... ho dato delle informazioni era americano.
5. Gli amici .... sono uscito ieri sera sono molto simpatici.

> a. a cui
> b. su cui
> c. con cui
> d. da cui
> e. in cui
> f. per cui

6 Answer the questions, as in the example.

es. Chi è Marcella? (*Gianni esce con lei*)
     È la ragazza *con cui esce Gianni.*

1. Chi è Giovanna? (*ho viaggiato con lei da Roma a Milano*)
   È la ragazza ....

2. Chi sono Ettore e Matteo? (*di loro parla spesso mio fratello*)
   Sono i ragazzi ....

3. Chi sono Federica e Giulia? (*ho prestato a loro i miei appunti*)
   Sono le ragazze ....

4. Chi è Davide? *(ho venduto a lui il biglietto della partita)*
   È il ragazzo ....

5. Chi è Javier? *(sono andata in Spagna con lui a Natale)*
   È il ragazzo ....

6. Chi sono quei signori? *(i miei genitori sono andati a Ischia con loro)*
   Sono i signori ....

Ischia

7 Rewrite the sentences by changing the pronouns in green, as in the example.

es. La storia di cui ti ho parlato deve rimanere tra noi.
La storia della quale .... ti ho parlato deve rimanere tra noi.

1. La città in cui vivo è abbastanza tranquilla.
   .... vivo è abbastanza tranquilla.

2. La carta di credito con cui volevamo pagare non funzionava.
   .... volevamo pagare non funzionava.

3. Oh no! È stato cancellato il concerto a cui dovevo andare la settimana prossima!
   .... dovevo andare la settimana prossima!

4. Giovanna è la persona su cui posso contare nei momenti difficili.
   .... posso contare nei momenti difficili.

5. Non capisco il vero motivo per cui vuoi cambiare lavoro...
   .... vuoi cambiare lavoro...

6. I miei amici sono le persone di cui mi fido di più.
   .... mi fido di più.

8 Combine the sentences using relative pronouns, as in the example.

es. Alla fine della lezione ho preso uno zaino | lo zaino non era il mio
Lo zaino *che ho preso alla fine della lezione non era il mio.* ....

1. Luca ha aperto un conto | il conto è solo per studenti
   Il conto ....

2. Questo è il nuovo profumo | fanno la pubblicità del profumo in TV!
   Questo ....

3. Il treno si è fermato in una città | la città è famosa per l'aceto balsamico
   La città ....

4. Questa è l'applicazione delle Poste | con l'applicazione puoi pagare le bollette
   Questa ....

5. Giorgio ha vinto una borsa di studio | la borsa di studio gli permetterà di andare in Canada
   Giorgio ....

6. Ho chiesto aiuto a un mio collega | il mio collega è molto disponibile
   Il collega ....

110

9 a Mark the sentences in which the parts in green could be substituted with *dove*.

1. Sono stato in un ristorante in cui preparano ottimi primi piatti.
2. Per Alessia questo è un periodo in cui tutto va male.
3. Federico è l'unica persona in cui ho fiducia.
4. Per le vacanze, ho scelto una spiaggia in cui è possibile arrivare solo a piedi.
5. Sono stato in un locale in cui suonano musica jazz.
6. Il 15 agosto è il giorno in cui ho conosciuto Fabio, l'amore della mia vita.
7. Quella è la casa in cui è nato Giovanni Verga.

b Now, when possible, transform the sentences from exercise 9a, as in the example.

1. Sono stato in un ristorante dove preparano ottimi primi piatti.

10 Connect the two sentences, as in the example. Refer also to page 170 of the *Approfondimento grammaticale*.

es. Amo un ragazzo | gli occhi del ragazzo sono verdi.
Amo un ragazzo *i cui occhi sono verdi.*

1. Ho conosciuto un ragazzo | il sogno del ragazzo è viaggiare per il mondo.
2. Ho aperto un conto corrente | i vantaggi del conto corrente sono molti.
3. Ivo e Daniel telefonano spesso in Brasile | i genitori di Ivo e Daniel vivono a Rio de Janeiro.
4. Ecco il professor Marini | le conferenze del professore Marini sono molto interessanti.
5. Ho visto un film | l'attrice protagonista di questo film è molto brava, ma non è conosciuta.
6. Leggo un romanzo | le autrici del romanzo sono francesi.
7. Ho rivisto un vecchio film | il titolo del vecchio film è *Poveri ma belli*.
8. Leggo spesso un blog | i post del blog sono molto interessanti.

11 Complete the conversation with the relative pronouns provided.

che • per cui/per il quale • che • che • di cui/del quale
di cui/delle quali • che • in cui/nei quali • con cui/con il quale

---

Silvia

Allora Carla, sei andata in banca alla fine? Sei riuscita ad aprire il conto .... (1) mi avevi parlato?

Allora, sono andata alla banca .... (2) mi avevano consigliato le mie compagne. Ho trovato un'impiegata molto gentile che mi ha dato tutte le informazioni .... (3) avevo bisogno...

Carletta

Ed è davvero così vantaggioso questo conto?

Direi di sì. È pensato proprio per gli studenti .... (4) frequentano la mia università. Prima di tutto non si pagano le spese mensili .... (5) devi pagare se apri un conto per lavoratori, e poi, quando paghi con il bancomat in uno dei fast food della zona universitaria, prendi punti!

Beh, spero che la nostra piadineria preferita sia nella lista dei locali .... (6) possiamo guadagnare punti!

Sì! 😍 La prossima volta che vieni a trovarmi... offro io!

E poi... Ogni 500 punti hai un buono sconto .... (7) puoi utilizzare al supermercato o nei ristoranti! Adesso puoi capire il motivo .... (8) sono così soddisfatta! Ho già pensato di consigliarlo anche a Celine, la studentessa Erasmus .... (9) divido l'appartamento da aprile!

---

12 Choose the correct answers.

1. Non ho capito bene cosa ha detto perciò / quando / perché c'era molto rumore.

2. Come / Per quale motivo / Perciò non dovremmo andare in vacanza quest'anno?

3. Non avevo studiato molto, oppure / ma / perciò ho preferito non dare l'esame.

4. Vorrei sapere come mai / allora / dove trova il tempo di fare tutto!

5. Ha sempre avuto tutto dalla vita, oppure / però / ma perché non è mai contento.

6. Visto che / Quindi / Così è già tardi e tutti iniziamo ad avere fame, io direi di andare a mangiare qualcosa al bar.

7. Perciò / Siccome / Perché mai non mi hai detto che avevi bisogno di soldi?

8. Così / Perché / Siccome pioveva, sono rimasto a casa e ho visto un film.

13 On page 28 you read Marisa's application. Imagine that you are the director of the school and write a job description (maximum 100 words) for the ad to which she responded.

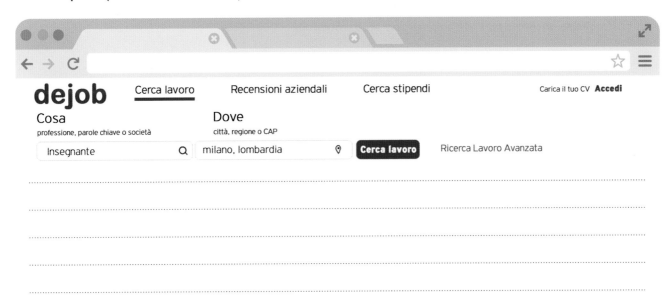

....

....

....

....

....

14 Complete the messages with the expressions provided.

Caro

Gentile

Cordiali saluti

Un abbraccio

Le auguro

Grazie mille

Conto attivo

Mario Petito - BDC
a me

.... (1) sig. Giovanni Sari,

Le scrivo per informarLa che il conto corrente aperto in data 16 marzo è attivo. Per qualsiasi informazione, mi trova in ufficio dalle 9 alle 16:30.

.... (2) buona giornata.

.... (3)

Dott. Mario Petito
Banca del Corso

.... (4) Luca,
Tutto bene? Ho bisogno di un piacere: puoi spedirmi le foto che hai fatto al matrimonio? Sto creando un video di famiglia e magari hai qualche foto interessante...
.... (5)!
Ci vediamo sabato alla partita!
.... (6)
Giovanni

15 *Che* or *chi*? Choose the correct option.

1. Non svegliare il can chi/che dorme.
2. Chi/Che lascia la vecchia via per quella nuova, sa quello chi/che lascia, ma non sa quello chi/che trova.
3. Chi/Che fa da sé fa per tre.
4. Meglio soli chi/che male accompagnati.
5. Chi/Che trova un amico trova un tesoro.
6. Natale con i tuoi, Pasqua con chi/che vuoi.
7. Chi/Che dorme non piglia pesci.
8. Meglio un uovo oggi chi/che una gallina domani.

16 Put the words in order to create sentences, as in the example. Start with the highlighted words.

es. che | in anticipo | mi | tutti | **ringrazio** | coloro | aiuteranno!
Ringrazio in anticipo tutti coloro che mi aiuteranno!

1. quello | sono | **non** | con | dici! | d'accordo | che

....

2. faranno | assumerà | quelli | **il Governo** | che | il concorso. | tutti

....

3. sentito | che ha | Luca? È una | ciò | detto | vergogna! | **hai**

....

4. il colloquio. | **l'ufficio risorse umane** | chi | ha | contatterà | passato

....

5. non guasta! | che | **oltre che** | è anche gentile, | simpatico | il

....

17 a Complete the paragraph using the words provided.

*conversazione ◆ candidati ◆ curricula ◆ posizione
intervista ◆ azienda ◆ scambio ◆ carattere*

Come prepararsi per un colloquio telefonico?

Il colloquio telefonico rappresenta spesso il primo contatto tra un candidato e
un'..........................(1) alla ricerca di personale. Di solito avviene dopo la prima
fase di valutazione dei ....(2) e si tratta di una breve ....
(3), di solito di 30 minuti. Il ....(4) apparentemente non formale può
farlo sembrare meno importante, ma, anche durante la ....(5) telefonica,
la prima impressione è decisiva!
Prima del colloquio rileggi lo ....(6) di email con l'ufficio risorse umane e studia bene la
descrizione della ....(7). Potrebbe sembrarti un consiglio banale, ma ricordare i dettagli
potrebbe fare la differenza tra te e gli altri ....(8).

b Finish the article by filling in the blanks with the informal (*tu*) imperative form of the verbs.

Quando sei al telefono, ...(1. *seguire*) questi semplici consigli:

● ....(2. *Rispondere*) in maniera diretta alle domande, ...(3. *essere*) positivo e
..........................(4. *controllare*) il tono della voce.

● ....(5. *Raccontare*) le esperienze e le competenze che ritieni utili per la posizione
lavorativa descritta nell'annuncio e ....(6. *cercare*) di trasmettere la tua motivazione.

● ....(7. *Dare*) motivo all'interlocutore di ricordarsi di te.

● A fine telefonata, ...(8. *chiedere*) al selezionatore quali saranno i passaggi successivi.

● ....(9. *Salutare*) in modo cortese e ....(10. *ringraziare*) per l'attenzione ricevuta.

18 Study the images and complete the sentences with either *stare* + gerund or *stare per* + infinitive.

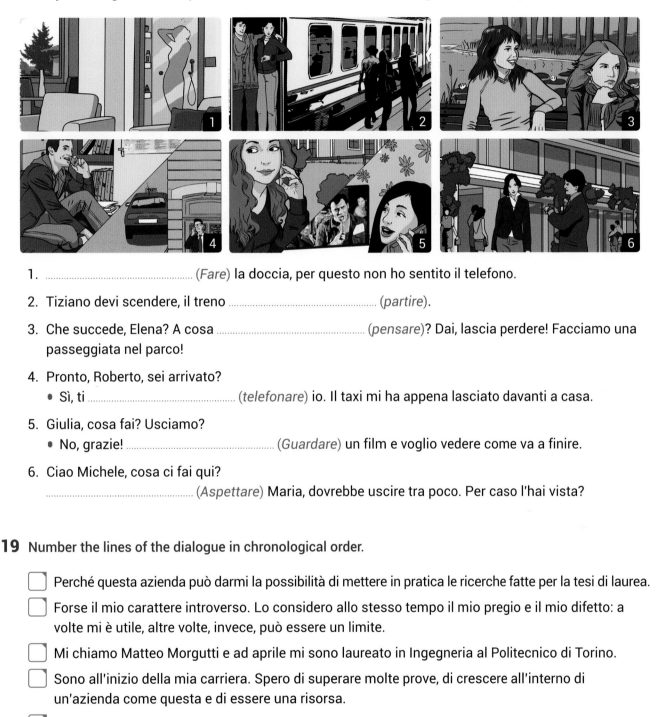

1. .... (*Fare*) la doccia, per questo non ho sentito il telefono.

2. Tiziano devi scendere, il treno .... (*partire*).

3. Che succede, Elena? A cosa .... (*pensare*)? Dai, lascia perdere! Facciamo una passeggiata nel parco!

4. Pronto, Roberto, sei arrivato?
   • Sì, ti .... (*telefonare*) io. Il taxi mi ha appena lasciato davanti a casa.

5. Giulia, cosa fai? Usciamo?
   • No, grazie! .... (*Guardare*) un film e voglio vedere come va a finire.

6. Ciao Michele, cosa ci fai qui?
   .... (*Aspettare*) Maria, dovrebbe uscire tra poco. Per caso l'hai vista?

19 Number the lines of the dialogue in chronological order.

☐ Perché questa azienda può darmi la possibilità di mettere in pratica le ricerche fatte per la tesi di laurea.

☐ Forse il mio carattere introverso. Lo considero allo stesso tempo il mio pregio e il mio difetto: a volte mi è utile, altre volte, invece, può essere un limite.

☐ Mi chiamo Matteo Morgutti e ad aprile mi sono laureato in Ingegneria al Politecnico di Torino.

☐ Sono all'inizio della mia carriera. Spero di superare molte prove, di crescere all'interno di un'azienda come questa e di essere una risorsa.

☐ Ho un modo originale di vedere i problemi, e quindi di risolverli. Questo mi ha aiutato in molti casi.

☐ Quali sono i suoi punti di forza?

☐1 Buongiorno, mi dica qualcosa di lei.

☐ Perché si è candidato per questa posizione?

☐ Quali sono i suoi obiettivi per il futuro?

☐ Quali sono i suoi punti deboli?

POLITECNICO

20 Connect the verbs in the column on the left with the expressions in the column on the right.

1. prelevare
2. aprire
3. pagare
4. andare
5. fare
6. completare

a. in banca
b. un assegno
c. la procedura
d. un conto corrente
e. allo sportello automatico
f. in contanti

21 Federica Blasi has sent an email to "Starcom Italia," a telecommunication company looking for a new head of personnel. Choose the correct answers to complete the email.

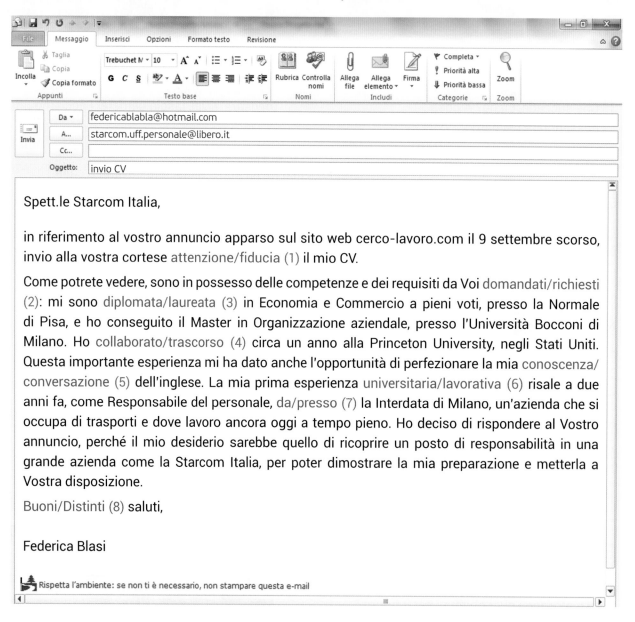

Da ▾ federicablabla@hotmail.com
A... starcom.uff.personale@libero.it
Cc...
Oggetto: invio CV

Spett.le Starcom Italia,

in riferimento al vostro annuncio apparso sul sito web cerco-lavoro.com il 9 settembre scorso, invio alla vostra cortese attenzione/fiducia (1) il mio CV.

Come potrete vedere, sono in possesso delle competenze e dei requisiti da Voi domandati/richiesti (2): mi sono diplomata/laureata (3) in Economia e Commercio a pieni voti, presso la Normale di Pisa, e ho conseguito il Master in Organizzazione aziendale, presso l'Università Bocconi di Milano. Ho collaborato/trascorso (4) circa un anno alla Princeton University, negli Stati Uniti. Questa importante esperienza mi ha dato anche l'opportunità di perfezionare la mia conoscenza/conversazione (5) dell'inglese. La mia prima esperienza universitaria/lavorativa (6) risale a due anni fa, come Responsabile del personale, da/presso (7) la Interdata di Milano, un'azienda che si occupa di trasporti e dove lavoro ancora oggi a tempo pieno. Ho deciso di rispondere al Vostro annuncio, perché il mio desiderio sarebbe quello di ricoprire un posto di responsabilità in una grande azienda come la Starcom Italia, per poter dimostrare la mia preparazione e metterla a Vostra disposizione.

Buoni/Distinti (8) saluti,

Federica Blasi

Rispetta l'ambiente: se non ti è necessario, non stampare questa e-mail

22 Read the following statements. Then, listen to the interview with the employee of a bank. Mark the 5 statements that are present in the dialogue.

🎧 10 CD 1

1. ☐ La persona intervistata darà informazioni su come aprire un conto.

2. ☐ Il sito web della banca fornisce informazioni in quattro lingue.

3. ☐ Prima di firmare un contratto è sempre bene leggere le condizioni.

4. ☐ La banca offre molti servizi di diverso genere.

5. ☐ Tra i servizi ci sono i finanziamenti per l'acquisto di una casa.

6. ☐ I clienti non amano molto usare i servizi online della banca.

7. ☐ Esistono carte di credito prepagate.

8. ☐ La banca offre servizi specifici per studenti stranieri.

23 Fill in the blanks with the correct prepositions.

a

b

c

Corso gratuito di chitarra

Il corso è organizzato .... (1) Associazione Erga. Sono previsti quattro incontri .... (2) mese di marzo. Appuntamento ogni martedì, dalle ore 18.30 .... (3) 20, presso la sede dell'associazione, in via Giordano 46.

Il corso è riservato a ragazzi .... (4) 10 ai 20 anni. Per informazioni e prenotazioni chiamate il 081-45291.

Corso di russo su misura

Impara il russo .... (5) il metodo *Erasmus house*! Contattaci per conoscere le caratteristiche .... (6) nostri corsi, i costi, gli orari e trovare il corso giusto .... (7) te! Offriamo:

✓ corsi .... (8) gruppo
✓ corsi individuali (pacchetti di 10 lezioni)
✓ corsi personalizzati con un amico o collega .... (9) stesso livello linguistico

Quota di iscrizione: euro 60

Laboratorio di cucina per bambini

Un laboratorio per bambini dai 5 ai 12 anni per far conoscere .... (10) più piccoli il cibo e le tecniche di cucina. Alla fine .... (11) laboratorio ogni bimbo porterà a casa la sua creazione con la ricetta e l'elenco .... (12) ingredienti utilizzati. Il costo del corso è .... (13) 10 euro. La prenotazione è obbligatoria. Scrivete una mail .... (14) mammacucinotta@pappato.it.

A Fill in the blanks with the relative pronouns.

Mauro e i "mammoni" italiani

Questa è la storia di Mauro, un ragazzo .... (1) cerca un lavoro sicuro da anni, come molti altri giovani italiani della sua età. Mauro ha 34 anni e negli ultimi 10 anni ha fatto lavori precari, cioè non stabili, e senza contratto. Naturalmente, il lavoro .... (2) lui preferirebbe fare è l'architetto, professione .... (3) ha studiato, ma purtroppo è un campo .... (4) è difficile entrare, soprattutto per .... (5), come Mauro, è ancora considerato "giovane". Un altro problema dell'Italia, infatti, è che sono considerati "giovani" tutti .... (6) hanno fino a 30-35 anni e sono molti i 35enni .... (7) vivono ancora con i genitori, spesso proprio per la mancanza di un lavoro fisso e la possibilità di pagare l'affitto.

B Complete the sentences with the expressions provided.

la quale ◆ *il che* ◆ *quello che* ◆ *coloro che* ◆ *in cui*

1. Giulia non dice mai .... pensa.

2. Chi cerca, trova. .... è quasi sempre vero.

3. .... hanno deciso di dare l'esame devono iscriversi in segreteria.

4. La banca .... ho aperto il conto è in centro.

5. Mamma, c'è al telefono la zia di Sandro, ... aveva telefonato anche ieri.

C Choose the correct answers.

1. ● Ho comprato un vestito nuovo ...... (1) desideravo da tempo.
   ● Non capisco il motivo ...... (2) continui a spendere metà del tuo stipendio in vestiti.

   (1) a. la quale   (2) a. per cui
        b. cui   b. su cui
        c. che   c. che

2. ● "...... (1) dorme non piglia pesci", lo sai?!
   ● Sì, ma la cosa ...... (2) ho più bisogno adesso è dormire!

   (1) a. Chi   (2) a. con cui
        b. Colui   b. il che
        c. Su cui   c. di cui

3. ● Luca, dai, stiamo per ...... (1)! Sei pronto?
   ● Un attimo! ...... (2) aiutando Francesca a fare i compiti!

   (1) a. partendo   (2) a. che
        b. partire   b. sto
        c. porta   c. sto per

4. .... (1) signor Carletti.
Le porgiamo .... (2) saluti.

(1) a. Egregio
     b. Spettabile
     c. Cordiale

(2) a. cordialmente
     b. cordiali
     c. tanti

5. Il .... (1) di questa lettera è il .... (2) del personale.

(1) a. destinatario
     b. destinato
     c. saluto

(2) a. regista
     b. conduttore
     c. direttore

D Solve the crossword.

Orizzontali

3. Chi trova un amico, trova un ...
6. Stefano paga sempre con la carta di ...
7. In chiusura di una mail formale, scriviamo: ... saluti.
8. Lavora per un giornale o per la TV.

Verticali

1. Chi risponde a un annuncio e si propone per un lavoro.
2. Quando cerchiamo lavoro, inviamo il nostro ... vitae.
4. Valentina, come è andato il ... di lavoro che avevi ieri?
5. Non pagare con il bancomat, ma ...

Risposte giuste: .... /30

Giochi

In viaggio per l'Italia

All of the exercises are available
in an interactive format at *www.i-d-e-e.it*

11 **1** Re-read or listen to the dialogue on page 40 again and answer the questions.
CD 1

1. Perché Gianna propone a Lorenzo di fare un viaggio insieme? ....
   ....

2. Perché Lorenzo preferirebbe Roma a Firenze? ....
   ....

3. Lorenzo che cosa pensa di Venezia? ....
   ....

4. Perché Lorenzo non è d'accordo ad andare a Napoli? ....
   ....

5. Perché, secondo Gianna, Lorenzo è fissato con Roma? ....
   ....

2 Study the images and choose the correct answers.

1. □ a. La bici è più veloce della moto.
   □ b. La bici è meno veloce della moto.
   □ c. La bici è veloce come la moto.

2. □ a. Roma è più antica di New York.
   □ b. Roma è antica come New York.
   □ c. Roma è meno antica di New York.

3. □ a. La gonna è cara quanto la maglietta.
   □ b. La gonna è meno cara della maglietta.
   □ c. La gonna è più cara della maglietta.

4. □ a. Francesca è più allegra di Marta.
   □ b. Francesca è allegra come Marta.
   □ c. Francesca è meno allegra di Marta.

5. □ a. Mara è grande come Giovanni.
   □ b. Mara è più grande di Giovanni.
   □ c. Mara è meno grande di Giovanni.

6. □ a. Il cavallo è più pesante del cane.
   □ b. Il cavallo è pesante come il cane.
   □ c. Il cavallo è meno pesante del cane.

3 Create sentences by putting the words in order.

1. più | sembra | di Treviso. | Milano | caotica

....

2. colpa | prendertela | nessuno, | è | la | solo | Non | con | tua!

....

3. I | di | la | cavano | ragazzi | noi. | senza | se | anche

....

4. Non | mano | ce la | dai | favore? | faccio | da | mi | solo, | una | per

....

5. giovane, | Lucia | è | più matura, | ma | più | di Marta

....

6. colorata | Venezia è | Secondo me, | bella e | Napoli. | quanto

....

Treviso, Italia

4 Study the images and write sentences using the adjectives provided. Remember to modify the adjective according to the gender of the noun!

Chiara   Mario

(basso +) ....
(alto –) ....

Luca   nonna

(giovane –) ....
(vecchio +) ....

Grana Padano   Mozzarella

(fresco +) ....
(fresco –) ....

ciliegia   anguria

(piccolo –) ....
(grande +) ....

tiramisù   panna cotta

(dolce =) ....

5 Use the adjectives and suggestions to complete the sentences, as in the example.

grande ◆ *saporito* ◆ *divertente* ◆ *sportivo* ◆ *aromatico* ◆ *magro*

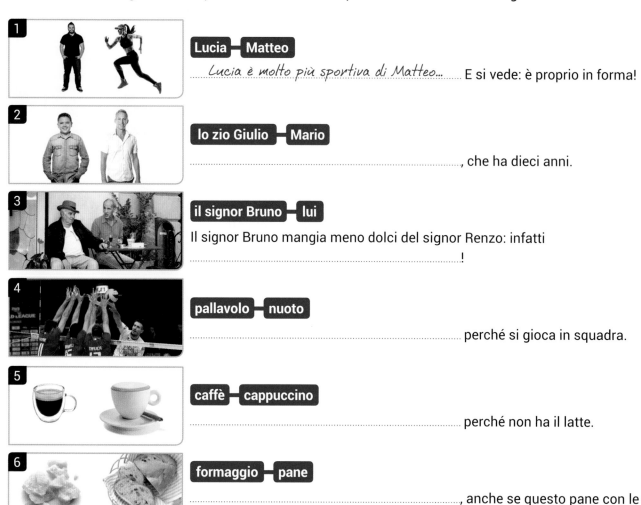

1 | Lucia – Matteo

Lucia è molto più sportiva di Matteo... E si vede: è proprio in forma!

2 | lo zio Giulio – Mario

...., che ha dieci anni.

3 | il signor Bruno – lui

Il signor Bruno mangia meno dolci del signor Renzo: infatti ....!

4 | pallavolo – nuoto

.... perché si gioca in squadra.

5 | caffè – cappuccino

.... perché non ha il latte.

6 | formaggio – pane

...., anche se questo pane con le noci è buonissimo!

6 Complete the dialogues, as in the example.

es. • Scrivi molte email ai tuoi amici?
 • Mi piace *più* telefonare *che* scrivere.

1. • Dove fa più freddo, al Sud o al Nord?
 • Al Sud fa .... caldo .... al Nord.

2. • Perché non vai mai a teatro?
 • .... andare a teatro, amo andare al cinema.

3. • Secondo te, in questo momento è facile trovare un lavoro a tempo indeterminato?
 • Mah... Secondo me, oggi è .... difficile trovare un lavoro a tempo indeterminato .... in passato.

4. • Rita preferisce leggere o guardare le serie TV?
 • Rita lavora tanto, perciò la sera ha .... voglia di guardare la televisione .... di leggere.

5. • Anche da voi in estate non deve essere piacevole rimanere in città...
 • Certo, in estate andare al mare è sicuramente .... piacevole .... restare a Roma.

6. • Bevi più caffè o tè?
 • Quando lavoro, bevo .... caffè .... tè.

7 Choose the correct option.

1. Adriano è più in gamba di/che suo fratello Francesco.

2. Mi piace tanto/quanto la corsa tanto/quanto il nuoto, ma il mio sport preferito è il ciclismo.

3. L'esame di Storia è più difficile dell'/che l' esame di Informatica.

4. Più di/che simpatico, Luciano è ironico.

5. I clienti dicono che io sono più brava di/che Luisa a fare il caffè... e Luisa dice sempre che è perché a me piace più chiacchierare di/che lavorare!

6. Mia nonna dice sempre che noi napoletani siamo più ospitali dei/che i romani... mentre, secondo mio nonno, siamo più cortesi di/che ospitali. Io penso che siamo tanto ospitali tanto/quanto cortesi.

8 Complete the short dialogues with one of the comparative forms, as in the example.

es. • Secondo me, domenica vincerà l'Inter!
 • Non è vero: quest'anno la Roma è ..._più_.. forte ..._dell'_.. Inter.
 • Secondo me, la Roma è ..._più_.. fortunata ..._che_.. forte.

1. • Patrizia è veramente una ragazza timida!
 • È vero, ma dovresti conoscere la sorella: è ancora .... timida .... lei.
 • Sì, l'ho conosciuta, ma .... timida mi sembra un po' riservata.

2. • L'aereo sarà anche .... veloce .... treno, ma io ho paura.
 • Allora usa la macchina!
 • No, perché è .... cara .... treno.

3. • Come va il negozio? Avete venduto molte scarpe quest'anno?
 • Sì, in particolare abbiamo venduto .... scarpe da uomo .... scarpe da donna.

4. • Giacomo è un ragazzo in gamba!
 • Secondo me, suo fratello Riccardo è .... intelligente .... Giacomo.
 • No, per me è .... furbo .... intelligente.

5. • Hai visto la nuova casa di Pierangelo? È molto bella.
 • Mah, ... bella è particolare: ha uno stile molto moderno!

9 Complete the sentences to answer the free response questions.

1. Quando fai colazione al bar, prendi più spesso un caffè o un cappuccino?
 Io ....

2. Ti piacciono di più le vacanze al mare o in montagna?
 Mi piacciono ....

3. Per te è più bella la campagna o la città?
 Secondo me, ...

4. La tua città è più vivace o più caotica?
 Per me ....

5. Preferisci viaggiare in treno o in aereo?
 Più che ....

6. Mangi più verdura o più cereali?
 Io mangio ....

10 Put the sentences in order starting with the highlighted words.

in periferia. | più | gli appartamenti | in Italia, | che | sono | cari | in centro

-----

che | il Sud | più | piace | il Nord Italia. | a Stefano

.....

del | libro | di Michela Murgia | quest'ultimo | precedente. | è | più | bello

.....

la chitarra | cantare. | a me | più | piace | suonare | che

.....

europea | Teresa | italiana. | si sente | tanto | quanto

.....

più | ai miei figli | piace | andare | in estate, | al mare | in montagna. | che

.....

11 Fill in the blank to complete the names of the services represented by these symbols.

....

gratuito

TV

....

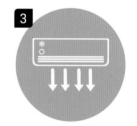

aria

....

....

....

....

aeroporto

....

domestici

....

124

12 Put the sentences from the dialogue in chronological order.

Plan de Corones, Italia

☐ Eh sì, ha proprio ragione... Confermo subito la prenotazione per una suite familiare. Grazie e a presto.

☐ Buongiorno, sono il signor Martini. Ho visto che c'è un'offerta per la settimana prossima e vorrei qualche informazione in più prima di prenotare.

☐ La piscina è in giardino, riscaldata. Si accede alla piscina dal centro benessere, dove ci sono la sauna e la palestra. Gliele consiglio per rilassarsi... soprattutto dopo una giornata sulla neve.

☐ L'albergo quanto è lontano dalle piste da sci?

☐ Circa dieci chilometri, ma c'è il servizio navetta gratuito ogni 20 minuti circa.

☐ Certo, mi dica...

☐ Bene! Un'altra cosa, la piscina è interna o esterna?

1 Hotel Plan de Corones, buongiorno. Come posso aiutarla?

13 Complete the reviews with the words provided.

personale ♦ proprietario ♦ posizione ♦ navetta ♦ musei ♦ colazione ♦ chilometri
cortese ♦ Internet ♦ freschi ♦ giardino ♦ balcone ♦ doccia ♦ animali ♦ piscina

a

b

c

L'HOTEL DELL'IMPERATORE
★★★★☆

Ottimo hotel! Molto pulito e *personale* (1) gentile e riservato. Camere ampie e pulite; il letto supercomodo!
Anche la .... (2) è perfetta: ci sono diversi ottimi ristoranti a due passi dall'hotel. ....
(3) molto veloce.
Due soli problemi: il primo riguarda la .... (4): troppo povera per un 4 stelle, non c'era nemmeno il caffè espresso! Il secondo riguarda la .... (5): nelle foto sembra grande e luminosa, invece è sì riscaldata ma è piccola e non ci sono finestre.

UN B&B PER FAMIGLIE
★★★★☆

Questo bed&breakfast è una casa arredata con gusto. Perfetta per una vacanza rilassante in un luogo incantevole a pochi ....
(6) da Assisi.
Ottima anche per coppie con figli piccoli che potranno giocare in .... (7) dove c'è un'area con giochi riservata a loro.
Roberto, il .... (8), è di una disponibilità assoluta, ... (9) e, al bisogno, sempre presente.
Non ho dato 5 perché in alcune stanze la .... (10) era piccola e scomoda.

UNA CUCCIA A FIRENZE
★★★★★

Trovare una sistemazione in centro che accetta .... (11) e che offre anche la .... (12) aeroportuale dove fanno entrare i nostri amici a quattro zampe è praticamente impossibile! 5 stelle solo per questo!
Il .... (13) privato, poi, è il posto perfetto per rilassarsi a fine giornata, magari dopo tante ore a visitare i .... (14) della città.
Due note negative: le camere non sono silenziose e la colazione... mi aspettavo prodotti ....
(15), invece è tutto confezionato!

14 Complete the text with the superlatives provided.

più lunga del mondo ◆ *il più tipico* ◆ *più recenti* ◆ *più pesante del mondo*
più alto del mondo ◆ *più grande del mondo*

I RECORD MADE IN ITALY

L'organizzazione *Guinness World Records* ogni anno esamina più di cinquantamila richieste (e ne accetta seimila!) da 174 Paesi del mondo. L'Italia è sempre protagonista... ma quali sono i primati italiani .... (1)?

▶ Il *profiterole* .... (2)! Pesa ben 430 chili! Lo hanno realizzato a Latina con novemila bignè, duecento chili di crema chantilly e duecento chili di glassa al cioccolato!

▶ La zeppola di San Giuseppe .... (3)... ora tutti conoscono .... (4) tra i dolci preparati per la Festa del papà! Un totale di circa 84 chili per oltre un metro di diametro!

▶ Il panettone .... (5)! 100 ore di lavorazione per ottenere il tipico dolce di Natale: un metro e mezzo di altezza!

▶ La pizza .... (6) è stata realizzata a Napoli! 250 chef hanno realizzato una pizza di 1.853,88 metri! 2.000 chili di farina, 1.600 di pomodori, 2.000 di mozzarella e 200 litri di olio d'oliva!

15 Complete these reviews of some hotels using the absolute superlative of the adjectives provided.

bello ◆ *buono* ◆ *caro* ◆ *centrale* ◆ *male* ◆ *molto* ◆ *lontano* ◆ *tranquillo*

ALBERGO REALE

L'hotel, per quello che offre, è .... (1)! È vero che siamo andati in alta stagione, ma il prezzo della camera è esagerato: è .... (2) dalla spiaggia, le camere sono piccole e al ristorante è meglio non andarci. Noi ci siamo trovati .... (3)!

HOTEL ACQUA E SOLE

L'hotel è .... (4)! Arredato con gusto! Sembra un hotel a 5 stelle! C'è la doccia con idromassaggio e la sauna è sempre accesa. Anche il ristorante è molto bello e il cibo .... (5) !

ALBERGO IL DUOMO

Hotel .... (6), si trova esattamente a Piazza Duomo. È moderno e offre .... (7) servizi: servizio in camera, lavanderia, navetta per l'aeroporto gratuita... Unico difetto, proprio per la sua posizione: non è .... (8), la sera arriva la musica dei locali.

16 Create sentences using the absolute and relative superlatives, as in the example.

es. Carlo ⏐ timido ⏐ classe.
Carlo è timidissimo, ma non è il più timido della classe.

1. Quadro ⏐ prezioso ⏐ museo.
....

2. Camera ⏐ grande ⏐ albergo
....

3. Esercizi di matematica ⏐ difficili ⏐ libro
....

4. Vino ⏐ buono ⏐ lista
....

5. Hotel ⏐ caro ⏐ zona
....

6. Studenti ⏐ bravi ⏐ scuola
....

17 Based on the information provided, write two sentences using one comparison (of inequality or equality) and one (absolute or relative) superlative.

1. monti – alto
Monte Cervino: m. 4.478 ▎ Monte Rosa: m. 4.634 ▎ Monte Everest: m. 8.848
....
....

2. università – antico
Università di Bologna: 1088 ▎ Università di Parigi: 1150 ▎ Università di Oxford: 1096
....
....

3. fiumi – lungo
Nilo: 6.671 km ▎ Gange: 2.700 km ▎ Po: 652 km
....
....

4. animali – grande
elefante ▎ cavallo ▎ cane
....

Napoli

5. città – abitanti
Roma: 2.856.133 ▎ Napoli: 959.188 ▎ Tokyo: 14.000.000
....

6. mezzi di trasporto – veloce
automobile ▎ bicicletta ▎ aereo
....

The new Italian project 2

18 Complete the sentences using the irregular superlatives provided.

massima ◆ *massimo* ◆ *ottima* ◆ *pessimo* ◆ *pessima* ◆ *minima*

1. A tennis, hai perso la partita perché non hai dato il ....

2. Non sono contento per niente; abbiamo pagato tanto e il servizio era ....

3. Questo è un caso che richiede la .... attenzione!

4. Quest'inverno non ha fatto molto freddo: la temperatura .... è stata -3 gradi.

5. Non dovresti rinunciare a questo lavoro, è davvero un'............................. occasione per te!

6. Andare al mare in macchina oggi con questo traffico è stata proprio una .... idea!

19 Complete the sentences with the irregular comparatives of the following adjectives. Note: the adjectives are not in order.

alto ◆ *basso* ◆ *buono* ◆ *cattivo* ◆ *grande* ◆ *piccolo*

1. Quest'anno abbiamo avuto un inverno caldo: le temperature sono state .... agli altri anni.

2. Io al posto tuo, comprerei questa camicia, l'altra costa meno ma è di qualità ....

3. Questo è Carlo, il mio fratello .... : ha 2 anni più di me.

4. Lei è Sara, la mia sorella .... , la piccola di casa, ha compiuto ieri 6 anni.

5. Il nostro palazzo ha tre piani: io abito all'ultimo, al piano .... i miei genitori e al primo ci abita mia sorella.

6. Buona questa pizza, ma quella che abbiamo mangiato a Napoli era ....

20 Fill in the blanks using simple or articulated prepositions in the **black** spaces and the words provided below in the green spaces.

servizio clienti ◆ *struttura* ◆ *camera* ◆ *prenotazione* ◆ *alloggio* ◆ *pernottare*

Un'esperienza negativa... finita bene!

Quando io e il mio ragazzo abbiamo deciso .... (1) fare un viaggio a Siena, non ci aspettavamo di passare uno .... (2) peggiori fine settimana dell'anno!

Abbiamo cercato un bed and breakfast perché volevamo portare .... (3) noi Ercole, il nostro cane, e ci sembrava che saremmo stati più comodi in una .... (4) di questo tipo che in albergo.

Quando abbiamo prenotato una .... (5), per noi e il nostro cane, non ci sono stati problemi; all'arrivo .... (6) bed and breakfast Villa Fiore, però, il personale di turno ci ha detto in modo scortese che la nostra .... (7) non c'era e che l'unica soluzione era .... (8) in un altro locale. L'............................. (9) però era sporco e umido, non era per niente adatto .... (10) ospitare persone!

Abbiamo contattato subito il .... (11) di *facilebb.it* e, in meno .... (12) un'ora, ci ha trovato una camera disponibile .... (13) un albergo poco lontano e, anche se era molto più costosa .... (14) quella di Villa Fiore, non abbiamo pagato la differenza!

21 Complete the matching activity.

1. Vorrei prenotare
2. Può dirmi, per favore,
3. La camera ha
4. Ho un piccolo cane,
5. Vorrei due camere
6. È possibile aggiungere

a. posso portarlo con me?
b. singole con bagno privato.
c. un letto extra per il bambino?
d. una camera matrimoniale.
e. il prezzo totale per due notti?
f. l'aria condizionata?

22 Listen to the interview with the owner of a hotel. After listening twice, fill in the blanks with the missing words (maximum 4 words).

14
CD 1

1. Poi, terminata l'università,

   ....

   alberghiera, ho affiancato mio padre per una decina d'anni.

2. Va be', decisamente il periodo estivo, però anche in primavera c'è

   ....

3. Gli italiani ...., poi ci sono i tedeschi e gli inglesi.

4. Glieli illustro con gran piacere: un ambiente

   .... ,

   un'assoluta privacy nelle camere.

5. E poi abbiamo ovviamente le biciclette a disposizione per esplorare le

   ....

6. È un po' il nostro ...., la cucina, che curiamo con particolare attenzione...

7. A colazione c'è ...., sia a pranzo che a cena tutti i giorni c'è un menù a scelta con pesce, carne, buffet con verdure fresche.

A Some of these sentences are incorrect: rewrite them correctly.

1. Per me è più importante parlare di scrivere in una lingua straniera.

....

2. Giorgio è il più alto tra la sua classe.

....

3. Giovanna è una ragazza tanto bella quanto simpatica.

....

4. Una villa è la più costosa di un semplice appartamento.

....

5. La mia casa è la più nuova della tua.

....

6. Scusami, ma non ho potuto trovare una sistemazione migliore.

....

B Use the adjectives suggested in the parentheses to fill in the blanks with comparatives and superlatives.

Ciao a tutti! Sono Lucia, una romana che vive a San Francisco da quattro anni. Qui mi trovo benissimo, ma oggi voglio raccontarvi alcune differenze l'Europa e gli Stati Uniti riguardo alle macchine e alle strade!

▸ Le macchine europee sono .... (1. *piccolo*) macchine americane: in Europa, infatti, nelle grandi città è .... (2. *difficile*) trovare parcheggio, direi quasi impossibile! Per questo motivo servono macchine piccole, come la nostra Cinquecento.

▸ Le strade nelle città americane, invece, sono molto .... (3. *largo*) strade italiane, con tante corsie e soprattutto con degli incroci .... (4. *complicati*)!

▸ Qui in America tutti usano la macchina e poi si lamentano del traffico all'ora di punta! Anche se i mezzi di trasporto sono .... (5. *affidabile*) in Europa, gli americani preferiscono guidare!

▸ La benzina negli Stati Uniti è molto .... (6. *economico*) in Europa: agli americani bastano molti meno soldi per fare il pieno alla macchina.

Io, comunque, ho trovato la soluzione .... (7. *buono*): ho comprato una bicicletta e mi sposto in città nel modo .... (8. *ecologico*) tutti!

C Choose the correct option.

1. Per il nostro giardino, la pioggia è ...... (1) utile ...... (2) sole.

   (1) a. quanto   (2) a. così il
        b. come   b. quanto il
        c. tanto   c. del

2. Tutti dicono che Laura è una ragazza ...... (1), ma secondo me è più dolce ...... (2) simpatica.

   (1) a. più simpatica   (2) a. di
        b. simpaticissima   b. della
        c. più simpaticissima   c. che

3. Io ho un mutuo .... (1) del tuo, ma pago un tasso d'interesse .... (2).

    (1) a. più maggiore   (2) a. più basso

            b. maggiore   b. più inferiore

            c. il più grande   c. più pessimo

4. Sono certo che .... (1), sarai .... (2)!

    (1) a. ce la farai   (2) a. il peggio

            b. ce la fa   b. il meglio

            c. ce ne faresti   c. il migliore

5. Mio nonno .... (1) a lavorare in Australia all'età di 16 anni e lì ha conosciuto mia nonna, ... (2) sua vita.

    (1) a. se ne andrebbe   (2) a. il più grande amore della

            b. se ne andava   b. il massimo amore della

            c. se ne è andato   c. il superiore amore della

D Solve the crossword.

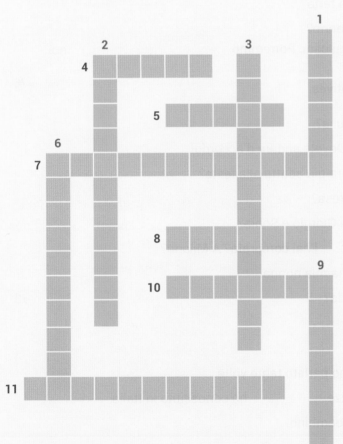

Orizzontali

4. Gli abitanti della Sardegna.
5. La offre l'albergo che ha le finestre su un bel paesaggio.
7. La facciamo per essere sicuri di trovare posto sul treno o in albergo.
8. Artista che ha realizzato la *Fontana dei Quattro Fiumi* a Roma
10. Borse, valigie e tutto ciò che portiamo con noi in viaggio.
11. Rimanere per un periodo più o meno lungo in un luogo.

Verticali

1. Palazzo in Piazza San Marco a Venezia.
2. L'altra Napoli, che si trova sotto la città.
3. Camera con un letto per due persone.
6. Documento personale che ci permette di viaggiare da un Paese ad un altro.
9. Compreso nel prezzo.

Giochi

Risposte giuste: .... /35

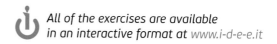
1° test di ricapitolazione

A Fill in the blanks to complete the answers.

1. • Porteresti questi libri a Maria?
   • Sì, ... subito!

2. • Quando vi hanno consegnato la macchina?
   • Non .... ancora.

3. • C'è un'altra carota? Me ne servono due per l'insalata.
   • Nel frigo .... cinque.

4. • Quando ci farai sapere se verrai anche tu a Pisa?
   • .... sapere entro domani.

5. • Ti è piaciuta la torta?
   • Sì, puoi .... un'altra fetta?

6. • Cosa regaliamo a Elena per il suo compleanno?
   • So che voleva leggere *Ragazzi di vita* di Pasolini. Potremmo .... noi.

.... /6

B Fill in the blanks with the appropriate interrogatives.

1. Di .... si occupa il papà di Giulia?

2. .... voi due litigate sempre? Dovete andare d'accordo!

3. Fra questi vestiti, ... ti sembra più adatto alla festa?

4. .... nipotine ha la signora Teresa?

5. .... partiranno per le vacanze Giorgio e Sonia?

6. Bellissima questa maglietta! .... l'hai comprata? A Milano?

7. Luca mi ha chiesto .... anni ha mia nonna.

8. .... sono i ragazzi in segreteria?

.... /8

C Fill in the blanks with the relative pronouns.

1. Questa è Sara, la mia amica .... ti ho parlato tante volte.

2. • Chi sono Anna e Serena? • Sono le ragazze .... ho conosciuto in Italia.

3. Questa è la casa .... ho abitato da bambino.

4. Sono sicura che conoscerai tante persone .... ti vorranno bene!

5. Non capisco il motivo .... non sei andato a trovare i tuoi genitori.

6. Quello è il ragazzo .... sono andata al cinema la settimana scorsa.

7. Il giornale .... hai comprato non è quello che ti avevo chiesto!

8. Non sono molte le persone .... mi fido.

.... /8

132

D Replace the text in green with the correct forms of "*stare per* + infinitive verb" or "*stare* + gerund".

1. La lezione comincerà tra pochi minuti. Ragazzi, entrate in classe. ....

2. Giada segue un corso di russo in questo periodo. Le piace molto! ....

   ....

3. Ti richiamo fra cinque minuti, ora parlo con il mio capo. ....

4. Tra due minuti esco, vuoi venire con me? ....

.... /4

E Complete the sentences with the phrases provided.

ce la faremo ♦ te la cavi ♦ ce la fanno ♦ te la prendi

1. Alle interrogazioni ...., anche quando non studi... Che fortuna che hai!

2. Dai, scherzavo! Ma perché .... sempre?!

3. .... a completare tutto il lavoro entro venerdì? Abbiamo solo 3 giorni!

4. Elena e Carlo sono molto stanchi stasera. Non .... a venire con noi a teatro.

.... /4

F Choose the correct option.

1. Carlo è più simpatico di/che suo cugino Vittorio.

2. Mi piace tanto/quanto guardare i film in tv tanto/quanto andare al cinema.

3. Lavorare alla cassa è più semplice del/che lavorare come commessa.

4. Più di/che ospitali, i tuoi suoceri sono invadenti, secondo me.

5. Sicuramente Marco è più attivo di/che Lorenzo: va a correre quasi ogni giorno!

6. A me piace più dormire di/che lavorare!

7. Secondo me, questo film è più interessante di/che quello che abbiamo visto la settimana scorsa.

8. L'insalata di pomodori è gustosa tanto/quanto dietetica!

.... /8

G Comparative or superlative? Complete the following sentences.

1. Maria è bella, ma, secondo me, ... bella è elegante.

2. Paolo è molto in gamba: infatti, è il .... bravo .... sua classe.

3. Questo mese ho speso mille euro, il mese scorso ne avevo spesi 800: questo mese ho speso .... quello passato.

4. Quest'anno non è andata molto bene: i guadagni sono stati .... all'anno precedente.

5. Francesco è veramente un bel ragazzo, ma che dico, è ....!

6. Non mi sono divertito e ho avuto anche la febbre: le .... vacanze della mia vita!

7. Nessuno può dire che una cultura è .... di un'altra.

8. Non c'è differenza, per me il caffè è buono .... il tè.

.... /8

Risposte giuste: .... /46

Unità 4

Un po' di storia

Glossary
p. 193

All of the exercises are available
in an interactive format at *www.i-d-e-e.it*

Quaderno degli esercizi

1 Complete the matching activity. Then, go to page 55 to check your answers.

Periodo	Anni
1. Antica Roma	a. 1946-1973
2. Rinascimento	b. 1815 - 1870
3. Risorgimento (l'Italia diventa una nazione)	c. VIII secolo a.C. – V secolo d.C.
4. Dopoguerra e boom economico	d. 1300 -1500
5. Medioevo	e. V – XV secolo d.C.

Piazza della Repubblica, Roma

2 Complete the sentences with the verbs provided.

> andarono ♦ partì ♦ credette ♦ arrivai
> accompagnammo ♦ partisti ♦ ci divertimmo

1. Quando .... a Roma era già notte,
   il viaggio era stato lungo ed ero stanchissimo.
2. Noi .... Roberto all'aeroporto
   quando .... per l'Erasmus.
3. Quell'anno Tonino e suo fratello
   .... in vacanza in Sardegna.
4. Ricordo ancora quella volta che tu
   .... senza dire niente a nessuno.
5. Luisa .... a tutto quello che le
   avevano raccontato.
6. A quella festa, a cui ci aveva invitati Piero,
   .... moltissimo.

3 Choose the correct form of the verbs.

1. Silvia cominciò/cominciaste/cominciai a lavorare come
   cuoca a 16 anni.
2. Alla fine, trovasti/trovai/trovammo la strada da soli.
3. I due amici discuteste/discusse/discussero molto prima
   di decidere.
4. Per qualche mese, io non sentì/sentisti/sentii più parlare
   di lui.
5. I miei nonni costruimmo/costruirono/costruisti questa
   casa nel 1960.
6. Ricordo che quell'anno voi lavoraste/lavorarono/lavorasti
   tutta l'estate.

4 Fill in the blanks with the *passato remoto* form of the verbs.

La leggenda racconta che due fratelli cresciuti da una lupa, Romolo e Remo, nel 753 a.C. .... (1. *fondare*) Roma. Dopo alcuni secoli, i romani .... (2. *conquistare*) quasi tutta l'Europa, parte dell'Asia e dell'Africa, e Roma .... (3. *diventare*) la più grande potenza del mondo antico. Con Giulio Cesare .... (4. *iniziare*) il passaggio dalla Repubblica all'Impero. Il popolo romano amava molto Cesare, ma nella storia di Roma c'erano anche imperatori meno amati: per esempio, Caligola, che .... (5. *nominare*) senatore il suo cavallo, o Nerone che .... (6. *accusare*) i cristiani dell'incendio di Roma.

Romolo e Remo, Statua del Tevere, Piazza del Campidoglio

5 Fill in the blanks using the historical past (*passato remoto*).

1. Dopo il viaggio in Italia, Francesca e Veronica .... (*cominciare*) a interessarsi di arte.

2. Mi ricordo il giorno che .... (*ricevere*) in regalo la mia prima bicicletta.

3. Sono sicuro che quella volta voi .... (*finire*) prima di tutti.

4. Perché tu non mi .... (*raccontare*) niente dei problemi che avevi al lavoro?

5. Al nostro matrimonio non .... (*invitare*) molte persone.

6. I ragazzi .... (*andare*) a studiare a Milano, anche se abitavano in Sicilia.

6 Complete the short dialogues using the expressions provided.

cioè ♦ mi spiego ♦ nel senso che ♦ non è vero! ♦ ma come…?

1

• Marta, dove vai? Esci?
• Volevo andare al parco.
• Forse non sono stato abbastanza chiaro, ... meglio: tu non esci finché non finisci i compiti!
• .... Dai papà, solo mezz'oretta!

2

• Mmh… non so se crederti…
• Cosa intendi?
• .... molti particolari della tua storia non coincidono.
• .... Ti ho detto tutta la verità!

3

• Allora, qui dice che dobbiamo consegnare la tesi entro la fine dell'anno accademico…
• E .... ?
• Il 28 maggio.

7 Complete the descriptions of the main characters of the *Asterix* comic books.

liberarsi ✦ nemico ✦ combattere ✦ piccolo
dittatore ✦ furbo ✦ situazioni ✦ forza

Asterix è il protagonista: piccolo, ma .... (1), è l'uomo più coraggioso del villaggio. Insieme all'amico Obelix è sempre pronto a mille avventure per difendere il loro piccolo villaggio dal .... (2): i romani.

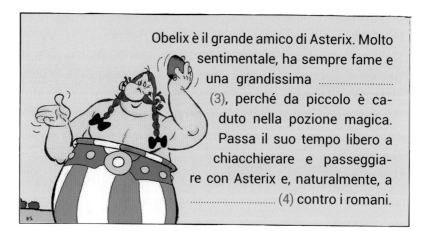

Obelix è il grande amico di Asterix. Molto sentimentale, ha sempre fame e una grandissima .... (3), perché da piccolo è caduto nella pozione magica. Passa il suo tempo libero a chiacchierare e passeggiare con Asterix e, naturalmente, a .... (4) contro i romani.

Idefix è il .... (5) cane bianco di Obelix. È deciso e intelligente e più di una volta ha aiutato i suoi amici, Asterix e Obelix, a venir fuori da .... (6) difficili.

Giulio Cesare, riprende il personaggio storico di Gaio Giulio Cesare, il .... (7) di Roma. Un uomo pieno di energia ma con tanti problemi. Più volte Asterix e Obelix lo hanno aiutato a .... (8) dei falsi amici.

8 Find the irregular *passato remoto* verb in each sentence and write the infinitive form of the verb in the table, as in the example. Refer also to page 174 of the *Approfondimento grammaticale*.

es. L'anno scorso <u>vennero</u> in pochi alla mia festa.

1. Mio padre fu molto contento di andare in Spagna.
2. Antonella diede subito tutti i soldi per l'acquisto dell'appartamento.
3. Quella volta le dissi la verità: non potevo partire perché non stavo bene.
4. La Repubblica italiana nacque nel 1946.
5. Vincenzo lesse la notizia sul giornale, non sapeva nulla di quello che era successo.

Passato remoto	Infinito
es. _Vennero_	es. _Venire_
1.	1.
2.	2.
3.	3.
4.	4.
5.	5.

9 Fill in the blanks with the verbs provided.

diedi ◆ diedero ◆ uscimmo ◆ fecero ◆ furono ◆ restammo ◆ stettero

1. C'era tanta gente sul treno che noi .... in piedi per tutto il viaggio.

2. Io non gli .... subito una risposta. Lo richiamai qualche giorno più tardi.

3. Quanti .... i re di Roma?

4. Mi ricordo che quel pomeriggio .... in giardino a raccogliere fiori.

5. Appena arrivata a Londra, Daniela e Piero mi .... tanti buoni consigli.

6. Quell'anno, Marina e Giorgio .... un bellissimo viaggio in Toscana.

7. Giovanni e Paolo non si vedevano da anni! Quel pomeriggio .... a parlare per ore.

10 Rewrite the highlighted verbs using the *passato remoto*, as in the example. Refer also to page 174 of the *Approfondimento grammaticale*.

es. Non ci vado perché non ne ho voglia. ➜ _Non ci andai_ perché non ne avevo voglia.

1. Il professore tiene una splendida lezione sulla vita quotidiana nella Roma antica.
   .... sulla vita quotidiana nella Roma antica.

2. Non andiamo alla festa perché si è fatto tardi.
   .... perché si era fatto tardi.

3. Non posso dargli quell'informazione perché adesso non ho tempo.
   .... perché allora non avevo tempo.

4. I nostri amici dicono che ci telefonano dall'albergo.
   .... ci telefonavano dall'albergo.

5. Maria si comporta in modo strano... forse le è successo qualcosa.
   .... forse le era successo qualcosa.

6. Giacomo non dà l'esame perché non è preparato.
   .... perché non era preparato.

11 Fill in the blanks with the *passato remoto* form of the verbs in parentheses. Refer also to page 174 of the *Approfondimento grammaticale*.

1. Ero così arrabbiato che durante quell'incontro .... (*stare*, io) zitto tutto il tempo!

2. A Roma .... (*visitare*, io) tutti i monumenti in pochi giorni.

3. Quando andammo a Napoli per Natale, Luis .... (*venire*) con noi.

4. Mi ricordo che per la tua laurea .... (*fare*, tu) una bellissima festa a casa tua!

5. Dopo la festa .... (*mettere*, noi) in ordine la casa.

6. Anche tu .... (*dire*) che quello era il tuo quadro preferito.

12 Complete the short biography of Gianni Rodari using the verbs provided.

diedero ♦ morì ♦ fondarono ♦ iniziò ♦ fece ♦ nacque ♦ ebbe

Gianni Rodari .... (1) a Omegna, in provincia di Novara, il 24 ottobre 1920 e .... (2) giovanissimo la sua attività di scrittore. Insieme alla passione per la scrittura .... (3) sempre la passione per la politica. Nel 1947 diventò giornalista, ... (4) parte della redazione di importanti quotidiani (*l'Unità, Paese Sera*) ed era tra coloro che .... (5) *Il Pioniere*, settimanale per ragazzi. Nel 1970 gli .... (6) il premio Andersen, il più importante concorso internazionale per la letteratura dell'infanzia. Alcune delle sue opere più importanti sono: *Il libro delle filastrocche* (1951), *Le avventure di Cipollino* (1951), *Filastrocche in cielo e in terra* (1960), *Favole al telefono* (1962), *La freccia azzurra* (1964), *I viaggi di Giovannino Perdigiorno* (1974). Scrittore di grande forza immaginativa, ... (7) a Roma il 14 aprile 1980.

13 Fill in the blanks with the expressions provided, which are used to contradict someone.

Ma non è vero niente! ♦ Ma no ♦ Che confusione! ♦ Neanche per ♦ Niente affatto! ♦ Non dare retta

1. ● Sei d'accordo con le proposte di questa associazione?
   ● .... Mi sembrano tutte idee superficiali.

2. ● Stefano, in giro dicono che hai vinto alla lotteria, che ti licenzierai e farai il giro del mondo...
   ● .... Ho solo vinto 1000 euro alla lotteria di Natale!

3. ● Vabbè, se non ti interessa quello che dico...
   ● ...., non ho detto che non mi interessa quello che dici, ma mi sembra inutile parlarne: per il momento non c'è soluzione.

4. ● Giulia, faresti mai bungee jumping?
   ● .... sogno! Solo pensarci mi fa stare male!

5. ● Hai sentito? È tutto falso: quella notizia è una bufala!
   ● Te l'avevo detto! .... a tutto quello che leggi sui social!

6. ● Giulio Cesare fondò Roma e poi dichiarò guerra ai francesi.
   ● .... Romolo e Remo fondarono Roma e i Galli, non i francesi, vennero molto dopo! Ora ti spiego...

14 Fill in the blanks with the *passato remoto* form of the verbs in parentheses.

1. Quando io e Giovanna vivevamo a Verona, un giorno .... (*venire*) a trovarci suo fratello. Era molto simpatico e .... (*fare*, noi) subito amicizia.

2. Laura, l'anno scorso .... (*prendere*) tutte le ferie in estate quando .... (*andare*) in Brasile?

3. .... (*Chiedere*, io) agli studenti se preferivano fare lezione la mattina o il pomeriggio e loro .... (*scegliere*) le lezioni della mattina perché così avrebbero avuto il pomeriggio libero.

4. È vero, non ho mai più chiamato Beatrice perché lei .... (*partire*) senza salutarmi.

5. Giulia e Francesco .... (*litigare*) perché lei stava lavorando troppo ma poi .... (*discutere*, loro) con calma e lei .... (*prendersi*) qualche giorno libero per stare con lui.

6. Matteo non lo .... (*sapere*) da me che Valentina usciva con un altro ragazzo, li .... (*vedere*) lui un pomeriggio in centro.

15 Complete the story of Pinocchio with the *passato remoto* or *imperfetto* form of the verbs and put the parts of the story in chronological order, as in the examples. Then, find information online about the story and its author, Carlo Collodi.

1 ☐   2 ☐   3 ☐   4 ☐   5 ☐   6 ☐   7 ☐

A. In poco tempo Geppetto ....*finì*.... (*finire*) il suo burattino*, completo di braccia, mani, gambe e piedi.

B. C'era una volta Geppetto, un vecchio uomo che .... (*vivere*) da solo in una piccola casa con la sola compagnia di un gatto e un pesce rosso.

C. Dopo gli occhi, ... (*fare*) il naso, ma il naso, appena fatto, ... (*cominciare*) a crescere e .... (*diventare*) in pochi minuti un naso lunghissimo.

D. Un giorno, Geppetto .... (*decidere*) di costruire un burattino per avere qualcuno con cui parlare; allora .... (*prendere*) un grande pezzo di legno e cominciò a lavorare.

E. Per cominciare gli .... (*fare*) il viso, i capelli e gli occhi e gli .... (*scegliere*) un nome: Pinocchio. .... (*rimanere*) molto sorpreso quando .... (*vedere*) che gli occhi di Pinocchio .... (*muoversi*)!

F. Appena finito, il burattino .... (*alzarsi*) e .... (*cominciare*) a camminare! Geppetto non poteva credere a quello che stava vedendo! Il burattino .... (*camminare*) e .... (*parlare*) !

*burattino

G. Dopo il naso, ... (*fare*) la bocca; ma la bocca, appena fatta, ... (*cominciare*) a ridere di Geppetto e poi gli .... (*mostrare*) anche la lingua.

16 Fill in the blanks with the *trapassato remoto* and connect the sentences, as in the example. Refer also to page 176 of the *Approfondimento grammaticale*.

1. Oriana Fallaci divenne famosa,

2. Mi ricordo che Giuseppe si sentì male

3. Dopo che .... (*terminato*, loro) l'esame

4. Iniziammo a guardare il film,

5. Non appena Gino .... (*addormentarsi*) sul divano,

6. Solo quando .... (*arrivare*) tutti gli studenti

a. squillò il cellulare: era Maria che gli ricordava il loro appuntamento.

b. il professore iniziò a parlare.

c. dopo che i bambini (*andare*) .... a letto.

d. non appena .... (*mangiare*, lui) il primo tramezzino.

e. andarono a festeggiare con tutti gli amici.

f. dopo che .... (*scrivere*, lei) il romanzo *Un uomo*.

17 Complete the legend about the Dolomite mountains using the *imperfetto*, *passato remoto* or *trapassato remoto* forms of the verbs provided. Refer also to page 176 of the *Approfondimento grammaticale*.

Dolomiti, Trentino

Una delle più famose leggende delle Dolomiti spiega l'origine del loro colore così particolare.

La leggenda racconta di un antico regno, le cui montagne erano nere come il resto delle Alpi. Qui regnava un principe che ......*sposò*...... (1. *sposare*) la figlia della Luna. Dopo che .... (2. *sposarsi*), la fanciulla, bella e gentile, ... (3. *trasferirsi*) nella sua nuova terra ma, tra quelle montagne scure, ... (4. *soffrire*) di nostalgia. Un giorno, mentre .... (5. *camminare*) disperato per i boschi in cerca di una soluzione, il principe .... (6. *incontrare*) il re dei Salvani, uno gnomo in cerca di una terra per il suo popolo. Il principe e il re .... (7. *fare*) un patto: i Salvani avrebbero rivestito le montagne con la luce della Luna e, in cambio, avrebbero potuto abitare per sempre sulle cime delle Dolomiti. E .... (8. *essere*) così: dopo che gli gnomi .... (9. *lavorare*) per un'intera notte, le rocce .... (10. *cambiare*) colore e .... (11. *divenire*) del colore della Luna.

La principessa .... (12. *potere*) così vivere felice nella terra del suo sposo e da allora le Dolomiti .... (13. *prendere*) il nome di *Monti Pallidi*.

18 Complete the matching activity, as in the example. Refer also to page 175 of the *Approfondimento grammaticale*.

1. MDCC   a. settecentocinquanta

2. XIX   b. otto

3. XLV   c. diciannove

4. DCCL   d. quarantacinque

5. CLXI   e. millesettecento

6. VIII   f. centosessantuno

19 Read about the stages of Italy's Unification on page 63 and change the verbs from the historical present to the historical past (*passato remoto*), as in the example.

1. Il 6 maggio 1860 Garibaldi con 1000 soldati volontari ....*partì*........ da Genova per la Sicilia.

2. Il 20 luglio a Milazzo, vicino a Messina, Garibaldi .... l'esercito di Francesco II di Borbone.

3. Il 19 agosto Garibaldi .... lo stretto di Messina per arrivare a Napoli.

4. Il 7 settembre Garibaldi .... a Napoli e .... Francesco II di Borbone a scappare.

5. Il 29 settembre lo Stato della Chiesa .... le Marche e l'Umbria.

6. Il 26 ottobre Garibaldi e il re Vittorio Emanuele II .... a Teano e il generale gli .... il Regno delle Due Sicilie.

7. Il 17 marzo 1861 il Regno di Sardegna .... in Regno d'Italia e Vittorio Emanuele II .... il primo Re d'Italia.

20 Fill in the blanks with the suffix -*mente*, as in the example.

es. (*leggero*) Luca è caduto e ha sbattuto ....*leggermente*........ la testa.

1. (*solito*) Il fine settimana .... facciamo una gita al lago.

2. (*esatto*) Ho fatto .... come avevi detto tu.

3. (*serio*) Smettetela, adesso parlo ....!

4. (*sereno*) Abbiamo affrontato la situazione ....

5. (*inaspettato*) Marco oggi è stato .... gentile!

6. (*rapido*) Se non scoli la pasta ...., scuocerà.

Lago maggiore

21 Fill in the blanks with the adverbs that correspond to the adjectives provided.

sincero ◆ giusto ◆ personale ◆ attento ◆ probabile ◆ profondo

1. ● Gianluca è tornato dal Messico! L'hai già incontrato?
   ● No, non ancora, ma mi hanno detto che è .... cambiato! È così?

2. ● Il dottor Diodato ha ricevuto i documenti?
   ● Sì, glieli ho portati ....

3. ● Ragazzi, quando ci verrete a trovare?
   ● In questo periodo siamo molto impegnati… .... verremo alla fine dell'estate.

4. ● Credi che Antonio riuscirà a laurearsi a settembre?
   ● Mah… .... non lo so, gli mancano ancora quattro esami.

5. ● Come ha reagito lo zio alla notizia?
   ● Aveva ragione… e .... si è arrabbiato!

6. ● Dottoressa, ha letto i miei appunti?
   ● Sì, li ho letti .... Complimenti: ha fatto un ottimo lavoro!

22 Fill in the blanks with the simple or articulated prepositions.

I nomi dei romani

Cornelia, madre dei Gracchi

I cittadini maschi romani avevano tre nomi: il *praenomen* (Marcus, Caius, Lucius ecc), che corrisponde .... (1) nostri nomi comuni; il *nomen gentilicium*, un nome comune a tante famiglie che comprendeva talvolta anche migliaia .... (2) persone (la *gens*); e, infine, il *cognomen*. Questo è il più interessante perché non veniva dato alla nascita, ma era un soprannome, legato .... (3) una caratteristica .... (4) persona o a un evento .... (5) cui aveva partecipato... ecco i nomi Rufus "il rosso", Brutus "lo stupido", Calvus "il calvo", cioè senza capelli, Nasica "il nasone", cioè .... (6) un grosso naso, Dentatus "il dentone"...

Questo era valido solo .... (7) gli uomini. La società romana, infatti, non attribuiva veri e propri nomi personali .... (8) donne, che erano conosciute soltanto .... (9) il nome gentilizio (*nomen*) declinato al femminile. Ad esempio, la famosa madre .... (10) fratelli Gracchi si chiamava Cornelia, che non è, come sembra oggi, un nome proprio, ma un comune gentilizio, figlia .... (11) Publio (*praenomen*) Cornelio (*nomen*) Scipione (*cognomen*) detto l'Africano.

23 Listen to the audio file about the history of the Italian language and choose the correct answers.

17
CD 1

1. Oggi gli italiani
   a. a volte parlano in dialetto
   b. non usano per niente i dialetti
   c. imparano almeno un dialetto a scuola

2. L'italiano moderno
   a. era la lingua ufficiale dell'Impero Romano
   b. ha origine nel 1861
   c. deriva dal dialetto parlato a Firenze

3. La lingua italiana
   a. ha avuto una storia lunga e difficile
   b. non ha molti dialetti
   c. ha poche parole di origine straniera

4. L'italiano standard
   a. si sviluppa con l'Unità d'Italia
   b. si diffonde grazie al fascismo
   c. si afferma anche grazie a radio e TV

5. Il latino volgare
   a. era la lingua ufficiale dell'antichità
   b. è la lingua da cui nacquero alcune lingue moderne
   c. è la lingua più diffusa in Europa

Alassio, Liguria

Milano, Lombardia

Isola di San Pietro, Sardegna

Cisternino, Puglia

Forni Avoltri, Friuli-Venezia Giulia

A Choose the correct answers.

1. Non appena ......(1) che il tempo era poco, si misero ......(2) al lavoro.
   - (1) a. capivano
     - b. capirono
     - c. avevano capito
   - (2) a. allora
     - b. veloce
     - c. velocemente

2. Il professore ......(1) qualcosa, ma nessuno dei presenti lo ......(2).
   - (1) a. detto
     - b. dice
     - c. disse
   - (2) a. sentii
     - b. senta
     - c. sentì

3. Mentre la nave ......(1), loro ......(2) a immaginare come sarebbe stata la vacanza.
   - (1) a. partiva
     - b. partì
     - c. fu partita
   - (2) a. iniziaste
     - b. iniziai
     - c. iniziarono

4. In quell'occasione non ......(1) bene... io mi sarei comportato in modo ......(2).
   - (1) a. ti comporterai
     - b. ti comportasti
     - c. ti comportavi
   - (2) a. diverso
     - b. diversamente
     - c. così

5. ......(1) una principessa che ......(2) in luogo molto lontano e...
   - (1) a. Ci sono state due volte
     - b. C'era una volta
     - c. C'è una volta
   - (2) a. viveva
     - b. visse
     - c. vive

B Fill in the blanks with the *passato remoto* form of the verbs in parentheses to complete the biography of the great Latin poet, Virgil.

Virgilio .... (1. *nascere*) in un paese vicino a Mantova nel 70 a.C. .... (2. *studiare*) prima a Cremona e poi a Milano. Nel 53 a.C. .... (3. *andare*) a Roma e lì .... (4. *avere*) la possibilità di studiare con lo stesso maestro dell'imperatore Augusto.

Quando nel 44 a.C. .... (5. *morire*) Giulio Cesare, Virgilio .... (6. *trasferirsi*) a Napoli, dove .... (7. *incontrare*) Orazio e .... (8. *scrivere*) le sue prime opere, le *Bucoliche* e le *Georgiche*. Con quest'opera .... (9. *diventare*) il poeta preferito dell'imperatore Augusto e il più famoso dell'Impero Romano.

Tra il 29 e il 19 a.C. .... (10. *scrivere*) la sua ultima opera letteraria, l'*Eneide*, la più importante, che racconta la fondazione di Roma da parte di Enea.

Virgilio .... (11. *morire*) il 21 settembre del 19 a.C. a Brindisi ritornando da un lungo viaggio in Grecia e in Asia.

C Solve the crossword.

(Grid letters shown: 4 M, 2 O, 5 E, 6, U, 7 R, È, 8 S, 9 R)

Verticali

1. Lo era Augusto.
2. Il verbo che fa nascere una città.
3. XXI in lettere.
4. Il numero dei volontari che partirono con Garibaldi.
6. Voglio dire...

Orizzontali

5. Avverbio che deriva da felice.
7. Il "Mar" dell'Impero Romano.
8. Infinito di *foste*.
9. Il fratello di Remo.

Risposte giuste: .... /30

Giochi

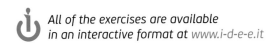
Stare bene

Unità 5

Glossary
p. 196

Quaderno degli esercizi

1 Re-read the dialogues on pages 70-71 and complete the summary with the words provided.

fa i complimenti ◆ *si lamenta* ◆ *una vita sedentaria* ◆ *una figuraccia*
va a correre ◆ *non è allenato* ◆ *addominali* ◆ *tenersi in forma* ◆ *prendersi cura*

Lorenzo ....*fa i complimenti*.......... a Stefania, una compagna di corso, perché riesce a seguire le lezioni, passare gli esami e anche a .... (1). Stefania pensa che sia importante .... (2) del proprio corpo, oltre che della mente. Infatti si allena molto: .... (3) quasi tutti i giorni!
Per Stefania è incredibile che molti giovani facciano .... (4) e non mangino sano. Lorenzo è d'accordo e, forse per fare colpo su di lei, le propone di andare a correre assieme... Ma .... (5) e ha bisogno dell'aiuto di Gianna!
Il giorno dopo Gianna al parco propone di fare una corsa e degli .... (6) ma Lorenzo sbuffa e .... (7). Gianna capisce subito che c'è sotto qualcosa: Lorenzo vuole allenarsi solo perché ha preso appuntamento con Stefania per il fine settimana e non vuole fare .... (8).

2 Fill in the blanks with the present subjunctive.

1. Spero che lo spettacolo .... *(finire)* presto; domani devo alzarmi alle sei.

2. Penso che Michele .... *(passare)* troppo tempo sui social!

3. Mario pensa che noi .... *(lavorare)* troppo e che dovremmo prenderci un periodo di vacanza.

4. Può darsi che .... *(avere,* loro*)* ragione, ma noi non la pensiamo come loro.

5. Non credo che Giovanni .... *(essere)* pigro, è soltanto stressato, ha bisogno di rilassarsi un po'.

6. È necessario che .... *(prendere,* voi*)* il treno delle dieci per arrivare in orario all'appuntamento.

3 a Complete some stereotypes about Italians using the words provided.

alla moda ◆ *mangiano* ◆ *simpatici* ◆ *macchine* ◆ *muovono* ◆ *gridano*

1 Gli italiani sono molto .... e sono sempre contenti.

2 Gli italiani parlano sempre a voce alta, ...!

3 .... solo pasta e pizza!

4 .... le mani quando parlano: gesticolano molto.

5 Vestono .... e portano sempre dei grandi occhiali da sole.

6 Comprano solo .... FIAT!

EDILINGUA

145

b *E tu che cosa ne pensi?* Fill in the blanks using the subjunctive to complete the responses to the opinions above.

1. È vero che gli italiani hanno un bel senso dell'umorismo, sono simpatici, ma non penso che .... (*essere*) sempre tutti contenti.

2. Certamente in Italia si mangia più pasta che in altre nazioni, ma credo che gli italiani .... (*amare*) mangiare un po' di tutto.

3. Sicuramente gli stilisti italiani sono famosi nel mondo, ma non mi sembra che in Italia tutti .... (*vestirsi*) all'ultima moda!

4. È vero che a molti sembra che gli italiani .... (*parlare*) a voce troppo alta, ma di solito non gridano se non sono sordi!

5. Sicuramente sono famosi per i loro gesti, ma non penso che .... (*muovere*) le mani più degli altri!

6. Non mi sembra che .... (*comprare*) solo FIAT! Nelle città italiane ci sono automobili di tutte le marche!

4 Choose the correct verb.

1. Sembra che i tuoi amici si trovavano / si trovano / si trovino bene in Italia.
2. È vero che loro capiscano / capiscono / capirebbero bene l'italiano?
3. Federico è / sia / sarà sempre agitato: ultimamente non riesce a dormire bene.
4. Ho l'impressione che tu non hai / avevi / abbia energie perché non dorma / dormi / dormirai abbastanza. Lo sai, il sonno è fondamentale!
5. Non so quanto tempo si fermerà da noi; immagino che ripartiamo / ripartiate / riparta la settimana prossima.
6. È meglio che loro cambino / cambiano / cambiato abitudini: non possono continuare con questi ritmi frenetici.

5 Read the sentences and choose the correct answer among the two options.

- Scusami per il ritardo, ma c'era veramente tanto traffico!
- Se è proprio necessario... / Non fa niente! Intanto ho ordinato un aperitivo.

- Ciao Carlo! Ho l'influenza, non posso venire a fare la gita in bici. Il medico mi ha detto di rimanere a casa fino a mercoledì prossimo. Se sto bene, possiamo andare sabato. Che ne dici?
- Certo, nessun problema. / Fa' come vuoi! Riposati!

- Ho deciso: lascio l'università e mi cerco un lavoro! Voglio essere indipendente!
- Fa' come vuoi! / Non fa niente! Certo che, senza una laurea, non so che lavoro troverai!

- Papà, posso fare una telefonata col tuo cellulare? Ho finito il credito...
- No, non fa niente! / Certo, nessun problema! Ma... come hai fatto a finire i minuti gratis in 10 giorni?!?

- Alessandra, finisco di scrivere questa email e vengo subito da Lei.
- Se è proprio necessario... / Faccia pure con calma. Intanto io inizio a mandare gli inviti per il convegno.

6 Complete the sentences, as in the example.

es. • La settimana prossima vado in montagna. • È probabile che la settimana prossima
_____*vada*_____ in montagna.

1. • Io ho invitato anche Elisa, ma non so se può venire. • Spero che Elisa _____ venire.

2. • Cesare sta organizzando un viaggio a Cuba. • Credo che Cesare _____ un viaggio a Cuba, ma non ci ha detto ancora nulla.

3. • Quando dico che mi sono divertito alla sua festa, sono sincero. • Sandra crede che io _____ che mi sono divertito alla sua festa per non offenderla!

4. • Se faccio una festa per il mio compleanno, ti avviso. • È difficile che io _____ per il mio compleanno perché il giorno dopo ho un esame.

5. • Forse domani non avrò la macchina per venire a lezione. • È probabile che io non _____ a lezione domani.

6. • Roberto non dà molta importanza alla sua relazione con Federica. • Penso che Roberto non _____ molta importanza al suo rapporto con Federica.

7 Fill in the blanks using the words provided.

alcoliche ♦ *almeno* ♦ *cominciate* ♦ *limitiate* ♦ *mangiate* ♦ *necessario*
notte ♦ *piedi* ♦ *ritmi* ♦ *sedentaria* ♦ *seguiate* ♦ *stress*

ALIMENTAZIONE E SALUTE NELLO SPORT

Una buona salute dipende da uno stile di vita sano: per averla è sufficiente che _____ (1) delle semplici regole quotidiane. Vediamo qualche consiglio.

In primo luogo è _____ (2) che facciate un po' di movimento ogni giorno. La vita _____ (3) è una vera nemica della salute e spesso è la causa principale del mal di schiena.

Cercate di camminare _____ (4) un'ora al giorno: andate al lavoro a _____ (5), in bicicletta o con i mezzi pubblici. _____ (6) la giornata con una sana colazione.

Prendete almeno un'ora di pausa per il pranzo. In ufficio è meglio che non _____ (7) panini e che _____ (8) i caffè.

Cercate di evitare lo _____ (9). È importante che abbiate _____ (10) regolari e che dormiate almeno sette ore a _____ (11). Ovviamente, evitate il fumo e le bevande _____ (12).

8 Change the sentences using the present subjunctive form of the verbs, as in the example. Refer also to page 177 of the *Approfondimento grammaticale*.

es. *Voglio che*   Ascoltatemi quando vi parlo! →
Voglio che mi ascoltiate quando vi parlo!

1. *Spero che*   Smetterà di piovere? Ho voglia di uscire.

2. *Ho paura che*   Tommaso non seguirà i miei consigli.

3. *Pare che*   Vi trovate bene in questa città, vero?

4. *Può darsi che*   Lucio e Michela vengono a cena da noi!

5. *È bene che*   Tutti camminano almeno un'ora al giorno.

6. *Temo che*   Marta fuma troppo.

7. *È possibile che*   Elena e Antonio comprano una casa in campagna.

8. *Mi dispiace che*   Non puoi venire alla lezione di yoga con noi.

9 Create sentences using the suggestions provided. Pay attention to the expressions used and the subjects.

es. (io sperare / domani non piovere) →
Spero che domani non piova.

1. (io temere / i miei genitori fare una vita troppo sedentaria)

2. (Giulia credere / Matteo mangiare troppo cibo spazzatura)

3. (Lucia avere paura / Lucia non supera l'esame)

4. (Secondo Alberto / io non dovere partire per le vacanze)

5. (Valeria essere sicura / Elena non venire più alle lezioni in palestra)

6. (essere impossibile / tu dimagrire se tu non fare attività fisica)

7. (io sapere / la palestra essere chiusa per lavori di ristrutturazione)

10 Complete the short dialogues: fill in the blanks using the correct form of the verbs in the green spaces and the expressions provided in the black spaces. Note: there are two extra expressions.

è preferibile che   ◆   mi auguro che   ◆   credo che   ◆   nel caso in cui   ◆   ha intenzione di
sebbene   ◆   non capisco perché   ◆   anche se   ◆   non penso

A

• .... (1) Luca .... (2. *continuare*) a vivere in quel brutto appartamento!
• Mah, ... (3) non .... (4. *potere*) permettersi di cambiare casa.
• Cosa intendi dire?
• .... (5) sia facile trovare una casa economica in centro: .... (6) quell'appartamento è vecchio, si trova in una posizione molto centrale!
• Allora .... (7) trovi presto un lavoro migliore!

B

• Guarda: "Azienda meccanica cerca giovani laureati... .... (8) conoscano almeno due lingue e che .... (9. *essere*) disposti a viaggiare!" Che ne pensi? Potrebbe interessare a tuo fratello?
• Perché no? Anche se prima .... (10. *dovere*) finire la tesi... Comunque, mandiamogli il link, ... (11) gli interessi.

11 What happened to these people? Study the illustrations and fill in the blanks using the past subjunctive form of the verbs provided.

andare   ◆   superare   ◆   partire   ◆   sposarsi   ◆   perdere   ◆   fare

1. È probabile che Anna e Luca .... sull'isola in cui si sono conosciuti 5 anni fa!
2. Ragazzi, ho l'impressione che stasera .... un po' tardi.
3. Credo che Silvia .... il treno.
4. Penso che questa volta Stefano .... l'esame di Letteratura italiana.
5. Immagino che Federica .... via dal locale quando sono arrivati Lara e Giorgio.
6. Mi sembra che la famiglia Bianchi .... per le vacanze.

12 Fill in the blanks using the information provided and the past subjunctive form of the verbs, as in the example.

es. Claudio | tornare | ieri. → Credo che
Claudio sia tornato ieri .

1. Italia | vincere | partita → Spero che
....! Mi sono
addormentato!

2. tua figlia | vincere | concorso pubblico → Sono veramente contento
che ....!

3. Giulio e Valeria | partire | luna di miele | ieri → Penso che
....

4. Teresa | venire | Verona | due anni fa → Mi pare che
....

5. stamattina | Anna | uscire | presto | e comprare | giornale →
Mi pare che ....
e ....

6. Simone e Alberto | andare via | poco prima | nostro
arrivo → È probabile che ....

13 Complete the dialogue with the present or past subjunctive.

Carlotta: Lo sai, non sono sicura che Francesco ....
(1. *capire*) quello che gli ho detto...

Monica: Perché?

Carlotta: Quando è andato via gli ho mandato una mail, ma lui
non ha mai risposto.

Monica: Strano. È possibile che non l' ....
(2. *ricevere*), che .... (3. *finire*) tra la
posta indesiderata?

Carlotta: Non credo: l'ho anche chiamato e non ha risposto.
Credo che .... (4. *offendersi*) e che
.... (5. *preferire*) non parlarmi.

Monica: Beh, forse è necessario che .... (6. *stare*) un po'
lontani, forse bisogna che (7. *passare*) .... un po' di tempo...

Carlotta: Mmh... Spero che lui .... (8. *capire*) e che .... (9. *tornare*) tutto
come prima.

14 Choose the correct option. Refer also to page 179 of the *Approfondimento grammaticale*.

1. Mi auguro che Gianni ha portato / abbia portato / porta qualcosa da mangiare... Ho una fame!
2. Sono sicura che Michela abbia passato / passi / ha passato l'esame con il massimo dei voti.
3. Mia nonna è molto felice che veniate / siete venuti / venite anche voi alla sua festa.
4. Secondo me, gli sportivi conducano / conducono / abbiano condotto una vita più sana.
5. Spero che quest'estate riuscite / siate riusciti / riusciate ad andare in vacanza in Spagna.
6. È probabile che quella di ieri è stata / sia stata / sia l'ultima lezione con quel professore.
7. Forse ci sono stati / ci siano / ci sono ancora dei posti liberi al corso di pilates.
8. Cecilia teme che Daniele sia / sia stato / è stato arrabbiato con lei, ma non sa perché.

15 Complete Luca's email using the words provided.

pausa ✦ silenzio ✦ concentrata ✦ dietologo ✦ sano ✦ staccare
dormire ✦ solitudine ✦ stile ✦ stanca ✦ problema ✦ grave

	Da ▾	luciadipalo12@hotmail.com
Invia	A...	katrin_klein@gmail.com
	Cc...	
	Oggetto:	Novità!

Ciao Katrin,

come stai?

Ti scrivo da Spello, in Umbria. No, non mi sono trasferita! Vivo sempre a Milano... diciamo che avevo bisogno di una .... (1)!

Non riuscivo più a .... (2), ingrassavo, non ero più .... (3) sul lavoro anche se passavo sempre più ore in ufficio, la sera ero .... (4) e quindi non uscivo. Ho finito per isolarmi e soffrire di .... (5)... Il mio insegnante di yoga, Loris, ha provato a farmi cambiare .... (6) di vita, ma io non ero capace di .... (7)... Alla fine, il mese scorso, ho avuto un .... (8) allo stomaco e Loris mi ha parlato di questa associazione. Naturalmente, mi conosci, ero scettica, ma nonostante sia andata dal .... (9), il problema è diventato più .... (10) e... Eccomi qui, al *Giardino fiorito*! Qui la vita è semplice, rilassata: meditiamo, mangiamo .... (11) e facciamo passeggiate in .... (12).

Tra dieci giorni tornerò a Milano, ma non mi metterò subito al lavoro: ho deciso di andare a trovare mio fratello a Berlino e, se sei d'accordo, potrei passare a Brema da te.

Fammi sapere.

Un abbraccio
Lucia

16 Connect the sentences using the correct conjunction, as in the example.

1. Accetterò l'invito	**prima che**	a. tu abbia bisogno di lui.
2. Chiamalo	**a patto che**	b. mi presti gli appunti di letteratura.
3. Vai a salutare i tuoi amici	**a meno che**	c. mi facciate portare il dolce.
4. Parlerò con Elena	**perché**	d. ne abbia già due.
5. Comprerò una nuova bici	**nel caso**	e. non lo sappiate già.
6. Vi racconto come è andata ieri,	**benché**	f. partano per la Spagna.

17 Fill in the blanks with the words and the subjunctive form of the verbs provided below. Refer also to page 179 of the *Approfondimento grammaticale*.

andare ♦ comunque ♦ qualsiasi ♦ fare ♦ riuscire ♦ chiunque

1. Ovunque .... si porta sempre dietro il suo cane.

2. La palestra fa uno sconto a .... faccia iscrivere un amico.

3. È il viaggio più bello che .... in vita mia.

4. .... cosa tu dica, io resterò della mia opinione.

5. Gianni è il solo che .... a farmi ridere quando sono triste.

6. Ti sarò sempre vicino, ... vadano le cose.

18 Indicative, infinitive, or subjunctive? Choose the correct option.

1. Fulvia ha finalmente deciso di va / andare / vada da un nutrizionista per seguire un'alimentazione più equilibrata.

2. Secondo me, Piero è partito / partire / sia partito per le vacanze: non scrive un tweet da tre giorni!

3. Non sono sicuro che questo piatto è / essere / sia più nutriente di quelli che cucino io.

4. Adesso ho capito perché ho sbagliato / sbagliare / abbia sbagliato strada! Il navigatore qui non funziona!

5. È importante che tutti arrivano / arrivare / arrivino in orario a lezione.

6. Probabilmente domani sera loro vanno / andare / vadano al cinema.

7. La mia città è sicuramente più bella anche se fa / fare / faccia più freddo.

8. Paolo ha scelto di si trasferisce / trasferirsi / si trasferisca a Rimini per vivere con Francesca.

Rimini

19 Mark the statements about when we use the subjunctive as true (vero) or false (falso). *Si usa il congiuntivo...*

	V	F
1. ... quando i due verbi hanno lo stesso soggetto	☐	☐
2. ... con l'espressione *secondo me* ...	☐	☐
3. ... con l'espressione *a meno che* ...	☐	☐
4. ... con l'espressione *bisogna che* ...	☐	☐
5. ... con l'espressione *si deve* ...	☐	☐
6. ... con *probabilmente...*	☐	☐
7. ... con *sebbene...*	☐	☐
8. ... con *anche se* ...	☐	☐

20 Choose the correct option.

Gli italiani e lo sport

In Italia verso / circa / troppi (1) il 36% della popolazione dichiara a / di / per (2) praticare uno o più sport. Gli uomini praticano sport più per le / delle / dalle (3) donne, anche se queste, attualmente, si dedicano / si dedichino / di dedicavano (4) all'attività sportiva più che / di / del (5) in passato. Si inizia a / di / per (6) fare attività fisica da piccolissimi, dai 3 ai 5 anni, c'è un aumento / calo / diminuzione (7), invece, tra i 15 e i 19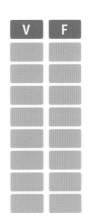

anni: probabilmente il passaggio alla / per la / dalla (8) scuola media alle scuole superiori porta a dare più importanza allo studio e agli amici.

Mentre / Fra / Per (9) gli sport più praticati troviamo, ovviamente, il calcio, anche se / purché / benché (10) negli ultimi anni si sia notato un incremento con / di / da (11) altre discipline, come l'aerobica, il nuoto, lo yoga e il pilates. Queste attività sono praticate più dalle donne di / che / per (12) dagli uomini. Per quanto riguarda la motivazione, gli italiani fanno attività fisica più per / su / da (13) piacere e per diminuire lo stanchezza / stress / ritmo di vita (14) che per mantenersi in forma.

21 FIll in the blanks in the highlighted spaces using the expressions provided and the correct form of the verbs in parentheses in the other spaces.

sarà difficile che ◆ è un peccato che ◆ il ragazzo più
purché ◆ nonostante ◆ a meno che

1. .... mio nonno .... *(compiere)* 78 anni il mese scorso, va ancora in bicicletta.

2. Ti comprerò il motorino, ... tu mi .... *(promettere)* di guidare con attenzione!

3. .... zia Lorenza non .... *(volere)* aprire un Bed&Breakfast! La sua casa è in una posizione fantastica!

4. Oggi c'è proprio tanto lavoro, ... stasera .... *(avere,* io*)* voglia di venire a ballare.

5. Io e Matteo faremo una passeggiata assieme, ... non .... *(mettersi)* a piovere.

6. Riccardo è .... simpatico che .... *(conoscere,* io*)*.

22 Fill in the blanks with the verbs provided to complete the comic strips.

abbia mai visto ◆ abbiano ◆ faccia ◆ sia ◆ vinca ◆ vincano

Quando dici a qualcuno «Non si preoccupi, non abbia paura, è un cane tranquillo», hai idea di quanto questo mi .... (1) stare male?

Nave in vista! Credo che .... (2) cattive intenzioni...

Certo, Lei non ha nessuna colpa fino a quando non sarà dimostrato il contrario... sebbene io non .... (3) un'espressione così cattiva.

Sono anni che combatto i chili in eccesso, ma pare che .... (4) sempre loro!

Non è necessario che tu .... (5) d'accordo con me. Puoi sempre tenere la bocca chiusa!

Le ultime parole famose...

Chiunque .... (6), a fine partita ci daremo la mano e... amici come prima!

23 Fill in the blanks with the subjunctive form of the verbs in parentheses.

1. Mi sembra strano che tu non .... (*studiare*) *I promessi sposi* alle superiori... Tutti hanno studiato Manzoni!

2. È meglio che voi .... (*leggere*) tutto l'articolo prima di esprimere la vostra opinione.

3. Credo che ieri Ilaria .... (*finire*) di lavorare alle cinque e .... (*tornare*) a casa verso le sette.

4. Aiuterò Silvia con la matematica a patto che lei mi .... (*aiutare*) a tradurre il mio curriculum in inglese.

5. Benché .... (*prepararsi*) a lungo per questo esame, non si sente sicuro.

6. Quest'anno non farò acquisti durante i saldi... a meno che io non .... (*trovare*) qualcosa di davvero conveniente!

7. Mi sembra impossibile che Cesare .... (*conquistare*) la Gallia in così poco tempo!

8. Mi hanno offerto una tariffa telefonica più conveniente a condizione che io non .... (*cambiare*) operatore per almeno un anno.

24 a Listen to an audio file about Bebe Vio, an Italian Paralympic fencing champion whose area of expertise is foil fencing. You will hear 5 people speak: Bebe's parents, Bebe, and two of Bebe's coaches. Listen to the file and match the verbs on the left with the appropriate words or phrases on the right.

22
CD 1

1. mettersi
2. porsi
3. saper
4. praticare
5. andare oltre
6. migliorare
7. essere diverso
8. sentirsi

a. in gioco
b. perdere
c. i propri limiti
d. dagli altri
e. un obiettivo
f. scherma
g. le proprie capacità
h. in dovere di

fioretto

b Listen to the file again and mark the statements that are present.

1. Bebe ha le caratteristiche fisiche indispensabili per questo sport. ☐
2. Bebe ha una personalità esplosiva e inarrestabile. ☐
3. Una protesi di carbonio permette a Bebe di praticare la scherma. ☐
4. Bebe è una persona che si accontenta dei propri risultati. ☐
5. Per Bebe essere diversi è un problema, un limite. ☐
6. Bebe sa che impegnandosi può raggiungere i suoi obiettivi. ☐

A Choose the correct option.

1. I miei? Credo che quest'estate ...... (1) in montagna. Vedremo cosa ...... (2)!

   (1) a. vadano   (2) a. decideranno
         b. vanno   b. sono decisi
         c. siano andati   c. decidano

2. È un bene che ...... (1) nei mesi scorsi. Ora ...... (2) affrontare meglio questo periodo di crisi!

   (1) a. risparmierà   (2) a. possiamo
         b. risparmi   b. abbiamo potuto
         c. abbiamo risparmiato   c. potremmo

3. Ho paura che ...... (1) poche speranze, ma spero ...... (2)!

   (1) a. ci sono   (2) a. che mi sbaglierò
         b. ci siano   b. che mi sbaglio
         c. ci siano state   c. di sbagliarmi

4. Nonostante Massimo ...... (1) tanto, non ...... (2) ancora a parlare bene l'inglese.

   (1) a. viaggia   (2) a. riesce
         b. viaggiava   b. riesca
         c. viaggi   c. riusciva

5. ...... (1) decisione prenderà Sara, io le ...... (2) sempre vicino.

   (1) a. Qualunque   (2) a. stia
         b. Chiunque   b. sono stato
         c. Comunque   c. starò

6. Posso anche credere che ...... (1) Tiziano Ferro, ma non che ...... (2) insieme a lui in un concerto!

   (1) a. abbia conosciuto   (2) a. abbia cantato
         b. conoscerà   b. ne abbiamo cantato
         c. abbiamo conosciuto   c. abbiamo conosciuto

B Fill in the blanks with: *prima che, prima di, sebbene, anche se, purché, senza che, in modo.*

1. Ti comprerò le scarpe che vuoi, ... non costino troppo.

2. .... metterci in viaggio, facciamo controllare la macchina.

3. Ho bisogno di un programma di allenamento specifico .... da essere pronta per la maratona a novembre.

4. .... non mi senta molto bene, vado in ufficio perché ho un appuntamento importante.

5. Michela si è arrabbiata .... nessuno le abbia dato fastidio.

6. Telefonerò ai miei genitori .... partano per le vacanze.

7. ....è molto stanco, Luca trova sempre l'energia per giocare con il suo fratellino.

C Solve the crossword.

Orizzontali

7. Non aiuta a rimanere giovani.
8. Verbo, quando si mettono su chili.
9. Si soffre quando ci si sente soli.
10. Sport che si fa in piscina o al mare.
11. È importante per la salute... di notte!

Verticali

1. Sport in bicicletta.
2. Lo giochiamo 11 contro 11.
3. Una vita passata a star seduti.
4. Significa "anche se", ma vuole il congiuntivo.
5. Se è corretta, aiuta a mantenersi sani e in forma.
6. Antica pratica indiana.

Risposte giuste: .... /30

Giochi

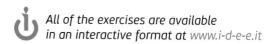
2° test di ricapitolazione

Quaderno degli esercizi

A Fill in the blanks with the *passato remoto* form of the verbs.

Andai a trovare Giovanni dopo molti anni dal nostro ultimo incontro. La figlia mi .... (1. *dire*) che mi aspettava in giardino. Quando .... (2. *uscire*), lo .... (3. *trovare*) che leggeva il giornale. Appena mi .... (4. *vedere*), ... (5. *sorridere*), ... (6. *alzarsi*) e .... (7. *venire*) ad abbracciarmi.

........../7

B Fill in the blanks with the correct form of the verbs provided.

1. Temo che .... (*stare*) per nevicare.

2. Sebbene ti .... (*conoscere*, io) da poco, mi fido di te.

3. Credo che Giovanna .... (*ritornare*) da qualche giorno.

4. Mi auguro che non gli .... (*accadere*) qualcosa di brutto, non mi telefona da due giorni.

5. Mi dispiace che loro .... (*interpretare*) male le nostre parole.

6. È impossibile che Alessandra non .... (*sapere*) niente.

7. Penso che Lucia .... (*passare*) troppo tempo sui social!

........../7

C Fill in the blanks by inserting the correct form of the verbs in parentheses and the correct conjunctions in the green spaces.

a patto che ◆ prima di ◆ sebbene ◆ prima che ◆ perché ◆ benché

1. Non capisco mai bene quello che dice, ... lui .... (*parlare*) lentamente.

2. Devo assolutamente vederti, ... tu .... (*partire*)!

3. Andremo in quel ristorante .... (*pagare*) mamma e papà!

4. L'avvocato Blasi saluta sempre tutti .... (*andare*, lui) via.

5. Ripeto anche a te quello che ho detto ad Alfredo .... (*essere*) chiaro a tutti voi come dovete comportarvi domani!

6. .... Mauro non .... (*stare*) bene per tutta la settimana, oggi parte comunque.

........../6

158

D Complete the short dialogues with the words provided.

rappresenti ◆ *abbia voluto* ◆ *l'abbia pagata* ◆ *veramente*

1. • Ti piace la mia macchina? L'ho pagata 10 mila euro di seconda mano.
   • Sì, è molto bella! Ma credo che tu .... troppo!

2. • Bello questo quadro, lo compreresti?
   • Sì, è .... bello, ma a dire la verità non capisco cosa ....
   • Io penso che il pittore .... rappresentare la solitudine.

.... /4

E Fill in the blanks with the correct form of the verbs.

1. José è bravissimo: qualsiasi cosa .... (*spiegare*) a lezione, io mi diverto!

2. Ieri, qualcuno .... (*telefonare*), ma non mi ha detto chi era.

3. Qualunque cosa .... (*fare*) Davide, gli riesce sempre bene!

4. Ogni volta che Luca non la .... (*chiamare*) per qualche giorno, Valeria sta male.

5. Chiunque le .... (*mandare*) quei fiori, è pazzo di lei!

6. È importante che Jacopo .... (*scegliere*) una buona università.

.... /6

Risposte giuste: .... /30

Gioco unità 1-5

PARTENZA!

1 Cosa raffigura la foto? In quale città italiana sono famosi?

2

3 Chi ti ha regalato questa guida turistica?

4 Un abitante della Campania è...?

5 Fai due comparazioni tra due regioni italiane.

6 Una frase con il pronome relativo 'cui'.

7 Spiega cosa significa 'atleta paralimpico'.

8 Racconta un fatto storico del tuo Paese con il passato remoto.

9 Come si chiama questo palazzo italiano?

10 Il passato remoto di 'essere'.

11 In 1 minuto, dai indicazioni su una camera d'albergo ad una tua collega.

12

13

14 Vai a p. 80 e racconta la storia.

15 Comparativo e superlativo di 'buono' e 'cattivo'.

16 Una formula di apertura e una di chiusura di un'email formale.

17 albergo malibran

Prenota una camera d'albergo. L'insegnante è l'albergatore.

18 Quattro facoltà universitarie.

19 Quali sono gli sport preferiti dagli italiani?

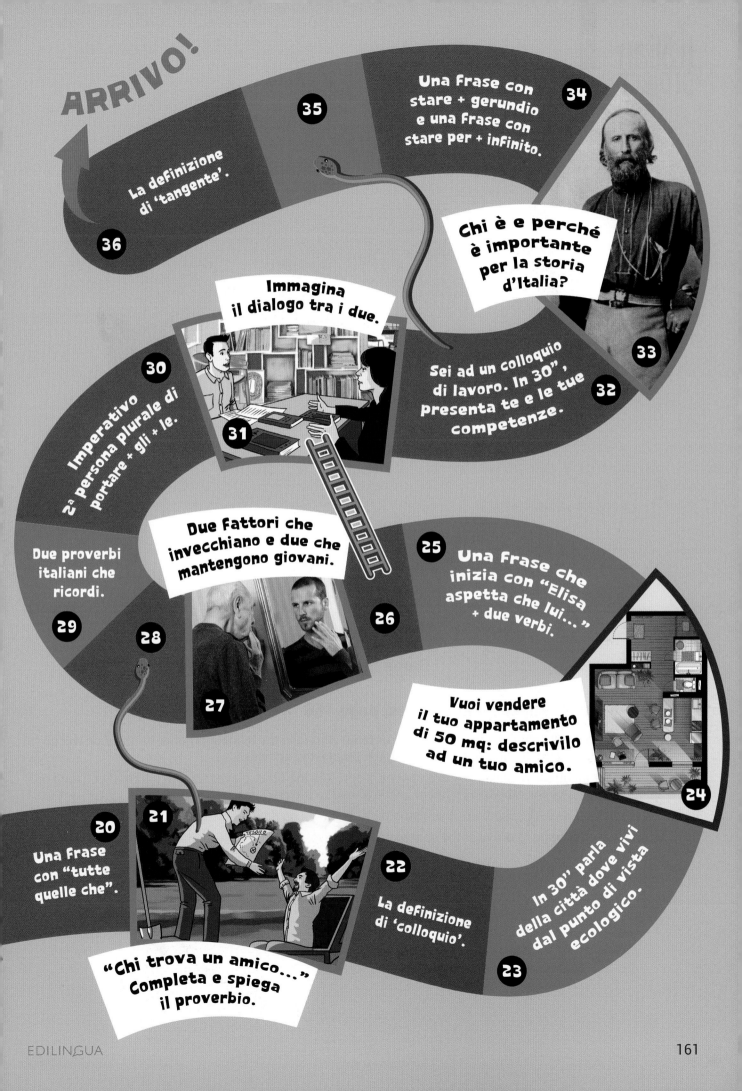

2

Game Instructions

Unit 1-5 game, Snakes and Ladders, page 160

Play in pairs or in two small teams. The player or team who rolls the highest number on the dice will go first. Take turns rolling the dice and completing the suggested activities.

If you answer incorrectly, move back two spaces. Then, it is the other player's/team's turn. If you land on a space occupied by the other player/team, move ahead to the next space.

Note: If you land on a 🪜 , climb up; if you land on a 〰️ , go down!

The first player or team to arrive at the space marked *Arrivo*, after space 36, wins!

Materiale per A

Unità 1

pagina 19

A deve formulare delle domande per ottenere informazioni su:

> tipi di corsi estivi
> escursioni nei fine settimana

> alloggio in famiglia o in appartamento
> costi per i corsi e l'alloggio

Unità 2

pagina 35

Domande per A (*tracce*):

> Vorrei sapere qualcosa di più sul trattamento economico.

> Qual è l'orario di lavoro?

> Se tutto va bene, quando avreste bisogno di me?

Curriculum Vitae

Informazioni personali	
Cognome/Nome	**Mossini Gennaro**
Indirizzo	Via G. Bruno 156, 50136 Firenze, Italia
Telefono	055 2397123 Mobile +39338128549
E-mail	genmos@tiscali.it
Cittadinanza	Italiana
Data e luogo di nascita	18 maggio 1995 a Pisa
Sesso	Maschile

Occupazione desiderata — Gestione risorse umane

Esperienza professionale

09/2018-11/2020	
Lavoro o posizione ricoperti	Addetto alle vendite nel reparto vendite
Nome e indirizzo del datore di lavoro	Soft System, Via Di Parione 27, 50123 Firenze
Tipo di attività o settore	Vendita di programmi informatici

Istruzione e formazione

09/2011-06/2018	Laurea magistrale in Economia e Commercio Università degli Studi di Firenze, Scuola di Economia e Management Votazione 104/110
09/2013-09/2014	Borsa di studio presso la Statson University di Londra
06/2012-12/2012	Diploma europeo ECDL, Centro di Formazione Professionale Guglielmo Marconi, Firenze

Capacità e competenze personali

Madrelingua — Italiano

Altra(e) lingua(e)
Livello europeo (*)

	Comprensione		Parlato		Scritto
	Ascolto	Lettura	Interazione orale	Produzione orale	
Inglese	C1	C2	C1	C1	C1
Francese	B1	C1	B1	B2	A2

(*) Quadro comune europeo di riferimento per le lingue

Capacità e competenze sociali	Possiedo buone competenze comunicative acquisite durante la mia esperienza nel reparto vendite.
Capacità e competenze organizzative	Capacità di lavorare in gruppo maturata sia durante gli studi sia nei vari sport che ho praticato (calcio, pallacanestro, pallavolo, tennis).
Capacità e competenze informatiche	Buona conoscenza del sistema operativo Windows e di Office (Excel, Word, Access) e Internet Explorer. Sono in grado anche di creare pagine web.
Patente	B
Ulteriori informazioni	Autorizzo il trattamento dei dati personali contenuti nel mio curriculum vitae in base all'art. 13 del D. Lgs. 196/2003 e all'art. 13 del Regolamento UE 2016/679 relativo alla protezione delle persone fisiche con riguardo al trattamento dei dati personali.

Unità 3

pagina 50

Domande per **A** (*tracce*):

❱ Vorrei avere delle informazioni su un viaggio in Italia di 4-5 giorni, economico e interessante.

❱ Mi piacerebbe visitare Roma e le città più importanti d'Italia.

❱ Gli alberghi di che categoria sono?

❱ Cosa significa "mezza pensione"?

❱ Con quale compagnia aerea voleremo?

❱ Che cosa è compreso nel prezzo e cosa non lo è?

❱ Se succede qualcosa di imprevisto, è possibile cancellare o rimandare il viaggio?

Unità 5

pagina 79

Lista, elaborata da un gruppo di psicologi, delle maggiori cause che provocano stress:

STRESS
5 Difficoltà economiche
10 Figlio/a che lascia la casa
9 Fine di una storia d'amore
1 Problemi in famiglia
11 Cambiare scuola
14 Scelta del percorso universitario
13 Esame importante all'università
15 Lite con un amico o un familiare
12 Cambio di casa / Trasloco
8 Arrivo di un/una figlio/a
3 Perdita del lavoro
7 Ricerca del lavoro
4 Problemi al lavoro / a scuola
6 Cambiare abitudini quotidiane
2 Matrimonio

Materiale per B

Unità 1

pagina 19

CORSI ESTIVI

classico	intensivo	super-intensivo	lingua e cultura
2 ore al giorno	4 ore al giorno	6 ore al giorno	**lingua:** 4 ore al giorno
per 4 settimane	per 4 settimane	per 4 settimane	**cultura:** 5 ore a settimana
(40 ore)	(80 ore)	(120 ore)	per 4 settimane (100 ore)
€ 350	**€ 520**	**€ 730**	**€ 800**

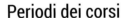

Corsi supplementari

	settimane	ore	prezzo
Cucina italiana	3	12	**€ 150**
Arte italiana	3	12	**€ 170**

Periodi dei corsi

1 giugno - 1 luglio
2 luglio - 2 agosto
3 settembre - 3 ottobre

prezzi indicativi (a persona)

Alloggio

In famiglia con colazione	Stanza singola	€ 400-480
	Stanza doppia	€ 300-350

Appartamento con altri studenti (con uso cucina)	Stanza singola	€ 330-370
	Stanza doppia	€ 270-330

* Sono inoltre previste due escursioni:
1. Visita di Firenze e dei suoi monumenti più importanti (seconda settimana)
2. Gita nei dintorni di Firenze: S. Gimignano, Siena e Pisa (terza settimana)

Curriculum Vitae

euro*pass*

Informazioni personali	
Cognome/Nome	**Mossini Gennaro**
Indirizzo	Via G. Bruno 156, 50136 Firenze, Italia
Telefono	055 2397123 Mobile +39338128549
E-mail	genmos@tiscali.it
Cittadinanza	Italiana
Data e luogo di nascita	18 maggio 1995 a Pisa
Sesso	Maschile

Occupazione desiderata — Gestione risorse umane

Esperienza professionale
09/2018-11/2020
Lavoro o posizione ricoperti — Addetto alle vendite nel reparto vendite
Nome e indirizzo del datore di lavoro — Soft System, Via Di Parione 27, 50123 Firenze
Tipo di attività o settore — Vendita di programmi informatici

Istruzione e formazione
09/2011-06/2018 — Laurea magistrale in Economia e Commercio
Università degli Studi di Firenze, Scuola di Economia e Management
Votazione 104/110
09/2013-09/2014 — Borsa di studio presso la Statson University di Londra
06/2012-12/2012 — Diploma europeo ECDL, Centro di Formazione Professionale Guglielmo Marconi, Firenze

Capacità e competenze personali
Madrelingua — Italiano
Altra(e) lingua(e)
Livello europeo (*)
Inglese
Francese

Comprensione		Parlato		Scritto
Ascolto	Lettura	Interazione orale	Produzione orale	
C1	C2	C1	C1	C1
B1	C1	B1	B2	A2

(*) Quadro comune europeo di riferimento per le lingue

Capacità e competenze sociali — Possiedo buone competenze comunicative acquisite durante la mia esperienza nel reparto vendite.

Capacità e competenze organizzative — Capacità di lavorare in gruppo maturata sia durante gli studi sia nei vari sport che ho praticato (calcio, pallacanestro, pallavolo, tennis).

Capacità e competenze informatiche — Buona conoscenza del sistema operativo Windows e di Office (Excel, Word, Access) e Internet Explorer. Sono in grado anche di creare pagine web.

Patente — B

Ulteriori informazioni — Autorizzo il trattamento dei dati personali contenuti nel mio curriculum vitae in base all'art. 13 del D. Lgs. 196/2003 e all'art. 13 del Regolamento UE 2016/679 relativo alla protezione delle persone fisiche con riguardo al trattamento dei dati personali.

Domande per **B** (*tracce*):

❱ Sarebbe disposto a fare viaggi di lavoro all'estero almeno una volta al mese?

❱ Secondo lei, quali sono le sue qualità più grandi, nel lavoro?

❱ Che cosa sa della nostra azienda?

❱ Sarebbe disposto a un periodo di prova di un mese prima di cominciare?

AB

Unità 3

pagina 50

LE CITTÀ DEI SOGNI

Robintur

presenta la sua offerta del mese:

cinque giorni a Roma-Firenze-Venezia

Durata:	**5 giorni-4 notti**
Sistemazione:	**mezza pensione in alberghi di 2 e 3 stelle**
Volo:	**Alitalia o Air France**
Lingue disponibili:	**inglese, francese, italiano, spagnolo, tedesco, giapponese**
Tappe:	**Roma, Firenze, Venezia**
Prezzo:	**990 euro a persona**

1° giorno: **Roma**

Arrivo all'aeroporto di Fiumicino e accoglienza.

Visita ai Fori Imperiali e al Colosseo. Aperitivo in Piazza Navona. Cena e pernottamento in albergo.

2° giorno: **Roma e Firenze**

S. Pietro e i Musei Vaticani, piazza di Spagna, Trinità dei Monti, Campidoglio.

Pomeriggio: partenza per Firenze.

3° giorno: **Firenze**

Visita guidata al Museo dell'Accademia (*David* di Michelangelo) e passeggiata nel centro storico con guida bilingue.

4° giorno: **Firenze**

Ponte Vecchio, Galleria degli Uffizi, Giardini di Boboli.

Pomeriggio: partenza per Venezia.

5° giorno: **Venezia**

Visita guidata della Cattedrale di San Marco, Ponte dei Sospiri e Palazzo dei Dogi.

Sight-seeing in vaporetto per il Canal Grande.

Alle 15 imbarco per il volo di ritorno.

• *Sono inclusi nel prezzo: biglietti per l'entrata nei musei e la visita a monumenti, spostamenti in pullman da una città all'altra.*

Tracce per **B:**

❭ In Italia, con "mezza pensione" si intende un trattamento che comprende pernottamento, prima colazione e pranzo o cena, a scelta.

❭ Il prezzo non comprende: i pranzi o le cene al di fuori della mezza pensione, le bevande e i cibi consumati durante il resto della giornata e... il volo!

❭ Non è possibile cancellare il viaggio. In caso di impossibilità l'agenzia non restituirà alcuna parte dell'importo pagato dal cliente.

Unità 1

Combined pronouns

In a sentence, personal pronouns that replace an object are either direct or indirect, have a tonic (stressed) and atonic (unstressed) form, and serve as a complement: *Questo libro lo leggerei volentieri. A te piace?*

stressed forms			unstressed forms	
subject pronouns	direct pronouns	indirect pronouns	direct pronouns	indirect pronouns
io	me	a me	mi	mi
tu	te	a te	ti	ti
lui	lui	a lui	lo	gli
lei	lei	a lei	la	le
Lei	Lei	a Lei	La	Le
noi	noi	a noi	ci	ci
voi	voi	a voi	vi	vi
loro	loro	a loro	li	gli
			le	

When unstressed indirect pronouns (*mi, ti, gli, le, Le, ci, vi, gli*), the reflexive pronoun *si*, and the particle *ci* are followed by unstressed direct pronouns (*lo, la, La, li, le*) or by the particle *ne*, we have combined pronouns.

+	lo	la	l'	li	le	ne
mi	me lo	me la	me l'	me li	me le	me ne
ti	te lo	te la	te l'	te li	te le	te ne
gli/le/Le	glielo	gliela	gliel'	glieli	gliele	gliene
ci	ce lo	ce la	ce l'	ce li	ce le	ce ne
vi	ve lo	ve la	ve l'	ve li	ve le	ve ne
gli	glielo	gliela	gliel'	glieli	gliele	gliene
si	se lo	se la	se l'	se li	se le	se ne
ci	ce lo	ce la	ce l'	ce li	ce le	ce ne

With combined pronouns:

- the indirect pronouns *mi, ti, ci, vi* become me, te, ce, ve: – *Quando mi porti gli appunti?* – *Te li porto domani.*
- the third-person singular (*gli, le, Le*) and plural (*gli*) indirect pronouns all become gli and combine with the direct pronouns and *ne* to form a single word, with the addition of an -e- between *gli* and the pronoun: glielo, gliela, gliel', glieli, gliele, gliene (– *Quanti esami hanno ancora i tuoi amici?* – *Gliene restano solo due.*).
- indirect pronouns, the reflexive pronoun *si*, and the particle *ci* always precede the direct pronouns and *ne*.

Combined pronouns:

- always go before the verb: – *Porti tu i libri a Paolo?* – *Sì, glieli porto io.*
- with the verbs *potere, volere, dovere* and *sapere*, followed by an infinitive verb, combined pronouns can either precede the verb or attach to the end of the infinitive (in which case the infinitive verb loses its final -*e*): *Glielo posso dire. / Posso dirglielo.*

168

- can precede or follow the verb when used in a negative command. *Non comprarmelo. / Non me lo comprare.*
- attach to the end of gerunds, past participles, infinitives and imperatives: *Scrivendocelo tu, ci hai aiutato! / Il mio biglietto? Prenditelo tu!*
  Note: with formal commands (singular *Lei* and plural *Loro*), the combined pronouns precede the verb: *Glielo dica lei, io non me la sento.*
- follow the shortened forms of the irregular imperatives (*da', di', fa', sta', va'*) but the initial consonant is also doubled: *Dimmelo subito! / Vacci tu!*
  Note: this doubling of the consonant does not occur with the pronoun *gli*: *Digli che arriviamo.*

Combined pronouns in compound tenses

When we use combined pronouns in compound tenses the past participle must always agree with:

- the direct pronouns lo, la, li, le: *Ti piacciono i miei occhiali? Me li ha regalati Cecilia.*
- the gender/number of an object that is replaced by *ne*: *– Quante pagine di appunti ti ho dato? – Me ne hai date dieci.*

The combined pronouns glielo and gliela take an apostrophe before the auxiliary verb *avere* in compound tenses and before vowels and vowel sounds: *Ho dato la mia chitarra a Dario perché gliel'avevo promessa. / Darò la mia chitarra a Dario perché gliel'ho promessa.*

Interrogative adjectives and pronouns

Interrogative adjectives and pronouns are used to introduce direct or indirect questions (questions that do not end with a question mark) related to identity, quality, and quantity.

<table>
<tr><td align="center">invariable</td><td align="center">variable</td></tr>
<tr><td align="center">**Chi?**
Che? / Che cosa? / Cosa?</td><td align="center">**Quale/i?**
Quanto/a/i/e?</td></tr>
<tr><td>

- chi is used to refer to people and only functions as a pronoun. It can also be preceded by a preposition: *Chi è al telefono? / Di chi è il telefono?*
- che is used to refer to things and it can be either a pronoun or an adjective: *Che farai oggi? / Che giorno è domani?*
- che cosa or cosa are pronouns and can be preceded by a preposition: *Che cosa mangiamo a cena? / Ti chiedo cosa mangiamo a cena.*

</td><td>

- quale/i can be a pronoun or an adjective and changes only to agree in number (singular/plural) but not gender: *Quale esame hai fatto? / Quali prove non hai superato?*
- quanto/a/i/e can be either a pronoun or an adjective and must agree in both number and gender: *Mi chiedo quante città tu abbia visto. / Quanto gliene hai dato?*
- both can be preceded by a preposition.

</td></tr>
</table>

Interrogative adverbs

Some common interrogative adverbs are:

<table>
<tr><td>come?</td><td>→</td><td>*Come andiamo al mare?*</td><td rowspan="5">These are all invariable (they never agree in gender or number) and introduce a direct question.

Quando and perché can be emphasized with mai: *Quando mai abbiamo detto questo? / Perché mai sono qui?*</td></tr>
<tr><td>dove?*</td><td>→</td><td>*Dove vi siete conosciute?*</td></tr>
<tr><td>quando?*</td><td>→</td><td>*Quando ci vediamo?*</td></tr>
<tr><td>quanto?*</td><td>→</td><td>*Quanto hai preso all'esame?*</td></tr>
<tr><td>Perché? / Come mai?</td><td>→</td><td>*Perché non mi ascolti quando parlo? / Come mai leggi questo libro?*</td></tr>
</table>

*Adverbial phrases: da dove? / da quando? ("since when") / da quanto? ("for how long," in reference to an action or activity that is still in progress)

Relative pronouns

Relative pronouns can refer to either people or things.

che	It is invariable and is never preceded by a preposition. It can be used in a sentence to replace the subject (*L'operatrice, che mi ha servito, si chiamava Silvana.*) or the direct object (*Ho scelto la banca che mi hai consigliato.*).
cui	It is invariable and always preceded by a simple preposition: *È questo il libro di cui ti parlavo. / La bimba a* cui vogliamo regalare il libro si chiama Eva.* Sometimes cui can be preceded by the definite article (il cui, la cui, i cui, le cui) instead of del quale, della quale, dei quali, and delle quali to express possession ("whose"): *Gianni Rodari, le cui favole sono state tradotte in molte lingue, è morto nel 1980.*
quale / i	It agrees in gender (il quale, la quale) and number (i quali, le quali), and agrees with the noun to which it refers. It can be preceded by either a preposition or an article: *Ecco un bancomat dal quale posso prelevare soldi.* It can be used in place of cui and che (when the latter replaces the subject) in more formal contexts or to avoid ambiguity: *Ho incontrato la ragazza di Michele che lavora in banca.* → it is unclear whether Michele or his girlfriend works in a bank → *Ho incontrato la ragazza di Michele, il quale [Michele] lavora in banca. / Ho incontrato la ragazza di Michele, la quale [la ragazza] lavora in banca.*

*The preposition *a* is optional

Note: The adverb dove can also function as a relative pronoun when it connects two phrases: *Andiamo in un ristorante dove (in cui / nel quale) preparano un risotto ottimo.*

Combined pronouns

Relative pronouns can also be combined:

chi	is invariable and can be used in place of the expressions quello che / quella che / la persona che, but only in reference to people: *Conosco chi ci darà una mano.*
quanto	is invariable and is used in place of the expressions (tutto) quello che / ciò che, and thus only in reference to things: *La ringrazio per quanto ha fatto per noi.*
quanti / quante	replace the expressions (tutti/e) quelli/e che / coloro che and are used only in reference to people: *Quanti desiderano parlare con il direttore, prendano appuntamento.*

Note:

- chiunque can be used in place of quanti / quante and is an invariable pronoun, so the verb must be conjugated in the third-person singular: *Chiunque desideri parlare con il direttore, prenda appuntamento.*

- the relative pronoun che can be preceded by the article *il* (il che), to replace an entire sentence. It has the same meaning as ciò, cosa che: *In questo periodo sono rilassata, il che è un bene.*
  It can also be preceded by a simple or articulated preposition: *Ho perso il lavoro, al che ho deciso di partire per un lungo viaggio.*

The constructions *stare* + gerund and *stare per* + infinitive

Both are used to expressed a specific aspect of the action in relation to the time during which it occurred.

stare (in any tense or mood) ➕ gerund	➡	expresses an ongoing action or an action in progress: *Chiamami più tardi, adesso sto mangiando.*
stare per (in any tense or mood) ➕ infinitive	➡	expresses an action that is or was about to occur: *Sbrigatevi! Sta per iniziare il film!*

Unità 3

The verbs *farcela*, *prendersela* and *cavarsela*

Farcela, *prendersela* and *cavarsela* are pronominal verbs (they are accompanied by a reflexive pronoun).

Farcela means to succeed in doing something, to be capable of doing something: *Ho tanto da lavorare, ma spero di farcela a venire alla tua festa domani sera.*

Prendersela means to take offense or show that you are offended by something (*Sara se l'è presa con me, perché ho criticato il suo articolo.*), or to become angry with someone (*Non prendertela sempre con lui! È solo un bambino!*).

Cavarsela means to do something fairly well (*Con la lingua italiana, me la cavo abbastanza bene, con lo spagnolo non molto.*) or to manage to overcome a dangerous situation (*Elena ha subito un'operazione difficile, ma per fortuna se l'è cavata.*)

	farcela	prendersela	cavarsela
io	ce la faccio	me la prendo	me la cavo
tu	ce la fai	te la prendi	te la cavi
lui, lei, Lei	ce la fa	se la prende	se la cava
noi	ce la facciamo	ce la prendiamo	ce la caviamo
voi	ce la fate	ve la prendete	ve la cavate
loro	ce la fanno	se la prendono	se la cavano

Comparisons of nouns or pronouns (più/meno... di, tanto.... quanto, così... come)

To make a comparison between two nouns or pronouns, or between a noun and a pronoun, we use:

- comparativo di maggioranza ➡ "più" goes before the adjective and simple or articulated preposition "di" followed by the second noun or pronoun:
  Firenze è più fredda di Roma. / La mia casa è più grande della tua.

- comparativo di minoranza ➡ "meno" goes before the adjective and simple or articulated preposition "di" followed by the second noun or pronoun:
  Bologna è meno grande di Roma. / Tiziana è meno aggressiva di me.

- comparativo di uguaglianza ➡ "tanto/così" goes before the adjective "quanto/come" before the second noun or pronoun: *Venezia è tanto bella quanto Roma.*
  Alternatively, "tanto quanto" can follow the verb and precede the second noun or pronoun: *Venezia è bella tanto quanto Roma.*
  A third alternative is to use only "quanto" after the adjective and in front of the second noun or pronoun: *Venezia è bella quanto Roma.*

Comparisons between adjectives, verbs, quantities or nouns preceded by a preposition (più/meno... che)

To make a comparison between:

- **two adjectives referring to the same person or thing,** we use "più/meno" before the first adjective and "che" before the second: *Il viaggio che vogliamo fare è più/meno culturale che divertente.*

- **two infinitive verbs,** we use "più/meno" before the adjective and "che" before the second verb: *Per molti studenti è più difficile parlare una lingua che scriverla.*

- **two nouns,** we follow the same rules as above: *Nella mia classe ci sono meno ragazzi che ragazze.*

- **two nouns or pronouns preceded by a preposition,** we follow the same rules: *Nel mio conto in banca ci sono meno soldi che sul tuo. / In estate siamo più positivi che in inverno.*

Note: All comparisons of equality follow the rules described above. *Maria è tanto simpatica quanto intelligente. / Nella mia classe ci sono tante ragazze quanti ragazzi.*

The relative superlative

The relative superlative describes the greatest or least degree of a certain quality of something or someone when compared to other people or things. It is formed as follows:

definite article + noun + *più/meno* + adjective	*Roma è la città più grande d'Italia. /* *È l'uomo più ricco del paese.*
il/la/i/le + *più/meno* + adjective	*Giorgio è il meno simpatico tra loro. /* *Il mio cane è il più bello tra questi.*

The noun or pronoun that represents the group (when stated) is always preceded by di or tra.

Absolute superlative

The absolute superlative expresses the maximum degree of a quality, without comparison, and is usually formed by adding the suffix -issimo/a/i/e to an adjective: *Gabriele è simpaticissimo. / Questi lavori sono faticosissimi.*

There are also however, other ways of forming the absolute superlative:

- by adding an adverb of quantity (molto, assai, tanto, parecchio etc.) or quality (particolarmente, notevolmente etc.) before the adjective: *Si tratta di una persona molto intelligente. / Questo libro è particolarmente interessante.*
- by repeating the adjective twice: *Questo cagnolino è tenero tenero.*
- by putting another adjective in front of the adjective: *Ieri Maria era stanca morta.*
- (much less frequently) by using the prefixes arci-, super-, stra-, iper-, extra-, ultra-: *Martina è stracontenta.*

Irregular comparatives and superlatives

Some **adjectives** have both regular and irregular comparative and superlative forms. The most common are:

adjective	comparative of majority		absolute superlative	
buono	più buono	migliore	buonissimo	ottimo
cattivo	più cattivo	peggiore	cattivissimo	pessimo
grande	più grande	maggiore	grandissimo	massimo
piccolo	più piccolo	minore	piccolissimo	minimo

Note: The adjectives anteriore, posteriore, esteriore, interiore, inferiore, superiore and ulteriore look like comparatives but have lost that meaning over time. They function as adjectives and are often followed by the preposition *a* and **not** *di*: *L'appartamento del piano inferiore è di proprietà della sua famiglia. / Vorrei guadagnare uno stipendio superiore ai mille euro.*

Some **adverbs** have comparative and superlative forms and are formed the same way as with adjectives:

- by adding "più/meno" before the adverb: *Vengo qui più spesso. / Ti sento più lontana.*
- by adding the suffix -issimo: *Questo gelato mi piace moltissimo.*

The comparative and superlative forms of molto, poco, bene and male are:

advervb	comparative of majority	absolute superlative
molto	più	moltissimo
poco	meno	pochissimo
bene	meglio	benissimo
male	peggio	malissimo

Unità 4

Historical past

The historical past, or *passato remoto*, usually indicates an action that occurred in the distant past and which has no direct consequence on the present: *Roma divenne capitale d'Italia nel 1871.*

	1ˢᵗ conjugation (-are)	2ⁿᵈ conjugation (-ere)	3ʳᵈ conjugation (-ire)
	andare	**credere**	**capire**
io	andai	credei (credetti)	capii
tu	andasti	credesti	capisti
lui, lei, Lei	andò	credé (credette)	capì
noi	andammo	credemmo	capimmo
voi	andaste	credeste	capiste
loro	andarono	crederono (credettero)	capirono

The *passato remoto* is:

- used in written Italian, especially in biographies and historical texts, but also in fairy tales, historical novels and journalistic writing: *E vissero tutti felici e contenti.* / *Dante Alighieri nacque nel 1265 a Firenze.*

- still used in spoken Italian in Southern Italy and parts of central Italy, but rarely in spoken Italian in Northern Italy.

- used to express a past action, even in the recent past, from which we wish to distance ourselves psychologically or physically: *Sabato scorso non andai a cena da Roberto perché non mi è molto simpatico.* [*Sabato scorso non sono andata a cena da Roberto perché ho finito di lavorare molto tardi.*]

Irregular verbs in the *passato remoto*

accorgersi: *mi accorsi, ti accorgesti, si accorse, ci accorgemmo, vi accorgeste, si accorsero*

assumere: *assunsi, assumesti, assunse, assumemmo, assumeste, assunsero*

avere: *ebbi, avesti, ebbe, avemmo, aveste, ebbero*

bere: *bevvi, bevesti, bevve, bevemmo, beveste, bevvero*

cadere: *caddi, cadesti, cadde, cademmo, cadeste, caddero*

chiedere: *chiesi, chiedesti, chiese, chiedemmo, chiedeste, chiesero* / **chiudere:** *chiusi, chiudesti,...* / **decidere:** *decisi, decidesti,...* / **escludere:** *esclusi, escludesti,...* / **perdere:** *persi, perdesti,...* / **succedere:** *successi (succedetti), succedesti,...*

cogliere: *colsi, cogliesti, colse, cogliemmo, coglieste, colsero* / **scegliere:** *scelsi, scegliesti,..* / **togliere:** *tolsi, togliesti,...*

condurre: *condussi, conducesti, condusse, conducemmo, conduceste, condussero*

conoscere: *conobbi, conoscesti, conobbe, conoscemmo, conosceste, conobbero*

convincere: *convinsi, convincesti, convinse, convincemmo, convinceste, convinsero* / **vincere:** *vinsi, vincesti,...*

correre: *corsi, corresti, corse, corremmo, correste, corsero*

dare: *diedi (detti), desti, diede (dette), demmo, deste, diedero (dettero)*

difendere: *difesi, difendesti, difese, difendemmo, difendeste, difesero* /**nascondere:** *nascosi, nascondesti,...* / **prendere:** *presi, prendesti,...* /

rendere: *resi, rendesti,...* / **rispondere**: *risposi, rispondesti,...* / **scendere**: *scesi, scendesti,...* / **spendere**: *spesi, spendesti,...*

decidere: *decisi, decidesti, decise, decidemmo, decideste, decisero* / **ridere**: *risi, ridesti,...*

dirigere: *diressi, dirigesti, diresse, dirigemmo, dirigeste, diressero*

dire: *dissi, dicesti, disse, dicemmo, diceste, dissero*

discutere: *discussi, discutesti, discusse, discutemmo, discuteste, discussero*

distruggere: *distrussi, distruggesti, distrusse, distruggemmo, distruggeste, distrussero* / **leggere**: *lessi, leggesti,...* / **proteggere**: *protessi, proteggesti,...*

esprimere: *espressi, esprimesti, espresse, esprimemmo, esprimeste, espressero*

essere: *fui, fosti, fu, fummo, foste, furono*

fare: *feci, facesti, fece, facemmo, faceste, fecero*

giungere: *giunsi, giungesti, giunse, giungemmo, giungeste, giunsero* / **piangere**: *piansi, piangesti,...*

mettere: *misi, mettesti, mise, mettemmo, metteste, misero*

muovere: *mossi, muovesti (movesti), mosse, muovemmo (movemmo), muoveste (moveste), mossero*

nascere: *nacqui, nascesti, nacque, nascemmo, nasceste, nacquero* / **piacere**: *piacqui, piacesti,...* / **tacere**: *tacqui, tacesti,...*

porre: *posi, ponesti, pose, ponemmo, poneste, posero*

rimanere: *rimasi, rimanesti, rimase, rimanemmo, rimaneste, rimasero*

risolvere: *risolsi, risolvesti, risolse, risolvemmo, risolveste, risolsero*

rompere: *ruppi, rompesti, ruppe, rompemmo, rompeste, ruppero*

sapere: *seppi, sapesti, seppe, sapemmo, sapeste, seppero*

scrivere: *scrissi, scrivesti, scrisse, scrivemmo, scriveste, scrissero*

stare: *stetti, stesti, stette, stettimo, steste, stettero*

tenere: *tenni, tenesti, tenne, tenemmo, teneste, tennero*

trarre: *trassi, traesti, trasse, traemmo, traeste, trassero*

vedere: *vidi, vedesti, vide, vedemmo, vedeste, videro*

venire: *venni, venisti, venne, venimmo, veniste, vennero*

vivere: *vissi, vivesti, visse, vivemmo, viveste, vissero*

volere: *volli, volesti, volle, volemmo, voleste, vollero*

Note:

- *Essere* is irregular in all its forms.
- Many irregular verbs follow a 1 - 3 - 3 pattern (only the first-person singular, third-person singular and third-person plural forms are irregular, but the *tu, noi, voi* forms are regular). If you know the first-person singular and the infinitive of an irregular verb, the conjugation is predictable.

Roman numerals

Roman numerals are formed with seven characters that are repeated or combined in various ways:

I= 1	V= 5	X= 10	L= 50	C= 100	D= 500	M= 1000

Characteristics:

- there is no zero (0) and no way to represent negative numbers (-10) or decimals (1,5);
- the numerals are arranged from left to right and from highest to lowest (MDLVI= 1556);

- the number expresses the sum of a combination of numerals when a smaller number immediately follows an equal or larger number: LXV is 50 (L) + 10 (X) + 5 (V) = 65;
- the number represents the difference after subtracting numerals when a smaller number immediately precedes larger number: XLV is 50 (L) - 10 (X) + 5 (V) = 45. It is only possible to subtract the numerals I, X and C;
- only the symbols I, X, C and M can be repeated, but for a maximum of three times (XXX= 30);
- the symbols V, L, and D are never repeated (XLIX= 49).

In Italian, Roman numerals are used to express ordinal numbers (I= the first, II= the second, V= the fifth, etc.) and often to indicate:

- centuries (*L'unità d'Italia è avvenuta nel XIX secolo.*);
- kings, pope, etc. (*Papa Giovanni Paolo II era polacco.* / *L'ultimo re d'Italia è stato Umberto II di Savoia.*);
- grade levels in school (*Il prossimo anno faremo la IV elementare.*);
- chapters of books or scenes and acts of plays and operas (*Sono arrivato al VI capitolo del romanzo.*);
- articles of a law or bibliographic information: *art. 17, c. 2, V*; *il volume XVI*, etc.

Past perfect

> auxiliary verb essere or avere in the passato remoto + past participle of the verb

The past perfect, or *trapassato remoto*, is used very rarely in modern Italian and expresses a past action that occurred before another past action. It is possible to use the *trapassato remoto* only in sentences preceded by a verb in the *passato remoto* and introduced by *quando, dopo che, appena* and *non appena*: *Si accorsero che avevano dimenticato una valigia nel parcheggio dopo che furono già partiti.*

Adverbs of manner

Adverbs of manner, or *avverbi di modo*, indicate the manner in which an action is completed (*Con il motorino mi sposto velocemente in città.*) or to better describe an action (*Parla chiaro!*). They answer the question of "**how**" or "**in which way**" (*come? / in che modo?*)?

Adverbs of manner are formed:

- by adding the suffix -mente to the singular feminine forms of adjectives that end in -a* (libera → liberamente) or to singular adjectives that end in -e* (semplice → semplicemente).
- if the adjective ends in -le or in -re, the final -e is dropped and -lmente (facile → facilmente) or -rmente (particolare → particolarmente) is added.
- with the singular masculine form of some adjectives: *Parla chiaro!* / *Vieni presto.* / *Faccia piano.*
- with some adverbs of Latin origin (bene, male, volentieri, insieme, etc.): *Michele si è comportato bene a scuola oggi.* / *Abiterei volentieri in questa città.*
- with some groups of words (per scherzo, per fortuna, di corsa, di sicuro, etc.): *Alberto lo ha detto per scherzo, non voleva offenderti.* / *Vai di corsa dalla mamma!* / *Di sicuro questa sera andremo al cinema.*

*Exceptions: leggera → leggermente, violenta → violentemente.

Unità 5

Present subjunctive

	1st conjugation (-are)	2nd conjugation (-ere)	3rd conjugation (-ire)	
	parlare	**prendere**	**partire**	**finire**
io	parli	prenda	parta	finisca
tu	parli	prenda	parta	finisca
lui, lei, Lei	parli	prenda	parta	finisca
noi	parliamo	prendiamo	partiamo	finiamo
voi	parliate	prendiate	partiate	finiate
loro	parlino	prendano	partano	finiscano

Note:

- the singular first-, second- and third-person forms (*io, tu, lui/lei/Lei*) are identical, so it is best to include the personal subject pronouns for clarity: *Credo che tu capisca quanto sono felice in questo momento.*
- the -*are* verbs that end in -care and -gare take an -h- between the stem and ending; those that end in -ciare and -giare do not take an additional -i-: *Credo che lui paghi anche per noi. / Penso che la lezione cominci alle 10.*
- the conjugations of verbs that end in -*ere* and -*ire* are identical, except for the -*isc*- verbs.

Present subjunctive of *essere* and *avere*

	essere	**avere**
io	sia	abbia
tu	sia	abbia
lui, lei, Lei	sia	abbia
noi	siamo	abbiamo
voi	siate	abbiate
loro	siano	abbiano

Irregular verbs in the present subjunctive

Infinitive	Present subjunctive			
andare	vada	andiamo	andiate	vadano
bere	beva	beviamo	beviate	bevano
dare	dia	diamo	diate	diano
dire	dica	diciamo	diciate	dicano
dovere	debba	dobbiamo	dobbiate	debbano
fare	faccia	facciamo	facciate	facciano
morire	muoia	moriamo	moriate	muoiano
piacere	piaccia	piacciamo	piacciate	piacciano
porre	ponga	poniamo	poniate	pongano
potere	possa	possiamo	possiate	possano
rimanere	rimanga	rimaniamo	rimaniate	rimangano
salire	salga	saliamo	saliate	salgano
sapere	sappia	sappiamo	sappiate	sappiano
scegliere	scelga	scegliamo	scegliate	scelgano
sedere	sieda	sediamo	sediate	siedano
stare	stia	stiamo	stiate	stiano
tenere	tenga	teniamo	teniate	tengano
togliere	tolga	togliamo	togliate	tolgano
tradurre	traduca	traduciamo	traduciate	traducano
udire	oda	udiamo	udiate	odano
uscire	esca	usciamo	usciate	escano
venire	venga	veniamo	veniate	vengano
volere	voglia	vogliamo	vogliate	vogliano

Nearly all of the irregular subjunctives take their stem from the first-person singular present indicative. Thus, they can be easily remembered by simply taking the present-tense *io* form of the verb, dropping the final -o and adding an -a instead. Exceptions are *abbia, dia, sia, sappia, stia* which instead take their stems from the present-tense *noi* forms.

Functions of the present and past subjunctive (I)

The subjunctive mood is used to express doubt, uncertainty, and opinions, while the indicative mood is used for real situations and to express certainty. The simple and past subjunctive are mainly used in the **dependent clause**, which complements the main clause of the sentence when:

- the verb in the main clause* expresses an **opinion** (*credere, dubitare, giudicare, immaginare, negare, pensare, prevedere, ritenere, sembrare, supporre* etc.): *Credo/Penso/Ritengo che Elena non sia venuta perché non le sono simpatica. / Sembra che lo yoga aiuti a mantenersi giovani.*
  *The main clause might also contain expressions such as: *avere l'impressione che, avere il dubbio che, avere il sospetto che, l'opinione è che, l'ipotesi è che* etc.: *Hanno il dubbio che tu non dica la verità. / L'ipotesi è che si parta venerdì e si torni domenica sera.*

- the verb in the main clause* expresses a **desire**, such as a prayer, request, command, etc. (*chiedere, decidere, domandare, impedire, lasciare, ordinare, pregare, preoccuparsi, proporre, suggerire* ecc.): *Luisa chiede all'insegnante che le spieghi il congiuntivo un'altra volta. / Lascia che siano loro a decidere.*
  *The main clause might also contain expressions such as: *avere bisogno che, c'è bisogno che, il consiglio*

è che, il desiderio è che, la regola è che, lo scopo è che, etc.: *C'è bisogno che qualcuno resti con la nonna. / Lo scopo è che voi vinciate.*

- The main clause* expresses an **emotional state** (*aspettare, augurare, augurarsi, desiderare, dispiacere, dispiacersi, preferire, sperare, temere, volere*, etc.): *Mi auguro che tu guarisca presto. / Sono le 18, temo che abbiate perso il treno.*
  *The main clause might also contain expressions such as: *avere voglia che, avere il desiderio che, avere paura che, fare finta che, avere speranza che, c'è speranza che*, etc.: *Facciamo finta che tutto questo sia un sogno. / Abbiamo paura che il regalo non le sia piaciuto.*

- the main clause contains an **impersonal verb** (*bisogna/occorre che, può darsi che, si dice che, dicono che, pare/sembra che*): *Occorre che si riduca lo stress per stare in salute.*

- the main clause contains an **impersonal expression** (verb *essere* + adjective/noun + *che*) (*è necessario/ importante che, è opportuno/giusto che, è meglio che, è normale/naturale/logico che, è strano/incredibile che, è possibile/impossibile che, è probabile/improbabile che, è facile/difficile che, è preferibile che, è un peccato che, è ora che, è bene che*): *È probabile che Ugo e Giulia partano ad agosto per le vacanze. / Meglio che scegliate un albergo vicino al mare. / È un peccato che te ne vada così presto.*

Past subjunctive

> auxiliary verb essere or avere in the present subjunctive (congiuntivo presente) + **past participle**

The past subjunctive expresses an action that occurred before the time expressed in the main clause: *È facile che Gabriele e Chiara abbiano parlato prima di parlare con noi. / Penso che Giulia si sia comportata bene.*

Agreement of tense with the subjunctive

main clause	dependent clause	
	present subjunctive or simple future *...Giulia torni/tornerà domani.*	→ for an action that occurs after the action in the main clause
verb in the present *Credo che...*	**present subjunctive** *...Giulia torni oggi.*	→ for an action simultaneous to that of the main clause
	past subjunctive *...Giulia sia tornata ieri.*	→ for an action that occurs before the action in the main clause

Functions of the present and past subjunctive (II)

The present and past subjunctive forms are also used when:

- the dependent clause is tied to the main clause by one of these conjunctions:
  - ❯ *benché, sebbene, nonostante, malgrado*: *Mi sento riposato, sebbene/nonostante/benché abbia dormito poco.*
  - ❯ *purché, a patto che, a condizione che, basta che*: *Andiamo in vacanza in montagna a patto che/a condizione che/purché ci sia la spa.*
  - ❯ *senza che*: *È stato arrestato senza che abbia fatto nulla.*
  - ❯ *nel caso in cui*: *Nel caso in cui non funzioni bene, chiamate l'assistenza.*

> *affinché, perché: Ho comprato una nuova TV, affiché si possano vedere le partite di calcio.*
> *prima che: Andiamo via prima che finisca il film.*
> *a meno che, fuorché, tranne che, salvo che: Posso credere a tutto, tranne che/fuorché/salvo che tu abbia trovato lavoro.*

- the dependent clause is preceded by a relative superlative + the relative pronoun *che: Sono le persone più buone che abbia mai incontrato;* or when the dependent clause is a relative phrase that expresses a purpose (*Cerco un lavoro che mi permetta di vivere.*) or a consequence (*Questo non è un film che tu possa vedere.*)
- the dependent clause is tied to the main clause by an indefinite pronoun or an indefinite adjective: chiunque, qualsiasi, qualunque, (d)ovunque, comunque, l'unico/il solo che, nessuno che: *A casa mia, il solo che faccia sport è mio fratello. / Comunque vada, è stato un successo.*
- the dependent clause is an indirect question (a question without a question mark): *Mi chiedo sempre chi lasci tutto in disordine.*
- the main clause contains the verbs *dire* or *sapere*, and the emphasis is on the dependent clause, which is introduced by *che: Che il fumo faccia male, lo sanno tutti. / Che loro siano belli, lo dicono tutti.*

In rare cases, the present and past subjunctive is also used in **independent clauses**, such as:

> a question that expresses a doubt or conjecture that is introduced by *che* + the verb essere: *Che sia Marta? / Non arriva nessuno. Che si siano persi?*
> a direct order, invitation, or request: *Prego signora, si accomodi. / Alla rotonda, prenda la prima a destra.*
> a sentence that expresses a desire, wish, or curse, and is introduced by the expression *che, almeno, se, voglia il cielo che: Voglia il cielo che tu guarisca. / Che vada al diavolo!*

When not to use the subjunctive

The subjunctive is NOT used in the following cases:

- when the subject of the main clause is also the subject of the dependent clause: *Sono felice di venire in Italia* (I am happy – I am coming to Italy); in this case, we use the expression *di* + infinitive verb;
- when verbs (a.) or impersonal expressions (b.) are NOT followed by the conjunction *che;* in this case, we use the infinitive: a. *Bisogna prendere una decisione! – Bisogna che tu prenda una decisione!* b. *È importante capire bene. – È importante che tu capisca bene.*
- with the expressions *secondo me, forse, probabilmente: Secondo me abbiamo bisogno di una vacanza. / Probabilmente vado al mare domani.*
- when the dependent clause is introduced by the conjunctions *anche se, poiché, dopo che: Anche se piove, andiamo al lago lo stesso.*

Abbreviations

interiez.	*interjection*
avv.	*adverb*
inf.	*infinitive*
part. pass.	*past participle*
pron.	*pronoun*
m.	*masculine*
f.	*feminine*
plur.	*plural*
sing.	*singular*
cong.	*conjunctionsing*

This glossary includes all the new words found in the units 0-5 of the Student's Book and Workbook. The words marked with an asterisk refer to the texts of the audio tracks.

The words higlighted in blue are the words that appear in the objectives at the beginning of every unit and in the instructions to the activities in the Student's Book.

Unità 0
Prima di... cominciare

comprensione, la (*f.*): understanding

1a

funzione comunicativa, la (*f.*): communicative function

*****che te ne pare?**: *what do you think?

*****dare una mano**: *give a hand

2

organizzare, *inf.*: organise

per forza: out of necessity; necessarily

spostare, *inf.*: move

3

città d'arte, la/le (*f.*): city of art

5

in breve, *avv.*: briefly

dal punto di vista di: from the point of view of

7

difficoltà, la (*f.*): hard times

invidia, l' (*f.*): envy

cuore, il (*m.*): heart

consuma, *inf.* consumare: eat away

presto o tardi: sooner or later

resiste, *inf.* resistere: resist

invidioso, (*m.*): envious

precisione, la (*f.*): exactly

macelleria, la (*f.*): butcher's

viso falso, il (*m.*): fake expression

sorriso non sincero, il (*m.*): insincere smile

dire le cose a mezza bocca: say things under your breath

in segreto, *avv.*: in secret

sistemare, *inf.*: sort out

insegna, l' (*f.*): sign

a denti stretti: clenched teeth

chiunque, *pron. indef.*: anyone else

esclamare, *inf.*: exclaim

sogno, il (*m.*): dream

ci sono rimasto male, *inf.* rimanerci male: I was disappointed

ho insistito, *inf.* insistere: I insisted

stupidamente, *avv.*: stupidly

in seguito, *avv.*: later on

8

per iscritto: in writing

hai arredato, *inf.* arredare: decorated

hai ammobiliato, *inf.* ammobiliare: furnished

Quaderno degli esercizi
Unità 0

1

fare parte di: is part of

programma giornaliero, il (*m.*): daily routine

5

tenere un corso: holding a course

scrittura teatrale, la (*f.*): theatrical work

scuola di musica municipale, la (*f.*): communal music school

Istituto italiano di cultura, l' (*m.*): Italian Institute of culture

scala interna, la (*f.*): stairwell

serale, (*m./f.*): evening

nel tardo pomeriggio: in the late afternoon

timido, (*m.*): shy

infine, *avv.*: in the end

terminare, *inf.*: ended

ad un giorno di distanza: a day apart

dopo una decina di giorni: after about ten days

6

capo, il (*m.*): boss

8

edizione, l' (*f.*): edition

capitale, la (*f.*): capital

cupola, la (*f.*): dome

municipio, il (*m.*): municipality, (Rome is divided into 15 administrative municipalities)

ha promosso, *inf.* promuovere: has promoted

organizzatori, gli (*pl.*), l'organizzatore (*sing.*): organisers

dimostrano, *inf.* dimostrare: demonstrate

migliorare, *inf.*: improve

iniziative, le (*pl.*), (*sing.* l'iniziativa): initiatives

Unità 1
Esami... niente stress!

Per cominciare...

1

materia scolastica, la (*f.*): school subject

Musica, la (*f.*): Music

Storia, la (*f.*): History

Matematica, la (*f.*): Maths

Fisica, la (*f.*): Physics

Geografia, la (*f.*): Geography

Chimica, la (*f.*): Chemistry

Italiano, l' (*m.*): Italian

Lingua straniera, la (*f.*): Foreign language

Scienze naturali (Biologia), le (*f.*): Natural sciences (Biology)

2

scambiatevi idee, *inf.* scambiarsi: exchange ideas

ritenete più interessanti, *inf.* ritenere: do you consider most interesting

3

indicate le frasi pronunciate da..., *inf.* indicare: mark the sentences said by...

studio, lo (*m.*): studies
sul serio, *avv.*: seriously
essere preparato, (*m.*): be prepared
hai frequentato, *inf.* frequentare: you attended
secchiona, la (*f.*), (*m.* il secchione): swot/nerd
appunti, gli (*m.*): notes
appello, l' (*m.*): session
festeggiare, *inf.*: celebrate

In questa unità impariamo...

fare i complimenti: make compliments
rassicurare, *inf.*: reassure
incertezza, l' (*f.*): uncertainty
scusarsi, *inf.*: say sorry
sorpresa, la (*f.*): surprise
pronome combinato, il (*m.*): combined pronouns
tempo composto, il (*m.*): compound tense
aggettivo interrogativo, l' (*m.*): interrogative adjective (Question words)
pronome interrogativo, il (*m.*): interrogative pronoun
avverbio interrogativo, l' (*m.*): interrogative adverb
ordinamento scolastico, l' (*m.*): school system

A Sei pronto per l'esame?

1

esame di letteratura, l' (*m.*): literature exam
letteratura, la (*f.*): literature
entro, *avv.*: by
superare, *inf.*: pass
caspita!, *interiez.*: darn!
peggio, *avv.*: worse
esatto, *avv.*: that's right
proprio, *avv.*: really
superare gli esami con 30 e lode: pass an exam with 30 and honours (the Italian university exam system is based on points with 30 being the highest)
il problema è che se ne vanta, *inf.* vantarsene (vantarsi di qualcosa): the problem is she boasts about it
vero?, *avv.*: doesn't she?
bastano, *inf.* bastare: enough
mica posso studiare tutto!: it's not as if I can study everything!
mica, *avv.*: it's not as if
andrà tutto bene!, *inf.* andare: it'll all go well!
se vuoi... ti passo a prendere: if you want... I'll come and pick you up

2

considera, *inf.* considerare: thinks

3

scetticismo, lo (*m.*): scepticism

4

comunque, *avv.*: anyway
Romanticismo, il (*m.*): Romanticism
certo, *avv.*: definitely
anzi, *avv.*: in fact
copia, la (*f.*): copy
speriamo di sì, *inf.* sperare: let's hope so
se necessario...: if necessary...
ottima idea!: great idea!
oggi stesso: definitely today

5

breve riassunto, il (*m.*): short summary
introduttivo, (*m.*): introductory

7

si trasformano, *inf.* trasformarsi: transform
pronomi indiretti, i (*m.*): indirect pronouns
si uniscono, *inf.* unirsi: join with
pronomi diretti, i (*m.*): direct pronouns
link, il (*m.*): link
formazione, la (*f.*): formation
consultare, *inf.*: consult

8

sta organizzando una festa: is organising a party
spesso, *avv.*: often
anello d'oro, l' (*m.*): gold ring

B Scusami!

1

all'ultimo momento: *at the last minute
*mi ha trattenuto, *inf.* trattenere: *held me up
*non importa, *inf.* importare: *it doesn't matter
*essere abituato/a a, (*m./f.*): *I'm used to
*avere sempre una scusa pronta: *always have an excuse ready
*scusa, la (*f.*): *sorry
*ieri non ti sei fatto vivo, *inf.* farsi vivo: *you didn't get in touch yesterday
*neppure, *avv.*: *even
*figurati, *inf.* figurarsi: *don't worry
*ero distratto, *inf.* essere distratto/a: *I was distracted
*non mi sono accorto, *inf.* accorgersi: *I didn't realise
*non fa niente: *don't worry

2

Scusami!: I'm sorry!
Ti/Le chiedo scusa!: I apologise!
Perdonami!: Forgive me!

Mi perdoni!: Forgive me! (formal)
Si figuri!: Don't worry! (formal)
Di niente!: Not at all!
Non c'è problema!: No problem!

3

per sbaglio, *avv.*: by mistake
vai addosso a un/una passante: bump into a passer-by
andare addosso a qualcuno: bump into someone
donna incinta, la (*f.*): pregnant woman

C Questa volta andrà meglio.

1a

professoressa, la (*f.*): teacher (secondary school)
sostiene un esame, *inf.* sostenere: takes an exam
poeti minori del Settecento, i (*m.*): lesser poets of the Eighteenth century
capitolo, il (*m.*): chapter
abbiamo dedicato due lezioni, *inf.* dedicare: we spent two lessons on it
questo è poco ma sicuro: that much is certain
in realtà: in truth
semestre, il (*m.*): semester

1b

opera, l' (*f.*): work, book
ha mandato via, *inf.* mandare via: sent away

2

desinenza, la (*f.*): desinence; ending
messaggio di auguri, il (*m.*): greeting
(non) concorda, *inf.* concordare: (doesn't) agree
precede, *inf.* precedere: precedes

3

i suoi: his/her parents
avevano bisogno di, *inf.* avere bisogno: they needed
difficoltà, la (*f.*): difficulty

D È incredibile!

1

si rivedono, *inf.* rivedersi: see each other again
Ma va!: You don't say!
Scherzi?: Are you joking?
Davvero?!: Really?!
Dici sul serio!?: Are you serious!?
Possibile?!: Is that possible?!
Impossibile!: That's impossible!
Chi l'avrebbe mai detto?: Who would've said it?
Incredibile!: Incredible!
Non è vero!: That can't be true!
Stai scherzando?: Are you joking?
Non ci credo!: I don't believe it!

*sorellina, la (*f.*): little sister (affectionate term that transmits warmth and love)

*si sono lasciati, *inf.* lasciarsi: *they left each other/they broke up

*lei si è messa con..., *inf.* mettersi con qualcuno: *she started dating...

*Gratta e Vinci, il (*m.*): *Lottery scratch card

*passeggiare mano nella mano: *walk hand in hand

*non me ne frega più niente, *inf.* fregarsene: *I couldn't care less anymore

3

conoscente, il/la (*m./f.*): acquaintance

incidente ferroviario, l' (*m.*): train accident

biglietto omaggio, il (*m.*): free ticket

4

sviluppando, *inf.* sviluppare: developing

ti rendi conto che..., *inf.* rendersi conto: you do realise that...

sgridi qualcuno, *inf.* sgridare: tell someone off

improvvisamente, *avv.*: suddenly

il concerto è stato annullato, *inf.* annullare: the concert has been cancelled

essere dispiaciuto, *m.* (*f.* dispiaciuta): to be disappointed

in omaggio: free

E Quante domande!

1

schema, lo (*m.*): table

in basso, *avv.*: below

gli interrogativi che introducono una domanda: the question words that introduce a question

cosa vuoi fare da grande?: what do you want to do when you grow up?

testamento solidale, il (*m.*): leave a charity gift in your will

solidale, (*m./f.*): supportive/charity

pesi, *inf.* pesare: weigh

matita colorata, la (*f.*): coloured pencil

2

motivo, il (*m.*): reason

dipende, *inf.* dipendere: depends

4

esami di maturità, gli (*m.*): high school leaving exams

segnano la fine del percorso scolastico, *inf.* segnare: signal the end of the school career

fine, la (*f.*): end

percorso scolastico, il (*m.*): school career

diciottenni, pl. (*sing.* il/la diciottenne): eighteen-year-olds

coraggio, il (*m.*): courage

commissione di esame, la (*f.*): exam commission

divertente, (*m./f.*): fun

attuale, (*m./f.*): current

una storia capace di coinvolgere più generazioni: a story that is able to engage different generations

coinvolgere, *inf.*: involve/engage

generazione, la (*f.*): generations

colonna sonora, la (*f.*): soundtrack

immaturi, gli (*m.*): adolescents (in this instance it also refers to those students who haven't passed their high school exams)

ex compagno di liceo, l' (*m.*): ex high school friend

si ritrovano, *inf.* ritrovarsi: meet up again

raccomandata, la (*f.*): recorded delivery letter

Ministero della Pubblica Istruzione, il (*m.*): Ministry of Education

annulla, *inf.* annullare: nullifies

li obbliga a rifare, *inf.* obbligare: makes them do it again

pena l'annullamento dei titoli conseguiti: all successive qualifications shall be invalid

titolo (di studio), il (*m.*): qualification

conseguire, *inf.*: obtain

incubo, l' (*m.*): nightmare

maturando, il (*m.*): the person who is about to take his/her final exams

una commedia spiritosa: a lively comedy

si regalano, *inf.* regalarsi: gift themselves

nulla, *avv.*: nothing

imprevisti, gli (*m.*): unexpected situations

avventure, le (*f.*): adventures

nuove conoscenze, le (*f.*): new acquaintances

scelte autentiche, le (*f.*): authentic choices

rispetto a: compared to

avevano progettato, *inf.* progettare: had planned

risarcimento a più zeri, il (*m.*): triple figure pay out

estivo, (*m.*): summer

stringere amicizia con...: make friends with...

clima, il (*m.*): climate

riconsiderare, *inf.*: reconsider

prospettiva, la (*f.*): perspective

differente, (*m./f.*): different

momento di passaggio, il (*m.*): period of transition

spensierata giovinezza, la (*f.*): carefree youth

età adulta, l' (*f.*): adulthood

responsabilità, le (*sing.* la responsabilità): responsibility

preoccupazioni, le (*sing.* la preoccupazione): worries

7

attività ludica, l' (*f.*): game

ciascuno/a, (*m./f.*): each

la squadra avversaria: the other team

di chi si tratta: who it is

rivelare, *inf.*: reveal

identità, l' (*f.*): identity

personaggio misterioso, il (*m.*): mysterious person

F Vocabolario e abilità

1

dipartimento, il (*m.*): department

iscrizione, l' (*f.*): enrolment

frequenza, la (*f.*): attendance

prove (scritte o orali), le (*f.*): (written or oral) tests

esami di ammissione, le (*f.*): admissions exams

mensa, la (*f.*): canteen

facoltà, la (*pl.* le facoltà): Faculty

ingresso, l' (*m.*): entrance

previsto, (*m.*): expected

Facoltà di Lettere e Filosofia, la (*f.*): Faculty of Letters and Philosophy

Italianistica, l' (*f.*): Italian studies

prevedono, *inf.* prevedere: expect

università statale, l' (*pl.* le università statali) public university

tasse di iscrizione, le (*f.*): enrolment fees

studente universitario, lo (*m.*): university student

2

professione, la (*f.*): profession

(Facoltà di) Medicina, la (*f.*): (Faculty of) Medicine

(Facoltà di) Odontoiatria, la (*f.*): (Faculty of) Dentistry

(Facoltà di) Ingegneria, la (*f.*): (Faculty of) Engineering

(Facoltà di) Giurisprudenza, la (*f.*): (Faculty of) Law

(Facoltà di) Architettura, la (*f.*): (Faculty of) Architecture

(Facoltà di) Psicologia, la (*f.*): (Faculty of) Psychology

(Facoltà di) Lingue, la (*f.*): (Faculty of) Languages

(Facoltà di) Lettere, la (*f.*): (Faculty of) Letters

2

4

alcuni spunti, (*pl.*): some prompts
materiale informativo, il (*m.*): information
poiché, *cong.*: because
non ne vuole sapere: isn't interested
mettere a rischio: put at risk
relazione, la (*f.*): relationship

5

annunciare, *inf.*: announce/tell
intenzione, l' (*f.*): intention
vita studentesca, la (*f.*): student life

Conosciamo l'Italia

La scuola...

istruzione obbligatoria, l' (*f.*): mandatory education
durata, la (*f.*): duration
programma di studio, il (*m.*): programme of study
asilo nido, l' (*m.*): nursery school
scuola materna, la (*f.*): infant school
scuola primaria, la (*f.*): primary school
scuola secondaria di primo grado, la (*f.*): first level of secondary education school (middle school)
liceo, il (*m.*): high school
istituto tecnico, l' (*m.*): technical school
istituto professionale, l' (*m.*): professional school
istruzione e formazione professionale (IFP), l' (*m.*): professional education and training
istruzione e formazione tecnica superiore (IFPS), l' (*m.*): further technical education and training
alta formazione artistica/musicale/coreutica (AFAM), l' (*f.*): higher artistic/musical/choral training
scuola superiore per mediatori linguistici, la (*f.*): high school for linguistic mediators
istituto tecnico superiore, l' (*m.*): technical institute
1ª media, la (*f.*): 1st grade of middle school
licenza media, la (*f.*): middle school diploma
1ª superiore, la (*f.*): 1st grade of high school
diploma di maturità, il (*m.*): high school diploma
scuola elementare, la (*f.*): primary school
comunemente, *avv.*: commonly
scuola media, la (*f.*): middle school
correttamente, *avv.*: correctly
scuola secondaria di secondo grado, la (*f.*): second level of secondary education school

semplicemente, *avv.*: simply
scuola superiore, la (*f.*): high school
percorso di studi, il (*m.*): study routes
formalmente, *avv.*: formally
esame di Stato, l' (*m.*): State exams
proseguire, *inf.*: continue
scuola dell'obbligo, la (*f.*): compulsory school
obbligatoriamente, *avv.*: compulsory
metodo Montessori, il (*m.*): Montessori method
pedagogista, il/la (*m./f.*): educator
educatrice, l' (*f.*) (l'educatore, *m.*): female educator
metodo educativo, il (*m.*): educational method
adottato, *part. pass.* (*inf.* adottare): adopted
ha sempre sostenuto, *inf.* sostenere: has always supported
importanza, l' (*f.*): importance
includere, *inf.*: include
problema psichico, il (*m.*): psychic problems
classe scolastica, la (*f.*): school classes
stimolare, *inf.*: stimulate
creatività, la (*f.*): creativity
libertà, la (*f.*): freedom
alunno, l' (*m.*): pupils
obiettivo, l' (*m.*): objective
eliminare, *inf.*: eradicate
analfabetismo, l' (*m.*): illiteracy
uguaglianza, l' (*f.*): equality
candidata, la (*f.*): candidate
premio Nobel per la pace, il (*m.*): Nobel peace prize

... e l'università in Italia...

ateneo, l' (*m.*): university
test di ingresso, il (*m.*): entrance exam
ciclo, il (*m.*): cycle
laurea triennale, la (*f.*): three-year degree
laurea magistrale, la (*f.*): master's degree
Dottorato di ricerca, il (*m.*): PhD
Scuola di specializzazione, la (*f.*): postgraduate school
sotto la guida: under the guidance of
docente, il/la (*m./f.*): lecturer
inferiore, (*m./f.*): lower
media europea, la (*f.*): European average
proporzionato (*m.*): proportionate
reddito, il (*m.*): income
in tempo: in time
fuori corso: a student who has not completed their universities studies within the set time period
mondo occidentale, il (*m.*): western

world
primato, il (*m.*): record

1

come funziona..., *inf.* funzionare: how does it work...
sistema scolastico, il (*m.*): school system
banchi di scuola, i (*m.*): at school (literally school desks)

2

volantino informativo, il (*m.*): information leaflet

Autovalutazione

1

essere in gamba: Be on the ball

> **Quaderno degli esercizi**
> **Unità 1**

1

matricola, la (*f.*): student number
voto, il (*m.*): grade
Studi Umanistici, gli (*m.*): Humanistic studies
modifica, la (*f.*): change
tasto, il (*m.*): key
visualizzare, *inf.*: see
dati aggiornati, i (*pl.*): updated information
aggiornare, *inf.*: update
tipologia (del) corso (di studi), la (*f.*): type of course
insegnamento, l' (*m.*): subject
Storia della letteratura italiana moderna e contemporanea, la (*f.*): History of modern and contemporary Italian literature
consiste, *inf.* consistere: consists

2

chi l'ha rotto?, *inf.* rompere: who broke it?
collana, la (*f.*): necklace

3

macchina fotografica, la (*f.*): camera

4

essere malato/a: to be ill
dizionario, il (*m.*): dictionary

5

resco, (*m.*): fresh
puzzle, il (*m.*): jigsaw puzzle

7

discussione, la (*f.*): discussion
membro, il (*pl.* i membri): member
al più presto: as soon as possible
Diritto Civile, il (*m.*): civil law
a metà prezzo: half price

8
sotto l'ombrellone: under the sun umbrella (meaning while you are on holiday)
ho cancellato, *inf.* cancellare: I deleted
9
non volevo offenderti: I didn't mean to offend you
10
fotocopia, la (*f.*): photocopy
a testa: each
11
che figura!: What a bad impression!
13
non ti rivolgerà più la parola, *inf.* rivolgere: she won't speak to you again
lo hanno bocciato, *inf.* bocciare: they failed him
poverino!, (*m.*): poor thing
dare un'occhiata: have a look at
rimandare, *inf.*: send back
16
adatto/a, (*m./f.*): suitable
mi sta meglio: suits me better
17
punto di forza, il (*m.*): strength
punto debole, il (*m.*): weakness
18
Portogallo, il (*m.*): Portugal
19
chirurgo, il (*pl.* i chirurghi): surgeon
avvocato, l' (*m.*): lawyer
21
assistenza ai clienti, l' (*f.*): customer service
riguardo a: concerning
spedizioni non andate a buon fine, le (*pl.*): unsuccessful shipments
capacità comunicative, le (*f.*): communication skills
discreta conoscenza degli strumenti informatici, la (*f.*): discreet knowledge of IT tools
bilocale, il (*m.*): two-room apartment
all'aria aperta: outside
contattare, *inf.*: contact
22
cervelli in fuga, i (*m.*): brain drain
abbandonare, *inf.*: abandon
imprese, le (*sing.* l'impresa): companies
contare su qualcuno o qualcosa, *inf.*: count on someone or something
sono diminuiti, *inf.* diminuire: have decreased
provengono, *inf.* provenire: come from
ambienti svantaggiati, gli (*sing.* l'am-

biente svantaggiato): disadvantaged situations
scarso, (*m.*): low
probabilità, la/le (*f.*): probability
si colloca, *inf.* collocarsi: is positioned
si attesta, *inf.* attestarsi: stops
a livello territoriale italiano: at an Italian territorial level
registrare, *inf.*: record
elevato, (*m.*): high
*****allarme**, l' (*m.*): *alarm
*****proporzioni**, le (*sing.* la proporzione): *proportions
*****descolarizzati**, i (*sing.* il descolarizzato): *people without a level of education
*****trasferirsi all'estero**, *inf.*: *moved abroad
*****precocemente**, *avv.*: *too early
*****inquietante**, (*m./f.*): *worrying
*****costituisce**, *inf.* costituire: *constitutes
*****grave impoverimento culturale**: *a serious level of cultural poverty
*****grave**, (*m./f.*): *serious
*****colpevolmente**, *avv.*: *guiltily
*****sottovalutare**, *inf.*: *underestimating
*****a seguito di**: *further to
*****denatalità**, la (*f.*): *decreased birth rates
*****in atto**: *taking place
*****sufficientemente**, *avv.*: *sufficiently
*****area produttiva**, l' (*f.*): *productive area
*****prematuramente**, *avv.*: *prematurely
*****disoccupazione giovanile**, la (*f.*): *youth unemployment
*****povertà**, la (*f.*): *poverty
*****esclusione sociale**, l' (*f.*): *social exclusion
*****avere un livello minimo di istruzione**: *have a minimum level of education
*****in genere**, *avv.*: *on the whole
*****destinato**, *part. pass.* (*inf.* destinare): *destined
*****lavoro dequalificato**, il (*m.*): *unqualified work
*****precario** (*m.*): *precarious
*****livello retributivo**, il (*m.*): *pay level
*****aspirare**, *inf.*: *aspire
*****potenzialmente**, *avv.*: *potentially
*****possedere**, *inf.*: *possess
*****utilizzo**, l' (*m.*): *use
*****avvalersi**, *inf.*: *make use of
*****manodopera qualificata**, la (*f.*): *qualified labour
*****pericolo**, il (*m.*): *danger
*****essere concordi**: *agree
*****essere strettamente correlati/e**: *strict correlation
*****determinare**, *inf.*: *determine

*****c'è anche un fattore di genere**: *there is also a gender question
*****in calo**: *decrease

Unità 2
Soldi e lavoro

Per cominciare...

1
sportello bancario, lo (*m.*): bank counter
assegno, l' (*m.*): cheque
sportello bancomat, lo (*m.*): ATM
2
pubblicizzare, *inf.*: publicize
vantaggio, il (*m.*): advantage
conto, il (*m.*): account
carta prepagata, la (*f.*): prepaid card
operazione, l' (*f.*): transaction
3
servizio bancario, il (*m.*): banking service
disoccupato, il (*m.*): unemployed

In questa unità impariamo...

diversi modi per formulare una domanda: different ways of asking questions
formule di apertura e di chiusura di una lettera/email, le (*f.*): opening and closing greetings in letters/emails
lettera di presentazione, la (*f.*): presentation letter
pronome relativo, il (*m.*): relative pronouns
pronomi doppi, i (*m.*): double pronouns
gerundio, il (*m.*): gerund
miracolo economico, il (*m.*): economic miracle

A Amici su cui contare

1
mini intervista, la (*f.*): mini-interview
vantaggioso, (*m.*): advantageous
prelevare, *inf.*: withdraw
Scala (Teatro della Scala di Milano), la (*f.*): La Scala Theatre in Milan
tasso d'interesse, il (*m.*): interest rate

2
esposto, (*m.*): presented

3
istruzioni, le (*f.*): instructions
passo passo: step by step
procedura, la (*f.*): procedure

5
invariabile, (*m./f.*): invariable
complemento oggetto, il (*m.*): direct object
il/la quale, *pron.*: who/which

permettere, *inf.*: permits
rendere più chiara la frase: make the sentence clearer
ambiguità, l' (*f., pl.* le ambiguità): ambiguity

7

città caotica, la (*f.*): chaotic city
ulteriore, (*m./f.*): further
chiarimento, il (*m.*): explanation
consultare, *inf.*: consult

8

brano, il (*m.*): text
lettura semplificata, la (*f.*): graded reader
ispirato a, (*m.*): inspired by
silenzioso, (*m.*): silent
mi danno un gran senso di pace: they give me a great sense of peace
cassiere, il (*m.*): cashier
mani veloci ed esperte, le (*f.*): fast, expert hands
bancario, il (*m.*): banker
toccare, *inf.*: touch
battere sui tasti del computer: tap the computer keys
dare senso alla vita: give sense to life
guardia, la (*f.*): guards
responsabile, il/la (*m./f.*): manager
sorridere, *inf.*: smiles
rispettoso, (*m.*): respectful
goccia, la (*f.*): droplet
sudore, il (*m.*): sweat
fronte, la (*f.*): forehead
pistola, la (*f.*): gun
pistola giocattolo, la (*f.*): toy gun
pazzo, (*m.*): crazy
rapinatore, il (*m.*): bank robber
definire, *inf.*: define
rapina, la (*f.*): robbery
studiato in ogni minimo particolare: planned down to the last detail
stupito/a, (*m./f.*): shocked
incredulo/a, (*m./f.*): incredulous
carcere, il (*m.*): prison
mi viene a trovare: comes and visits me

B Perché...?

1

spiegazione, la (*f.*): explanation
mutuo, il (*m.*): mortgage
odiare, *inf.*: hate
essere al verde: be broke
avere con sé: have with you

2

***per niente**: *at all
***stipendio**, lo (*m.*): *salary

C Egregio direttore...

2

egregio, (*m., pl.* egregi): Dear (formal

letters)

apparire, *inf.*: appear
adolescente, (*m./f.*): teenage
attualmente, *avv.*: currently
qualità, la/le (*f.*): qualities
proporsi, *inf.*: offer yourself
candidatura, la (*f.*): application
in risposta a: in answer to
posto, il (*m.*): position
sottoporre alla Sua attenzione, *inf.*: for your consideration
compilare, *inf.*: fill in
modulo, il (*m.*): form
allegare, *inf.*: attach
ho maturato un'esperienza didattica di 5 anni: I have gained 5 years teaching experience
socievole, (*m./f.*): sociable
in attesa di una Sua risposta: to receiving your reply
resto a Sua disposizione, (*inf.* restare): remain available
eventuale, (*m./f.*): possible
distinti saluti: yours sincerely

3

amichevole, (*m./f.*): friendly
spettabile (Spett.le), (*m./f.*): Messrs
ditta, la (*f.*): company
cordiali saluti: best regards
La saluto cordialmente: yours sincerely
in attesa di un Suo riscontro: I look forward to hearing from you
Colgo l'occasione per porgere distinti saluti: I would like to take the opportunity to send you my best wishes
aspetto/attendo Vostre notizie: I look forward to your receiving your news
in attesa di un Vostro riscontro: I look forward to your reply
Vi saluto cordialmente: Yours sincerely

4

azienda, l' (*f.*): company
mansione, la (*f.*): role
ricoprire, *inf.*: to do, (as in job)

5

annuncio di lavoro, l' (*m.*): job advertisement
novità, la (*pl.* le novità): news
come al solito: as usual
chi cerca trova: he who seeks shall find
chi trova un amico trova un tesoro: a friend is a treasure
fammi uno squillo, (*inf.* fare): give me a ring

6

è riferito a: is referred to
pronome dimostrativo, il (*m.*): demon-

strative pronoun
rientrare tra, *inf.*: falls within
cosiddetto, (*m.*): so called

7

pigliare, *inf.*: catch
alloggiare, *inf.*: stay

D In bocca al lupo!

1

abbonarsi, *inf.*: sign up
lettore, il (*m.*): reader
comportare, *inf.*: entail
sforzo, lo (*m.*): effort
volontà, la (*f.*): will
essere in regola con...: have all the necessary documents
investire, *inf.*: invest
essere assunto: be employed
coloro che, *pron.*: those who
sostenere i costi: sustain the costs
guadagnare, *inf.*: earn
fino a quando non...: until...
datore di lavoro, il (*m.*): employer
disposto a, (*m.*): prepared to
fare richiesta di: ask for
visto, il (*m.*): visa
cuoco professionista, il (*m.*): professional cook
decennale, (*m./f.*): ten year
in tanti: many of you
tutti quelli che: all those who
muoversi, *inf.*: work in
settore della ristorazione, il (*m.*): catering sector
chiosco, il (*m. pl.* chioschi): kiosk
in secondo luogo: secondly
il che (ciò): which
visto che: given that
aspetto, l' (*m.*): aspect
quanto (tutto quello che/ciò che): what (that which)
quanti (tutti quelli che/coloro che): those (all those who/those who - masculine)
quante (tutte quelle che/coloro che): those (all those who/those who - feminine)

2

amministratore, l' (*m.*): administrators
lecito, (*m.*): legitimate
affrontare, *inf.*: face
inclusivo, (*m.*): inclusive
in età scolare o prescolare: school or pre-school age
trovarsi bene, *inf.*: be happy or comfortable

3

trasmissione radiofonica, la (*f.*): radio broadcast
porre una domanda, *inf.*: ask a question

E Curriculum Vitae

1

sostenere un colloquio di lavoro: attend a job interview

2

***prego, si accomodi**, (*inf.* accomodarsi):*please take a seat
***conseguire**, *inf.*: *obtain
***rimanere indietro**, *inf.*: *fall behind
***vincere una borsa di studio**: *win a scholarship
***pratica**, la (*f.*): *practice
***cavarsela**, *inf.*: *get on with
***concentrarsi su**, *inf.*: *concentrate on
***reparto vendite**, il (*m.*): *sales department
***praticamente**, *avv.*: *in practice
***eccetera**: *etcetera
***essere portato per qualcosa**: *have a flair for
***può darsi**: *maybe

3

informazioni personali, le (*f.*): personal information
(telefono) mobile, il (*m.*): mobile (phone)
cittadinanza, la (*f.*): nationality
data e luogo di nascita: date and place of birth
sesso, il (*m.*): gender
occupazione desiderata, l' (*f.*): desired occupation
gestione, la (*f.*): management
risorse umane, le (*f.*): human resources
esperienza professionale, l' (*f.*): professional experience
lavoro o posizione ricoperti: work or roles covered
addetto alle vendite, l' (*m.*): sales assistant
programma informatico, il (*m.*): IT program
Scuola di Economia e Management, la (*f.*): School of Economics and management
votazione, la (*f.*): grade/mark (degree classification)
presso, *avv.*: at
competenza, la (*f.*): competency
madrelingua, la (*f.*): mother tongue
interazione orale, l' (*f.*): oral interaction
produzione orale, la (*f.*): oral production
Quadro comune europeo di riferimento per le lingue, il (*m.*): Common European framework of languages
competenze comunicative, le (*f.*): communication skills
acquisito, *part. pass.* (*inf.* acquisire): acquired
organizzativo, (*m.*): organisation
sia ... sia...: both... and...
praticare (uno sport), *inf.*: practise (a sport)
pallacanestro, la (*f.*): basketball
pallavolo, la (*f.*): volleyball
sistema operativo, il (*m.*): operating system
essere in grado di: be able to
patente B, la (*f.*): B licence
autorizzare, *inf.*: authorise
trattamento dei dati personali: treatment of personal data
art. (articolo), l' (*m.*): Art. (legal article)
D.Lgs. (Decreto Legislativo), il (*m.*): legislative decree
regolamento, il (*m.*): regulation
U.E. (Unione Europea), l' (*f.*): E.U (European Union)
relativo a: relative to
protezione delle persone fisiche, la (*f.*): protection of physical persons

4

com'è andata...?: how did it go?
svolgere, *inf.*: carry out
andare via: leave

5

requisito, il (*m.*): requirement
neolaureato, il (*m.*): new graduate
assunzione, l' (*f.*): employment
ricercare, *inf.*: search for
laureato in Economia e Commercio: il (*m.*): graduate in Economics and Business
assistenza ufficio marketing, l' (*f.*): assistance to the marketing department
richiedere, *inf.*: require
flessibilità, la (*f.*): flexibility
attitudine (a), l' (*f.*): aptitude (for)
immediato, (*m.*): immediate
contratto di lavoro, il (*m.*): employment contract
a tempo pieno: full time
assumere, *inf.*: take on
ambosessi, (*m./f.*): both male and female
età non superiore ai 30 anni: under the age of 30
cassiere, il (*m.*): cashier
magazziniere, il (*m.*): warehouse person
scaffalista, lo/la (*m./f.*): shelf stacker
macellaio, il (*m.*, *pl.* i macellai): butcher
salumiere, il (*m.*): delicatessen worker
contratto a tempo determinato, il (*m.*): fixed term contract
a tempo indeterminato: permanent contract
rinnovo, il (*m.*): renew
indirizzare, *inf.*: direct
assicurazione, l' (*f.*): insurance
sede, la (*f.*): branch
responsabile commerciale, il (*m.*): business manager
età inferiore ai 30 anni: under the age of 30
pacchetto informatico, il (*m.*): IT package
preferenziale, (*m./f.*): preferred
compagnia di assicurazione, la (*f.*): insurance company
studio legale, lo (*m.*): law firm
sezione, la (*f.*): section
aziendale, (*m./f.*): company

F Un colloquio di lavoro... in diretta

2

andare in diretta: to go live
scambiare qualcuno per qualcun altro: mistake someone for another person
telecamera, la (*f.*): video camera
elettricista, l' (*m./f.*): electrician
all'improvviso, *avv.*: suddenly
stare per: about to
allontanarsi, *inf.*: walk away from
tipo, il (*m.*): guy
di fretta: in a hurry
stare dietro a qualcuno: keep up with someone
mettersi a *inf.*: start to
camerino, il (*m.*): changing room
poi dritto: then straight
perdere tempo: waste time
truccatrice, la (*m.* il truccatore): make-up artist
trucco, il (*m.*): make up
di fronte a: in front of
stare calmo: remain calm
governo, il (*m.*): government
licenziare, *inf.*: make redundant
maestro elementare, il (*m.*): primary school teacher
sorpreso, (*m.*): surprised
nel frattempo: in the meantime
lobby, la (*f.*): lobby
monitor, il (*m.*): monitor
comparire, *inf.*: appear
volto, il (*m.*): face
sconosciuto (*m.*): unknown person
accadere, *inf.*: happen
segretaria, la (*f.*): receptionist
confondere, *inf.*: mixed up

3

paragrafo, il (*m.*): paragraph
progressivo, (*m.*): continuous
in corso di svolgimento: in progress

4

licenziamento, il (*m.*): redundancy
fare quattro passi: go for a walk

5

siamo spiacenti di: we are sorry to
a partire da: with effect from

G Vocabolario e abilità

2

curare, *inf.*: take care of
lavoro manuale, il (*m.*): manual labour
faticoso, (*m.*): tiring
arte del cucinare, l' (*f.*): art of cooking
veterinario, il (*m., pl.* i veterinari): vet

4

fissare un colloquio: set up an
interview
in bocca al lupo: good luck (literally in
the wolf's mouth)

5

ambiente lavorativo, l' (*m.*): work
environment

Conosciamo l'Italia

L'economia italiana

1

miracolo economico, il (*m.*): economic
miracle
Seconda guerra mondiale, la (*f.*): Second world War
distrutto, (*m.*): destroyed
agricoltura, l' (*f.*): agriculture
Stati Uniti, gli (*m.*): United States
piano Marshall, il (*m.*): Marshall plan
ricostruzione, la (*f.*): reconstruction
ripresa, la (*f.*): recovery
opera pubblica, l' (*f.*): public works
autostrada del Sole, l' (*f.*): The A1 motorway which runs the length of Italy
called the Motorway of the Sun
autostrada Adriatica, l' (*f.*): the Adriatic
motorway
facilitare, *inf.*: facilitate
mobilità, la (*f.*): mobility
merce, la (*f.*): goods
di conseguenza: as a result
sviluppo, lo (*m.*): development
rinnovarsi, *inf.*: renewal
esportare, *inf.*: export
automobile, l' (*f.*): car
prodotto alimentare, il (*m.*): food prod-
ucts
boom economico, il (*m.*): economic
boom
utilitaria, l' (*f.*): hatchback car
applicare, *inf.*: apply
esportazione, l' (*f.*): export
marchio, il (*m., pl.* i marchi): brand
con il passare del tempo: in time
creatività, la (*f.*): creativity
affermarsi, *inf.*: assert oneself
settore automobilistico, il (*m.*): automobile sector
come già anticipato sopra: as men-

tioned above
lussuoso, (*m.*): luxurious
auto da corsa, l' (*f.*): racing car
settore alimentare, il (*m.*): food sector
azienda multinazionale, l' (*f.*): multina-
tional company
fatturare, *inf.*: invoice
miliardo, il (*m.*): billion
fin dai primi anni: at the beginning of
diffondersi, *inf.*: to become wide-
spread
legge, la (*f.*): law
bene, il (*m.*): goods
progettare, *inf.*: designed
rispettare, *inf.*: respect
rischiare, *inf.*: risk
reclusione, la (*f.*): imprisonment

2

alta moda, l' (*f.*): high fashion
elettrodomestico, l' (*m., pl.* gli elettrodomestici): white goods
avere una forte presenza: have a
strong presence

Autovalutazione

4

risparmiare, *inf.*: save
regolarmente, *avv.*: regularly

**Quaderno degli esercizi
Unità 2**

1

percentuale di guadagno, la (*f.*):
percentage of earning
fornire, *inf.*: provide

3

artista futurista, l' (*m./f.*): futurist
artist

4

prendere lezioni: take lessons

7

rimanere tra noi: remain between us

8

fare la pubblicità: advertise
bolletta, la (*f.*): bill

9a

avere fiducia in qualcuno: have faith
in someone
spiaggia, la (*f., pl.* le spiagge): beach

10

viaggiare per il mondo: travel around
the world
conferenza, la (*f.*): conference

11

piadineria, la (*f.*): piadina shop, (a piadina is a kind of round flat bread, like
a wrap)

buono sconto, il (*m.*): discount voucher
dividere l'appartamento: share the
apartment

12

dare l'esame: sit an exam
trovare il tempo: find the time

14

per qualsiasi informazione: for any
information
augurare, *inf.*: wish

15

gallina, la (*f.*): hen

16

in anticipo: in advance
vergogna, la (*f.*): disgrace
non guasta: never does any harm

17a

scambio, lo (*m., pl.* gli scambi): exchange
curriculum, il (*pl.* i curricula): curriculum, resume
alla ricerca di: looking for
avvenire, *inf.*: happens
valutazione, la (*f.*): evaluation
apparentemente, *avv.*: apparently
prima impressione, la (*f.*): first impression
decisivo, (*m.*): decisive
banale, (*m./f.*): obvious
dettaglio, il (*m., pl.* i dettagli): detail

17b

in maniera diretta: directly
tono della voce, il (*m.*): tone of voice
trasmettere, *inf.*: convey
motivazione, la (*f.*): motivation
interlocutore, l' (*m.*): interlocuter
dare motivo: give reason
a fine telefonata: at the end of the
telephone call
passaggio, il (*m.*): steps
successivo, (*m.*): following
selezionatore, il (*m.*): interviewer (the
person who selects)

18

lascia perdere: let it be
come va a finire: how it will end

19

mettere in pratica: put into practice
tesi di laurea, la (*f.*): dissertation
introverso, (*m.*): introvert
limite, il (*m.*): limit
Politecnico, il (*m.*): Polytechnic
candidarsi, *inf.* apply for

21

in riferimento a: in reference to
essere in possesso di: possess
diplomarsi, *inf.*: get a high school di-

ploma
alla vostra cortese attenzione: for your kind attention
a pieni voti: top marks
perfezionare, *inf.*: improve
risalire a, *inf.*: dates back to
stampare, *inf.*: print

22
firmare, *inf.*: sign
condizione, la (*f.*): terms
finanziamento, il (*m.*): loan
*****in qualità di**: *as
*****vicedirettore**, il (*m.*): *deputy director
*****istituto bancario**, l' (*m.*): *banking institution
*****prassi**, la (*f.*): *processes
*****in parole semplici**: *in other words
*****in modo tale da**: *in order to
*****il maggior numero di**: *the largest amount of
*****attentamente**, *avv.*: *carefully
*****in ogni caso**: *in any case
*****normalmente**, *avv.*: *normally
*****versamento**, il (*m.*): *deposit
*****prelievo**, il (*m.*): *withdrawal
*****ampio**, (*m.*): *wide
*****investimento**, l' (*m.*): *investment
*****piano di incremento del risparmio**, il (*m.*): *plan to increase savings
*****fortemente**, *avv.*: *strongly
*****mentalità**, la/le (*f.*): *mentality
*****consulenza**, la (*f.*): *consultancy
*****estremamente**, *avv.*: *extremely
*****integrazione pensionistica**, l' (*f.*): *integration of pension
complesso, (*m.*): complex
operazioni di Borsa, le (*f.*): stock market transactions
*****comodamente**, *avv.*: *comfortably
*****onere**, l' (*m.*): *need
*****recarsi**, *inf.*: *go to
*****notevole**, (*m./f.*): *notable
*****tant'è**: *so much so that
*****ridotto**, (*m.*): *reduced
*****a patto che**: *on condition that
*****consistente**, (*m./f.*): *consistent
*****emissione di carta di credito**, l' (*f.*): *emission of a credit card
*****abbattimento**, l' (*m.*): *reduction
*****spese aggiuntive**, le (*f.*): *additional costs
*****mediamente**, *avv.*: *average
*****esposizione**, l' (*f.*): *exposure
*****capitale**, il (*m.*): *capital
*****consentire**, *inf.*: *allow
*****chiaramente**, *avv.*: *clearly
*****effettuare**, *inf.*: *make
*****sin dai 14 anni**: *from the age of 14
***** in quanto**: *because, as

*****fascia di utenza**, la (*f.*): *range of users
*****gamma diversificata**, la (*f.*): *diversified range
*****(carta) ricaricabile**, (*m./f.*): *top up (card)
*****oltre a**: *in addition to
*****praticità**, la (*f.*): *practicality
*****a tutti gli effetti**: *to all effects and purposes
*****agevolazione**, l' (*f.*): *concession

23
gratuito, (*m.*): free
è riservato a: is open to
su misura: tailor made
individuale, (*m.*): individual
personalizzato, (*m.*): personalised
livello linguistico, il (*m.*): language level
quota di iscrizione, la (*f.*): enrolment fee
laboratorio di cucina, il (*m.*): cookery course
cibo, il (*m.*): food
tecnica, la (*f.*): technique
bimbo, il (*m.*): child
elenco, l' (*m.*): lists

Test finale

A
mammone, il (*m.*): mummy's boy (aimed at grown adult men who have yet to leave home and become financially independent)
lavoro fisso, il (*m.*): permanent contract

B
segreteria, la (*f.*): reception

Unità 3
In viaggio per l'Italia

Per cominciare...

1a
località, la/le (*f.*): location
vacanza culturale, la (*f.*): culture holiday
viaggio di nozze, il (*m.*): honeymoon
vacanze estive, le (*f.*): summer holiday

4
umidità, l' (*f.*): humidity

In questa unità impariamo...

fare paragoni: make comparisons
comparativo, il (*m.*): comparative
maggioranza, la (*f.*): majority (one of the three types of comparative in Italian)
minoranza, la (*f.*): minority (one of the three types of comparative in Italian)

uguaglianza, l' (*f.*): equality (one of the three types of comparative in Italian)
verbo pronominale, il (*m.*): pronominal verb
superlativo relativo, il (*m.*): relative superlative (one of the two types of superlative in Italian)
superlativo assoluto, il (*m.*): absolute superlative (one of the two types of superlative in Italian)

A È bella quanto Roma!

1
a scelta: my choice
i miei: my parents
non è il massimo: not the best option
duomo, il (*m.*): cathedral
fare un freddo cane: to be freezing cold
canale, il (*m.*): canals
ponte, il (*m.*): bridge
gondola, la (*f.*): gondola
acqua alta, l' (*f.*): high water
lungomare, il (*m.*): along the seafront
non ti va mai bene niente: nothing is ever right for you
essersi fissato con qualcosa: to be obsessed with/by something
ma quando mai?: since when?

2
alta marea, l' (*f.*): high tide
certezza, la (*f.*): certainty
confermare, *inf.*: confirm
meraviglia, la (*f.*): wonder
respingere, *inf.*: refute
restare fermo: be convinced
stabilirsi, *inf.*: settle down

3
è sul mare: it is by the sea
essere testardo come un mulo: to be as stubborn as a mule
prendersela, *inf.*: be offended
è fatto così: that's the way he is
farcela, *inf.*: do it/manage it

4
tutto compreso: all inclusive

5
comparazione, la (*f.*): comparison

7
a sua volta: in turn

B Più italiana che torinese!

1
tra una regione e l'altra: between one region and another
differenze culturali, le (*f.*): cultural differences
interno, l' (*m.*): internally
caratterizzare, *inf.*: characterise

2

essere pazzo di: to be crazy about
costiera Amalfitana, la (*f.*): the Amalfi coast
d'altra parte: on the other hand
meridionale, (*m./f.*): southern
settentrionale, (*m./f.*): northern
calabrese, (*m./f.*): Calabrian
piemontese, (*m./f.*): from Piedmont
ovvero: that is
nonni paterni, i (*m.*): paternal grandparents
sparso, (*m.*): spread
lungo tutta la penisola: along the whole peninsula
torinese, (*m./f.*): from Turin
bolognese, (*m./f.*): Bolognese
avere un grande spirito civico: have a great sense of community spirit
atteggiamento, l' (*m.*): attitude
fiducia, la (*f.*): trust
emotivo, (*m.*): emotional
sentimentale, (*m./f.*): sentimental
ragione, la (*f.*): reason
milanese, (*m./f.*): Milanese
invidiare, *inf.*: envy
efficienza, l' (*f.*): efficiency
puntualità, la (*f.*): punctuality
capacità imprenditoriale, la (*f.*): entrepreneurship
nonché: as well as
stupendo, (*m.*): magnificent
chiasso, il (*m.*): noise
furbo, (*m.*): astute
autoironico, (*m.*): self-ironic
altruista, (*m. e f.*) (*pl.* altruisti/altruiste): selfless
sopportare, *inf.*: to put up with

4

portici di Bologna, i (*m.*): the arches of Bologna
coprire una lunghezza di..., la (*f.*): cover a distance of...

C Gli animali domestici sono ammessi?

1

criterio, il (*m., pl.* i criteri): criteria

2

immerso nel verde: surrounded by nature
immenso, (*m.*): huge
fidanzato, (*m.*): engaged
***meraviglioso,** (*m.*): *wonderful
***gazebo, il** (*m.*): *gazebo
***eccezionale,** (*m./f.*): *exceptional

3

nominare, *inf.*: mention
zona relax, la (*f.*): relaxation area
vista, la (*f.*): view

aria condizionata, l' (*f.*): air conditioning
animali domestici, gli (*m.*): pets
TV satellitare, la (*f.*): satellite TV
navetta aeroporto, la (*f.*): airport shuttle
***sbrigarsi,** *inf.*: *hurry up
***alta stagione, l'** (*f.*): *high season
***(camera) matrimoniale, la** (*f.*): *double room
***a due passi dal centro storico**: *close to the historic centre
***terrazzo, il** (*m.*): *terrace
***dà sul parco**: *overlooking the park
***ammesso** (*m.*): *accepted

6

rimborsare, *inf.*: refund
cancellazione, la (*f.*): cancellation
non serve alcun pagamento anticipato: no advanced payment needed
paga in struttura: pay at the hotel
include tasse e costi: includes taxes and other fees
pulsante, il (*m.*): button (box on a web page)
soggiornare, *inf.*: stay
stazione ferroviaria Termini, la (*f.*): Termini railway station
camera cliatizzata, la (*f.*): air-conditioned room
dotato di, (*m.*): has
asciugacapelli, l' (*m.*): hairdryer
sauna finlandese, la (*f.*): Finnish sauna
bagno turco, il (*m.*): Turkish baths
trattamento di bellezza, il (*m.*): beauty treatments
distare, *inf.*: away from (distance)
raggiungibile, (*m./f.*): reachable
andare pazzo per: appreciate most (literally go crazy for)
servizio in camera, il (*m.*): room service
camere non fumatori, le (*f.*): non-smoking rooms,
centro benessere, il (*m.*): wellness centre
disponibilità, la (*f.*): availability
recensione, la (*f.*): reviews
situato, (*m.*): situated
personale qualificato, il (*m.*): qualified staff
sistemazione, la (*f.*): accommodation
disporre, *inf.*: have
pavimento, il (*m.*): floor
doccia/vasca idromassaggio, la (*f.*): shower/jacuzzi
servizio di noleggio di auto elettriche, il (*m.*): electric car hire service
camere/strutture per ospiti disabili,

le (*f.*): rooms/facilities for disabled guests

D La città più bella

1

calciatore, il (*m.*): footballer
spiaggia dei conigli, la (*f.*): rabbit beach (a beach in Lampedusa, Sicily)

2

opera d'arte, l' (*f.*): work of art
civiltà etrusca, la (*f.*): Etruscan civilisation

3

delusione, la (*f.*): disappointment

4

giudizio, il (*m., pl.* i giudizi): opinion
al massimo grado: at the highest level
curato, (*m.*): well looked after
edificio, l' (*m., pl.* gli edifici): building
proprietario, il (*m., pl.* i proprietari): owner

5

migliaio, il (*m., pl.* le migliaia): thousand
capoluogo, il (*m., pl.* i capoluoghi): county town
culla della cultura, la (*f.*): heart of culture (culla means crib)
Rinascimento, il (*m.*): Renaissance
governare, *inf.*: govern
concittadino, il (*m.*): fellow citizen
abbellire, *inf.*: to make more attractive
supremo, (*m.*): supreme
scienziato, lo (*m.*): scientist
filosofo, il (*m.*): philosopher
da non perdere: mustn't miss
signoria, la (*f.*): Signoria (political control exercised by powerful figures)
magnifico, (*m., pl.* magnifici): magnificent
partendo dal presupposto che: starting with the assumption that
temperatura mite, la (*f.*): mild temperatures
giornata soleggiata, la (*f.*): sunny days
periodo autunnale, il (*m.*): autumn period
riparo, il (*m.*): cover/shelter
decisamente, *avv.*: decidedly
tranquillità, la (*f.*): tranquillity
addobbato, (*m.*): decorated
festività natalizie, le (*f.*): Christmas holidays
fascino, il (*m.*): charm/appeal
deludere, *inf.*: disappoint
personalità, la/le (*f.*): personalities

6

sanità, la (*f.*): health
in mi minore: in E minor

avere la sensazione di: get the feeling that
maggiore età, la (*f.*): age of consent
aspettativa, l' (*f.*): expectation

7

non vedere l'ora di: can't wait to
misura, la (*f.*): measures/precautions
polizia stradale, la (*f.*): traffic police
poiché, *cong.*: since

E Vocabolario e abilità

2

di seguito: below

5

invitante, (*m./f.*): inviting
brochure pubblicitaria, la (*f.*): brochure
deludente (*m./f.*): disappointing
esporre, *inf.*: outline
ospitalità, l' (*f.*): hospitality
professionalità, la (*f.*): professionalism

6

argomentazione, l' (*f.*): reasons
controargomentazione, la (*f.*): counter arguments

Conosciamo l'Italia

Città italiane

Impero Romano, l' (*m.*): Roman Empire
epoca storica, l' (*f.*): historical era
testimonianza, la (*f.*): evidence
Foro Romano, il (*m.*): Roman Forum
colle, il (*m.*): hill
resti di templi, i (*m.*): remains of temples
templi, i (*m.*, *sing.* il tempio): temples
anfiteatro, l' (*m.*): amphitheatre
d.c. (dopo Cristo): A.D (after Christ)
Colosseo, il (*m.*): colosseum
Basilica di San Pietro, la (*f.*): St Peter's Basilica
Stato Vaticano, lo (*m.*): Vatican State
Musei Vaticani, i (*m.*): Vatican Museums
Cappella Sistina, la (*f.*): Sistine Chapel
lanciare, *inf.*: throw
Villa Borghese, la (*f.*): Villa Borghese park
custodire, *inf.*: houses
tomba, la (*f.*): tomb
imperatore, l' (*m.*): Emperor
Terme di Caracalla, le (*f.*): Caracalla Baths
quartiere Trastevere, il (*m.*): Trastevere district
arte gotica, l' (*f.*): gothic art
grandi firme, le (*f.*): designer labels
teatro lirico, il (*m.*): opera house
Castello Sforzesco, il (*m.*): Sforzesco Castle
convento, il (*m.*): convent

ammirare, *inf.*: admire
affresco, l' (*m.*, *pl.* gli affreschi): fresco
Cenacolo (o l'Ultima Cena), il (*m.*): The Last Supper
vita notturna, la (*f.*): nightlife
Navigli i (*m.*): Navigli district
meritare, *inf.*: merit
Ponte di Rialto, il (*m.*): Rialto Bridge
bottega, la (*f.*): little shop
Canal Grande, il (*m.*): Grand Canal
Ponte dei Sospiri, il (*m.*): Bridge of Sighs
campanile, il (*m.*): bell tower
Palazzo Ducale, il (*m.*): Doge's Palace
residenza, la (*f.*): residence
Doge, il (*m.*): Doge (the supreme authority of the Venetian republic)
capo, il (*m.*): head
sestiere, il (*m.*): district, neighbourhood
Ghetto Ebraico, il (*m.*): Jewish Ghetto
intellettuale, l' (*m./f.*): intellectual
manifestarsi, *inf.*: is exhibited/put on show
presepe, il (*m.*): nativity scene
imperdibile (*m./f.*): unmissable
statua del Cristo Velato, la (*f.*): statue of the Veiled Christ
Palazzo Reale, il (*m.*): Royal Palace
Piazza del Plebiscito, la (*f.*): Piazza del Plebiscito (a square)
sotterraneo, (*m.*): underground
avventuroso, (*m.*): adventurous
escursione, l' (*f.*): excursion
cratere, il (*m.*): crater
vulcano, il (*m.*): volcano
segno, il (*m.*): sign
mescolarsi, *inf.*: blend
barocco, (*m.*): Baroque
neo-classico, (*m.*): neo-classical
cattedrale, la (*f.*): cathedrals
basilica neocristiana, la (*f.*): neo-Christian basilica
moschea, la (*f.*): mosque
islamico, (*m.*, *pl.* islamici): Islamic
mosaico, il (*m.*, *pl.* i mosaici): mosaic
bizantino, (*m.*): Byzantine

4

pescare, *inf.*: fish

Autovalutazione

3

media, la (*m.*): average

> **Quaderno degli esercizi**
> **Unità 3**

2

cavallo, il (*m.*): horse

3

maturo, (*m.*): mature

4

anguria, l' (*f.*): watermelon
ciliegia, la (*f.*): cherry

5

aromatico, (*m.*, *pl.* aromatici): aromatic
nuoto, il (*m.*): swimming
noce, la (*f.*): walnut

7

corsa, la (*f.*): running
ciclismo, il (*m.*): cycling
informatica, l' (*f.*): information technology
ironico, (*m.*): ironic
ospitale, (*m./f.*): hospitable
cortese, (*m./f.*): courteous

12

suite familiare, la (*f.*): family suite
piscina riscaldata, la (*f.*): heated pool
pista da sci, la (*f.*): ski slope
interno, (*m.*): internal
esterno, (*m.*): external

13

supercomodo, (*m.*): very comfortable
arredato, (*m.*): furnished
rilassante, (*m./f.*): relaxing
incantevole, (*m./f.*): enchanting
assoluto, (*m.*): total
scomodo, (*m.*): uncomfortable
cuccia, la (*f.*, *pl.* le cucce): kennel
amici a quattro zampe, gli (*m.*): four-legged friends
nota, la (*f.*): point
confezionato, (*m.*): pre-packed

14

organizzazione, l' (*f.*): association
esaminare, *inf.*: consider/examine
pesa ben 430 chili!: weighs an incredible 430 kg
bignè, il/i (*m.*): profiterole
crema chantilly, la (*f.*): Chantilly cream
glassa al cioccolato, la (*f.*): chocolate icing
zeppola di San Giuseppe, la (*f.*): A type of profiterole, made especially for Father's Day which is on 19th March, the patron saint's day of San Giuseppe
diametro, il (*m.*): diameter
lavorazione, la (*f.*): work
altezza, l' (*f.*): height
olio d'oliva, l' (*m.*): olive oil

15

lavanderia, la (*f.*): laundry service

17

elefante, l' (*m.*): elephant

19

compiere, *inf.*: turn (in terms of age)

20

alloggio, l' (*m.*, *pl.* gli alloggi): accommodation

personale di turno, il (*m.*): staff on shift

pernottare, *inf.*: overnight stay

sporco, (*m.*, *pl.* sporchi): dirty

umido, (*m.*): damp

servizio clienti, il (*m.*): customer service

21

bagno privato, il (*m.*): private bathroom

letto extra, il (*m.*): additional bed

22

scuola alberghiera, la (*f.*): hotel school

affiancare, *inf.*: work alongside

illustrare, *inf.*: illustrate, show

esplorare, *inf.*: explore

*****albergatore**, l' (*m.*): *hotelier

*****figlio d'arte**, il (*m.*): *come from family tradition

*****passare lo scettro**: *pass the sceptre (meaning to inherit)

*****per così dire**: *so to say

*****nel flusso di un albergo**: *flow of the hotel

*****affollato** (*m.*): *busy

*****discreto afflusso**, il (*m.*): *reasonable influx

*****prevalentemente**, *avv.*: *predominantly

*****affidabile** (*m./f.*): *reliable

*****riposante** (*m./f.*): *restful

*****cassaforte**, la (*f.*, *pl.* le casseforti): *safety deposit box

*****sala da pranzo**, la (*f.*): *dining room

*****gastronomico**, (*m.*, *pl.* gastronomici): *catering

Test finale

B

corsia, la (*f.*): lane (like on a motorway)

ora di punta, l' (*f.*): rush hour

fare il pieno, *inf.*: fill up the tank

ecologico, (*m.*, *pl.* ecologici): ecological

1° test di ricapitolazione

ricapitolazione, la (*f.*): summary, recap

A

carota, la (*f.*): carrot

fare sapere: let someone know

B

andare d'accordo: get on with

C

volere bene a qualcuno: care for someone

andare a trovare qualcuno: go and visit someone

D

richiamare, *inf.*: call back

E

interrogazione, l' (*f.*): oral test

F

invadente, (*m./f.*): intrusive

dietetico, (*m.*, *pl.* dietetici): low-calorie

Unità 4
Un po' di storia

Per cominciare...

1

linea del tempo, la (*f.*): timeline

periodo storico, il (*m.*): historical period

Antica Roma, l' (*f.*): Ancient Rome

Medioevo, il (*m.*): Middle Ages

Risorgimento, il (*m.*): Risorgimento (period leading to the unification of Italy)

dopoguerra, il (*m.*): post war period

2

invadere, *inf.*: invade

unità d'Italia, l' (*f.*): unification of Italy

barbari, i (*m.*): Barbarians

mausoleo, il (*m.*): mausoleum

parlamento, il (*m.*): parliament

costituzione, la (*f.*): constitution

4

fondare, *inf.*: found, establish

impegnarsi, *inf.*: make an effort

In questa unità impariamo...

a contraddire qualcuno: contradict someone

favola, la (*f.*): fairy tale

esporre un avvenimento storico, l' (*m.*): explain a historic event

passato remoto, il (*m.*): remote past

presente storico, il (*m.*): historic past

numeri romani, i (*m.*): roman numerals

A Roma la fondarono Romolo e Remo

1

milanista, il/la (*m./f.*): Milan football club supporter

fondatore, il (*m.*): founder

bruciare, *inf.*: burn

accusare, *inf.*: accuse, blame

ti sto prendendo in giro: making fun of you

interista, l' (*m./f.*): Inter football club supporter

2

incendio, l' (*m.*): fire

antichità, l' (*f.*): antiquity

3

riempire, *inf.*: fill

tetto, il (*m.*): roof

grandezza, la (*f.*): size

separato, *part. pass.*: separated

bosco, il (*m.*): wood

lago artificiale, il (*m.*): artificial lake

decorare, *inf.*: decorate

marmo, il (*m.*): marble

oro, l' (*m.*): gold

pietra preziosa, la (*f.*): precious stones

odiato, (*m.*): hated

fondamenta, le (*f.*): foundations

ricercatore, il (*m.*): researcher

restaurare, *inf.*: renovate

pantera, la (*f.*): panther

centauro, il (*m.*): centurion

sfinge, la (*f.*): sphynx

4

distruggere, *inf.*: destroy

6

genovese, (*m./f.*): person from Genoa

decina, la (*f.*): tens (used like dozen)

dipinto, il (*m.*): painting

B In che senso?

3

bibliografia, la (*f.*): bibliography

4

tremendo, (*m.*): tremendous

pozione magica, la (*f.*): magic potion

combattere, *inf.*: fight

generoso, (*m.*): generous

ci conto: I'm counting on it/you

C Medioevo e Rinascimento

1

acquedotto, l' (*m.*): aqueduct

anfiteatro, l' (*m.*): amphitheatre

diritto romano, il (*m.*): Roman law

progresso tecnico, il (*m.*): technical progress

periodo d'oro, il (*m.*): golden era

divisione, la (*f.*): division

Impero Romano d'Oriente, l' (*m.*): Eastern Roman Empire

generale, il (*m.*): general

germanico, (*m.*): Germanic

Impero Romano d'Occidente, l' (*m.*): Western Roman Empire

sconfiggere, *inf.*: defeat

caduta dell'Impero Romano, la (*f.*): fall of the Roman Empire

potenze europee, le (*f.*): European powers

Germani, i (*m.*): Germanic population

Ostrogoti, gli (*m.*): Ostrogoths

Longobardi, i (*m.*): Longbards

regnare, *inf.*: reigned

vicenda, la (*f.*): eventss

Sacro Romano Impero Germanico, il

(*m.*): Holy Roman Empire
Stato della Chiesa, lo (*m.*): State of the Church
alternarsi, *inf.*: alternate
autonomia, l' (*f.*): independence
città portuale, la (*f.*): port city
Repubbliche marinare, le (*f.*): Maritime Republics
borghesia, la (*f.*): bourgeoisie
città-stato, la (*f.*): city-state
Comune, il (*m.*): municipality
lentamente, *avv.*: slowly
Signoria, la (*f.*): Principality or Seigniory
Umanesimo, l' (*m.*): Humanism
indipendenza, l' (*f.*): independence
cadere nelle mani, *inf.*: fall into the handss
popolazione, la (*f.*): population
splendore, lo (*m.*): splendour

3

immobilizzato dalla paura, (*m.*): frozen to the spot (through fear)
stare attento, *inf.*: be carefusl

D C'era una volta...

1

opzione, l' (*f.*): option
Cappuccetto Rosso: Little Red Riding Hood
buccia di patata, la (*f.*): potato peeling
giraffa, la (*f.*): giraffe
neanche per sogno: Not a chance
scalino, lo (*m.*): step
gomma da masticare, la (*f.*): chewing gum

E E la storia continua...

2

soldato volontario, il (*m.*): volunteer soldier
dinastia dei Borboni, la (*f.*): Bourbon dynasty
esercito, l' (*m.*): army
stretto di Messina, lo (*m.*): strait of Messina
costringere, *inf.*: force
scappare, *inf.*: escape
a. C. (avanti Cristo): B.C (before Christ)
d. C. (dopo Cristo): A.D (after Christ)
giornalismo, il (*m.*): journalism
narrativa storica, la (*f.*): historical narrative
ascoltatore, l' (*m.*): listener

3

fascismo, il (*m.*): Fascism
Seconda Guerra Mondiale, la (*f.*): Second World War
Prima Guerra Mondiale, la (*f.*): First World War
vittoria mutilata, la (*f.*): mutilated vic-

tory
incompleto, (*m.*): incomplete
insoddisfatto, (*m.*): unsatisfied
partito fascista, il (*m.*): fascist party
sostenitore, il (*m.*): supporter
dittatura fascista, la (*f.*): fascist dictatorship
politica imperiale, la (*f.*): imperial policy
attacco, l' (*m.*): attack
leggi razziali, le (*f.*): racial lawss
ebreo, (*m.*): Jew
vergognoso, (*m.*): shameful
firma, la (*f.*): signing
patto d'acciaio, il (*m.*): Pact of Steel
debolezza, la (*f.*): weakness
spingere, *inf.*: push
escludere, *inf.*: exclude
unirsi, *inf.*: join
Alleati, gli (*m.*): Allies
nazi-fascisti, i (*m.*): Nazis and Fascists
partigiani, i (*m.*): partisans
liberare, *inf.*: liberate
completamente, *avv.*: completely
politicamente, *avv.*: politically
monarchia, la (*f.*): monarchy
forma di governo, la (*f.*): type of government
elezioni democratiche, le (*f.*): democratic elections
infrastruttura, l' (*f.*): infrastructure
velocemente, *avv.*: fast high speed
fondamentale, (*m./f.*): paramounts

4

parlamentare, il/la (*m./f.*): member of parliament
atteggiamento, l' (*m.*): attitudes
affrescare, *inf.*: frescos
stare accanto, *inf.*: be near
attrezzato, (*m.*): equipped

F Abilità

2

affascinare, *inf.*: fascinate

Conosciamo l'Italia

L'Italia: una società in continuo cambiamento

1

L'Italia come nazione unita nasce nel 1861

civile, il (*m.*): civilian
militare, il (*m.*): military
prendere il potere, *inf.*: take power
arrendersi, *inf.*: surrender
Il Sessantotto: Nineteen Sixty-eight
protesta, la (*f.*): protest, march
protestare, *inf.*: protest
diritto allo studio, il (*m.*): right to study
diritti sul luogo di lavoro, i (*m.*): workplace rights
emancipazione femminile, l' (*f.*): fe-

male emancipation
Gli anni di piombo Years of lead
anni di piombo, gli (*m.*): years of lead
lotta politica, la (*f.*): political battle
servizi segreti deviati, i (*m.*): corrupt secret services
violento, (*m.*): violent
vittima, la (*f.*): victim
magistrato, il (*m.*): magistrate
innocente, (*m./f.*): innocent
rapimento, il (*m.*): kidnapping
uccisione, l' (*f.*): murder

Tangentopoli e il cambiamento politico

tangentopoli, la (*f.*): bribesville, a historical period of corruption and bribery
venire alla luce, *inf.*: come to light
corruzione, la (*f.*): corruption
imprenditoria, l' (*f.*): business community
provocare, *inf.*: provoked, caused
scomparire, *inf.*: disappear

L'Italia del nuovo millenio: l'Europa e la crisi

millennio, il (*m.*): millennium
nonostante, *cong.* despite
subire un duro colpo, *inf.*: suffer a hard blow
crisi economica, la (*f.*): economic crisis
meta, la (*f.*): destination
immigrato, l' (*m.*): immigrant
continente africano, il (*m.*): African continent
nervosismo, il (*m.*): irritability
questione istituzionale, la (*f.*): institutional matter
corrompere, *inf.*: corrupt
investigazione, l' (*f.*): investigation
indagine, l' (*f.*): inquiry
gruppo politico radicale, il (*m.*): radical political group
moderato, (*m.*): moderate
movimento di lotta armata, il (*m.*): armed movement that fights for something

---

Quaderno degli esercizi Unità 4

1

Erasmus, l' (*m.*): Erasmus

4

leggenda, la (*f.*): legend
lupa, la (*f.*): she-wolf
nominare, *inf.*: nominate
senatore, il (*m.*): senator

6

finché non, *cong.*: until
coincidere, *inf.*: tie-up, coincide

anno accademico, l' (*m.*): academic year

7

nemico, il (*m.*): enemy
dittatore, il (*m.*): dictator
furbo, (*m.*): astute
coraggioso, (*m.*): brave
difendere, *inf.*: defend
sentimentale, (*m./f.*): sentimental
venir fuori, *inf.*: find a way out

10

vita quotidiana, la (*f.*): daily life

11

stare zitto, *inf.*: keep quiet

12

scrittura, la (*f.*): writing
redazione, la (*f.*): editorial staff
quotidiano, il (*m.*): daily newspaper
pioniere, il (*m.*): pioneer
settimanale, il (*m.*): weekly
concorso, il (*m.*): competition
filastrocca, la (*f.*): nursery rhyme
freccia, la (*f.*): arrow
forza immaginativa, la (*f.*): power of creativity

13

non dare retta: don't believe
associazione, l' (*f.*): association
superficiale, (*m./f.*): superficial
lotteria, la (*f.*): lottery
quella notizia è una bufala: that's fake news
dichiarare guerra, *inf.*: declare war

15

burattino, il (*m.*): marionette
c'era una volta: once upon a time

16

squillare, *inf.*: ring
non appena, *avv.*: as soon as

17

regno, il (*m.*): kingdom
luna, la (*f.*): moon
fanciulla, la (*f.*): maiden
gnomo, lo (*m.*): gnome
patto, il (*m.*): pact
cima, la (*f.*): top
roccia, la (*f.*): rock

19

Regno delle Due Sicilie, il (*m.*): Kingdom of the two Sicilies
Regno di Sardegna, il (*m.*): Kingdom of Sardinia
Regno d'Italia, il (*m.*): Kingdom of Italy

20

sbattere, *inf.*: hit
sereno, (*m.*): calm
inaspettato, (*m.*): unexpected
scuocere, *inf.*: overcook

21

reagire, *inf.*: react

22

cittadino maschio, il (*m.*): male citizen
nome comune, il (*m.*): first name
talvolta, *avv.*: sometimes
soprannome, il (*m.*): nickname
calvo, (*m.*): bald
nasone, il (*m.*): big nose
dentone, il (*m.*): big tooth
attribuire, *inf.*: give
nome personale, il (*m.*): personal names
nome gentilizio, il (*m.*): aristocratic name
nome proprio, il (*m.*): proper name

23

derivare, *inf.*: derive
italiano moderno, l' (*m.*): modern Italian
italiano standard, l' (*m.*): standard Italian
latino volgare, il (*m.*): vulgar Latin
*****vasto**, (*m.*): *vast
*****Medio Oriente**, il (*m.*): *Middle East
*****arricchito**, (*m.*): *enriched
*****invasioni barbariche**, le (*f.*): *Barbaric invasions
*****lingue neolatine**, le (*f.*): *neo-Latin languages
*****dialetto fiorentno**, il (*m.*): *Florentine dialect
*****La Divina Commedia**, la (*f.*): *Divine comedy
*****questione della lingua**, la (*f.*): *issue of the language
*****necessità**, la (*f.*): *necessity
*****Stato unitario**, lo (*m.*): *United State
*****nel frattempo**, *avv.*: *in the meantime
*****panorama**, il (*m.*): *landscape, future
*****forestierismo**, il (*m.*): *foreign terms
*****vale a dire**: *that is to say
*****analfabeta**, l' (*m./f.*): *illiterate
*****sopravvivere**, *inf.*: *live on
*****in un certo senso**: *in a certain sense
*****ricchezza**, la (*f.*): *wealth
*****italiano letterario**, l' (*m.*): *literary Italian
*****perfettamente**, *avv.*: *perfectly

Test finale

B

Bucoliche, le (*f.*): Bucolics (work of Virgil)
Georgiche, le (*f.*): Georgics (poem by Virgil)
Eneide, l' (*f.*): Aeneid (poem by Virgil)
fondazione, la (*f.*): foundation

Per cominciare...

1

patatine, le (*f.*): chips, fries
stagione (di una serie televisiva), la (*f.*): season (of a TV series)
attività fisica, l' (*f.*): exercise (physical)
salutista, il/la (*m./f.*): health fanatic
vita sana, la (*f.*): healthy life
forma fisica, la (*f.*): physical shape
fanatico, (*m.*): fanatic
pigrone, il (*m.*): lazy person

In questa unità impariamo...

mantenersi in forma: keep in shape
condurre una vita sana: lead a healthy life
speranza, la (*f.*): hope
congiuntivo presente, il (*m.*): present subjunctive
congiuntivo passato, il (*m.*): past subjunctive
disciplina sportiva, la (*f.*): sports
Paralimpiadi, le (*f.*): Paralympics

A Posso venire a correre con te?

1

fenomeno, il (*m.*): genius
allenarsi, *inf.*: train
prendersi cura di qualcosa: take care of something
corpo, il (*m.*): body
non tanto nel senso: not so much in the sense of
più o meno: more or less
normale, (*m./f.*): normal
vita sedentaria, la (*f.*): sedentary life
siamo in pochi: there are few of us
altrettanto, *avv.*: just as
mangiare sano, *inf.*: eat healthily
riprendere a fare qualcosa: start doing something again

3

garantire, *inf.*: guarantee
ricominciare, *inf.*: start again
corsa, la (*f.*): run
addominali, gli (*m.*): abdominals
allenamento, l' (*m.*): training
bugia, la (*f.*): lie
fare una figuraccia: make a bad impression
rimettersi in forma: get back into shape
obiettivo, l' (*m.*): aim
motivato, (*m.*): motivated

5

in orario: on time
sport estremo, lo (*m.*): extreme sport
infortunio, l' (*m.*): injury

competitivo, (*m.*): competitive

B Fa' come vuoi!

1

associare, *inf.*: match
*separarsi, *inf.*: *split ups
*nascondere, *inf.*: *hide
*spettacolo teatrale, lo (*m.*): *play at the theatre
*anticipare (un appuntamento), *inf.*: *bring forward (an appointment)
*assentarsi, *inf.*: *be absent

3

scarpe da ginnastica, le (*f.*): trainers
chiamata, la (*f.*): phone call

C Come mantenersi giovani

come mantenersi giovani: how to keep young

1

cosa fa invecchiare: what makes us age
fumare, *inf.*: smoking
ansia, l' (*f.*): anxiety
saltare la prima colazione: skipping breakfast
consumo di cibo spazzatura, il (*m.*): eating junk food

2

alimentazione corretta, l' (*f.*): proper diet
informazioni ricavate dalla discussione, le (*f.*): information from the discussion
equilibrato, (*m.*): balanced

4a

frase principale, la (*f.*): main clause
frase subordinata/secondaria, la (*f.*): subordinate/secondary clause

4b

abitudine alimentare, l' (*f.*): eating habits
stato d'animo, lo (*m.*): mood, frame of mind
bisogna che: need to
si dice che: it is said that
sembra/pare che: it seems that
è necessario che: it is necessary to
è possibile/impossibile che: it is possible/impossible that

D Viva la salute!

2

istruttore (di palestra), l' (*m.*): instructor (gym)
*frequentatore di palestra, il (*f.*, la frequentatrice): *regular gym goer
*criterio, il (*m.*): *criteria
*innanzitutto, *avv.*: *first of all
*venire a conoscenza degli spazi: *get

to know the spaces
*fisicamente, *avv.*: *in reality
*macchinari, i (*m.*): *equipment
*pesi, i (*m.*): *weights
*sala-corsi, la (*f.*): *rooms for lessons
*corso (di gruppo in palestra), il (*m.*): *course, lesson (group ones in a gym)
*punto a favore, il (*m.*): *a point in someone's favour
*locazione, la (*f.*): *location
*comodità, la (*f.*): *convenience
*di fatto: *actually

4

sotterraneo, il (*m.*): underground
capitare, *inf.*: happen
merito, il (*m.*): quality
nobile gioco, il (*m.*): noble game
tifoso, il (*m.*): fan, supporter
flauto dolce, il (*m.*): recorder
supporre, *inf.*: suppose
attaccare discorso, *inf.*: start a conversation
rallentare, *inf.*: slow down
curioso (*m.*): interesting
fatto a mano: handmade
variazione, la (*f.*): variation
sinceramente, *avv.*: honestly
rispettare, *inf.*: respect
non so se abbia reso l'idea: I don't know if I got the message across
tassista, il (*m.*): taxi driver
Stagirita, lo (*m.*): Stagirite (Aristotle)
come parlare al muro: like talking to a brick wall
concepire, *inf.*: understand
dare fastidio, *inf.*: get on someone's nerves

7

concordanza dei tempi, la (*f.*): verb tense agreement

E Attenti allo stress!

2

elaborato, *part. pass.*: compiled
psicologo, lo (*m.*, *pl.* gli pscicologi): psychologist
lite, la (*f.*): argument
familiare, il (*m.*): family member
trasloco, il (*m.*): moving house
perdita del lavoro, la (*f.*): losing your job
ricerca del lavoro, la (*f.*): looking for a job

3

*guardare in faccia la realtà, *inf.*: *face up to reality
*sebbene, *cong.*: *although
*malessere, il (*m.*): *unhappiness
*questioni legali e burocratiche, le (*f.*): *legal and bureaucratic issues
*nostalgia, la (*f.*): *nostalgia

*per via di: *because of
*duro, (*m.*): *hard-headed
*critica costruttiva, la (*f.*): *constructive criticism
*avere le idee chiare: *have a clear idea
*esame di ammissione, l' (*m.*): *admissions test
*a numero chiuso: *limited enrolment
*stereotipo, lo (*m.*): *stereotype
*attaccato alla famiglia: *attached to the family
*telefonicamente, *avv.*: *by phone
*soffrire, *inf.*: *suffer

5

congiunzione, la (*f.*): conjunction
benché, *cong.*: even though
a condizione che, *cong.*: on the condition that
basta che, *cong.*: as long as
purché, *cong.*: provided that
senza che, *cong.*: without
prima che, *cong.*: before
affinché, *cong.*: so that
nel caso in cui, *cong.*: in the event that

6

divorziato, (*m.*): divorced

F Vocabolario e abilità

3

ultimamente, *avv.*: recently
ingrassare, *inf.*: put on weight
pigro, (*m.*): lazy
inventare delle scuse, *inf.*: make excuses

4

sport più seguito, lo (*m.*): the most popular sport
fenomeno sociale, il (*m.*): social phenomenon
tuttavia, *cong.*: however

Conosciamo l'Italia

Lo sport e gli italiani: non solo calcio e divano

1

in prima pagina: on the front page
under 35, gli (*m.*): under 35s
colosso, il (*m.*): giant
rivelare, *inf.*: reveal
attrezzature sportive, le (*f.*): sports equipment
praticante, il/la (*m./f.*): people who do the sport
decennio, il (*m.*): decade
aerobica, l' (*f.*): aerobics
primo in classifica, il (*m.*): first place
costante, (*m./f.*): continual
raddoppiare, *inf.*: double
influire, *inf.*: has an influence on

analizzare, *inf.*: analyse
condizione professionale, la (*f.*): professional situation
emergere, *inf.*: emerges
occupato, l' (*m.*): workers
riscontrarsi, *inf.*: find, observe
casalinga, la (*f.*): housewives
squadra del cuore, la (*f.*): favourite team
Giro d'Italia, il (*m.*): Tour of Italy (an annual multiple stage bike race)
Gran Premio di Formula 1, il (*m.*): Formula 1 Grand Prix
fare il tifo per: cheer on
scuderia, la (*f.*): team
fascia di età, la (*f.*): age bracket
ultra 65enni, gli (*m.*): over 65s

Le paralimpiadi

4

Olimpiadi, le (*f.*): Olympics
atleta diversamente abile, l' (*m./f.*): disabled athletes
Giochi Olimpici, i (*m.*): Olympic games
sfidarsi, *inf.*: compete
abnegazione, l' (*f.*): self-sacrifice
collezionare, *inf.*: notch up
atleta paralimpico, l' (*m.*): Paralympic athlete
tenacia, la (*f.*): tenacity
visibilità mediatica, la (*f.*): media coverage
Comitato Paralimpico Internazionale, il (*m.*): International Paralympic Committee
incentivare, *inf.*: incentivise
avvicinare, *inf.*: attract
disabilità, la (*f.*): disability
pregiudizio, il (*m.*): prejudice
in prevalenza: mainly
federazione, la (*f.*): federation
avviare, *inf.*: run (as in organise)
sensibilizzazione, la (*f.*): awareness
inclusione, l' (*f.*): inclusion
ad hoc: ad hoc
problematica, la (*f., pl.* le problematiche): difficulties
percezione, la (*f.*): perception
calcetto, il (*m.*): five aside football
pallanuoto, la (*f.*): water polo
sport acquatici, gli (*m.*): water sports
sport invernali e su ghiaccio, gli (*m.*): winter sports and sports on ice
atletica leggera, l' (*f.*): track and field
danza, la (*f.*): ballet
ballo, il (*m.*): dance
pugilato, il (*m.*): boxing
lotta libera, la (*f.*): wrestling

scherma, la (*f.*): fencing
caccia e pesca, la (*f.*): hunting and fishing
bocce, le (*f.*): bowls
biliardo, il (*m.*): snooker
vela, la (*f.*): sailings

Autovalutazione

1

precisare, *inf.*: point out

4

intruso, l' (*m.*): odd one out

Quaderno degli esercizi
Unità 5

1

fare colpo su di lei: make a good impression
sbuffare, *inf.*: grumbles

3a

gridare, *inf.*: shout
gesticolare, *inf.*: gesticulate

3b

avere un bel senso dell'umorismo: have a good sense of humour
certamente, *avv.*: definitely
sordo, (*m.*): deaf

4

avere l'impressione: get the impression
sonno, il (*m.*): sleep
ritmi frenetici, i (*m.*): frenetic lifestyle

5

influenza, l' (*f.*): flu
convegno, il (*m.*): conference

7

mal di schiena, il (*m.*): backache

9

temere, *inf.*: to be afraid
lavori di ristrutturazione, i (*m.*): renovation works

10

azienda meccanica, l' (*f.*): mechanical firm

12

concorso pubblico, il (*m.*): public exam (in order to get a job in one of the state-owned bodies)
luna di miele, la (*f.*): honeymoon

13

posta indesiderata, la (*f.*): spam

14

passare l'esame con il massimo dei voti: pass an exam with top marks

15

dietologo, il (*m., pl.* i dietologi/dietologhi): dietician
staccare, *inf.*: unwind
isolarsi, *inf.*: isolate oneself
scettico (*m., pl.* scettici): sceptical
meditare, *inf.*: meditate

18

nutrizionista, il/la (*m./f.*): nutritionist
nutriente, (*m./f.*): nutritious
navigatore, il (*m.*): satellite navigation system

20

calo, il (*m.*): reduction
incremento, l' (*m.*): increase
stanchezza, la (*f.*): tiredness

22

avere cattive intenzioni: have bad intentions

23

I promessi sposi: I promessi sposi (a classic piece of literature by Manzoni)
tariffa telefonica, la (*f.*): phone tariff

24a

mettersi in gioco: get out there
porsi un obiettivo: set an objective
saper perdere, *inf.*: know how to lose
andare oltre i propri limiti: go beyond your limits
migliorare le proprie capacità: improve your abilities
sentirsi in dovere di: feel the duty to
*polso, il (*m.*): *wrist
*dita, le (*f.*): *fingers
*significativo (*m.*): *significant
*personalità, la (*f.*): *character
*esplosivo, (*m.*): *fiery
*inarrestabile, (*m./f.*): *unstoppable
*sperimentarsi, *inf.*: *become an expert in a field
*competitività, la (*f.*): *competitiveness
*assalto, l' (*m.*): *attack
*sistema di ancoraggio, il (*m.*): *harness system
*avambraccio, l' (*m.*): *forearm
*saldo, (*m.*): *firm
*aggancio, l' (*m.*): *clasp
*agganciarsi, *inf.*: *hook onto
*protesi di carbonio, la (*f.*): *carbon artificial limb
*sagomato, (*m.*): *shaped
*appositamente, *avv.*: *especially
*incastrarsi, *inf.*: *fit
*vincente, (*m./f.*): *winning
*che palle essere tutti uguali: *how boring being all the same

24b

indispensabile, (*m./f.*): indispensable

Unità 2
Soldi e lavoro

Pg.23

Unit Section	Vocabulary & Communicative Topics	Grammatical Structures
A Amici su cui contare	• Bank transactions • Banking services	• Relative pronouns (*che, il quale, cui*)
B Perché...?	• Asking why (different ways to formulate a question)	
C Egregio direttore...	• Reading and writing formal letters and emails • Salutations, greetings, and closings • Cover letters for job applications • Italian proverbs	• *Chi* as a relative pronoun
D In bocca al lupo!	• Looking for jobs	• Other relative pronouns • Combined pronouns
E Curriculum Vitae	• Preparing for a job interview • Reading job ads • Writing a Curriculum Vitae	
F Un colloquio di lavoro... in diretta	• Professions	• *stare* + gerund • *stare per* + infinitive
G Vocabolario e abilità	• Professions	

Conosciamo l'Italia:
L'economia italiana
From the postwar Economic Miracle to today. "Made in Italy."

▶ **Video episode:**
Lorenzo cerca lavoro
Video activities Pg.86

Authentic materials:
Ad for a banking product (Per cominciare... 2)
Messages from a column on employment: www.vivereelavoraremiami.com (D1, D2)
Job ads from *Trova lavoro - Corriere della sera* and www.subito.it (E5)
Article, *Alla BBC per un colloquio di lavoro. Va in diretta scambiato per l'ospite* from *la Repubblica* (F2)
Audio file of an interview with the assistant director of a bank (G3)

Unit Section	Vocabulary & Communicative Topics	Grammatical Structures

Unità 4
Un po' di storia Pg.55

Unit Section	Vocabulary & Communicative Topics	Grammatical Structures
A Roma la fondarono Romolo e Remo.	• Talking about history	• Historical past: regular verbs
B In che senso?	• Explaining or clarifying something • Contradicting something or someone	
C Medioevo e Rinascimento		• Historical past: irregular verbs (I)
D C'era una volta...	• Reading and writing fables or fairy tales	• Historical past: irregular verbs (II)
E E la storia continua...	• Roman numerals • Explaining historical events • Describe the chronology of historical events	• Historical present • Adverbs of manner (ending in *-mente*)
F Abilità	• Expansion activities focused on specific skills (listening, speaking, writing)	

Conosciamo l'Italia:
L'Italia: una società in continuo cambiamento
Episodes of Italian history.

 Video episode:
In giro per Roma
Video activities Pg.88

Authentic materials:

Reading, *Domus Aurea di Nerone* from www.beniculturali.it (A3)

Reading, *A sbagliare le storie* from *Favole al telefono* by Gianni Rodari (D1)

Readings A and B, *Il fascismo e la Seconda guerra mondiale* and *L'Italia del dopoguerra* from www.anpi.it (E3)

Audio file from a documentary about the history of Italian language (F1)

Unit Section	Vocabulary & Communicative Topics	Grammatical Structures

The new Italian project 2

[41']

Prima di... cominciare		
01	Comprensione 1a, b	

Unità 1	02	Per cominciare 3, A1
	03	B1, 2
	04	D1, 2
	05	Quaderno degli esercizi

Unità 2	06	Per cominciare 3, A1
	07	B2, 3
	08	C5
	09	E2, 3
	10	Quaderno degli esercizi

Unità 3	11	Per cominciare 3, 4, A1
	12	C2
	13	C3, 4
	14	Quaderno degli esercizi

Unità 4	15	Per cominciare 4, A1
	16	B1
	17	Quaderno degli esercizi

Unità 5	18	Per cominciare 3
	19	B1, 2
	20	D2
	21	E3
	22	Quaderno degli esercizi

You can also listen to the
audio files on i-d-e-e.it.

Pag.6: www.guideroma.com (*in alto a sinistra*), https://i.ytimg.com.it (*in basso a sinistra*); Pag.7: https://viaggi-nel-tempo.com (*2*), https://cdn.craispesaonline.it (*5*), https://i.pinimg.com (*6*), https://1.bp.blogspot.com (*7*), www.mitshopping.it (*9*), https://programma.sorrisi.com (*11*); Pag.8: www.repstatic.it (*in alto a sinistra*), www.viagginews.com (*in alto a destra*), https://immagini.quotidiano.net (*in basso a sinistra*), www.bartolinibaldelli.it (*in basso a destra*); Pag.16: https://img.over-blog-kiwi.com (*come stai?*), https://kbimages1-a.akamaihd.net (*che cosa...?*), http://i.cdn-vita.it (*cosa vuoi...?*), www.sololibri.net (*perché?*), https://i.pinimg.com (*quanti...?*), www.momarte.com (*quali...?*), www.bellacanzone.it (*chi...?*); Pag.17: https://mr.comingsoon.it (*a*), www.theromanpost.com (*b*), www.superguidatv.it (*c*), https://cc-media-foxit.fichub.com (*d*); Pag.27: https://scoprilavoro.it (*4*); Pag.36: www.webuildvalue.com (*in alto*). www.corriere.it (*in basso*); Pag.37: https://scontent.fath3-4.fna.fbcdn.net (*benetton*), www.agoraplus.com (*candy*), https://pngimage.net (*vespa*), https://logo-logos.com (*barilla*), https://upload.wikimedia.org (*illy*), https://upload.wikimedia.org (*ferrari*), https://cdn.shopify.com (*gucci*), https://lh3.googleusercontent.com (*generali*), https://d3hjzzsa8cr26l.cloudfront.net (*nutella*), https://logos-download.com (*luxottica*); Pag.40: https://www.adnkronos.com (*Venezia*); Pag.42: www.gaetataxiservice.it (*Napoli*); Pag.43: www.vocedinapoli.it (*Napoli*); Pag.46: www.puntarellarossa.it (*in alto a sinistra*), https://pbs.twimg.com (*in basso*); Pag.48: https://upload.wikimedia.org (*David*), https://cdn.freebiesupply.com/logos (*istituto superiore di sanità*); Pag.49: https://cdn.gelestatic.it (*R. Migliaccio*), https://cdn-img-a.facciabuco.com (*vignetta*), www.quantomanca.com (*family hotel*), https://notizieaffidabili.it (*maggiore età*), www.touringclub.it (*in basso a sinistra*), www.affittivacanzecrosina.com (*in basso a destra*); Pag.53: www.ilmattino.it (*Cristo velato*); Pag.55: www.frontierarieti.com (*a*), https://upload.wikimedia.org (*b*), www.oggi.it (*c*), www.segmentidistoria.com (*d*), https://upload.wikimedia.org (*e*); Pag.57: https://pbs.twimg.com; Pag.58: https://i.pinimg.com; Pag.59: https://i1.wp.com; Pag.60: www.visittuscany.com; Pag.61: https://images-na.ssl-images-amazon.com; Pag.63: https://oltrelalinea.news (*in alto*), https://upload.wikimedia.org (*in basso*); Pag.64: https://i.pinimg.com (*a sinistra*), https://milano.biblioteche.it (*a destra*); Pag.66: www.connessioniprecarie.org (*in alto*), https://lh3.googleusercontent.com (*in basso a sinistra*), https://incronaca.unibo.it (*in basso a destra*); Pag.67: https://img.ilfoglio.it (*a sinistra*), http://i.cdn-vita.it (*a destra*); Pag. 72: www.sportchianti.it (*b*), www.sicilymag.it (*d*), https://s3.amazonaws.com (*e*); Pag.73: https://immagini.quotidiano.net; Pag.75: http://mangiarebuono.it; Pag.76: https://lh3.googleusercontent.com (*in alto*), www.lapalestra.it (*al centro a sinistra*), www.asdpicchisangiacomofemminile.it (*al centro a destra*); Pag.77: www.google.com; Pag.81: https://germignagasport.com (*casco*), https://ilnuotatore.com (*occhialini*); Pag.83: www.sport24h.it (*1*), https://staticr1.blastingcdn.com (*4*); Pag.95: www.italiancinema.it (*cinema presentazione*); Pag.103: https://frapress.gr (*colloquio di lavoro*); Pag.105: https://citizen-problem-center-naoussa.hub.arcgis.com (*uomo al telefono*), www.adnkronos.com (*gruppo di ragazzi*); Pag.108: www.noixvoi24.it (*bancomat*); Pag.111: pinterest.com (*locandina film*); Pag.115: www.openpolis.it (*politecnico*); Pag.120: https://de.motor1.com (*donna in bicicletta*); Pag.120: https://www.asphaltandrubber.com (*uomo in moto*); Pag.123: https://flickr.com (*calciatori*); Pag.125 www.altoadige.it (*Plan de Corones, Italia*), www.airbnb.it (*casale di campagna*); Pag.126: www.mulinocaputo.it (*Pizza 1*), www.vocedinapoli.it (*Pizza 2*), www.booking.com (*alberghi*); Pag.138: (*Gianni Rodari*) https://www.lagazzettadisansevero.it; Pag.146: (*aperitivo*) Pinterest; Pag.147: www.24emilia.com; Pag.155: https://lemanigiuste.aifi.net (*Bebe Vio*).

By entertaining and motivating students, the objective of the game is to:

- use and solidify the linguistic content of the book
- transform the experience of the game into substantial learning and create a collaborative, inclusive and shared context
- make students more independent and allow them to be the protagonists

nuovissimo
PROGETTO
italiano
GIOCO DI SOCIETÀ
2

GIOCANDO S'IMPARA!

✓ 4 (+2) game formats to review and solidify what was learned in class

✓ 300 cards to use in class and motivate students while having fun

✓ Student's Book
✓ Audio
✓ Video

Interactive Book

nuovissimo
PROGETTO
italiano
2

Available on
i-d-e-e.it

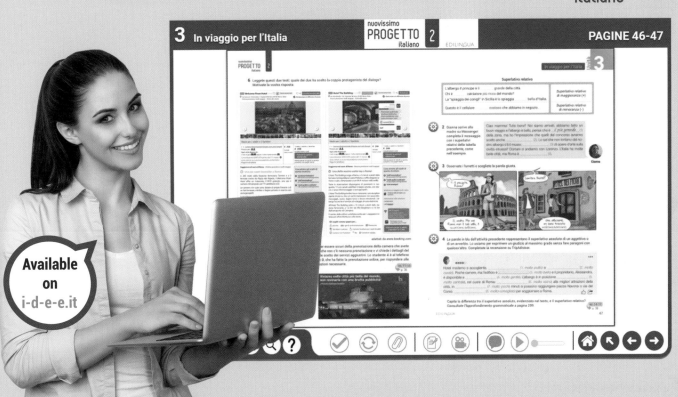

LA NUOVA PROVA ORALE 2

Material for conversation and preparation for speaking tests. Intermediate-advanced level (B2-C2)

La nuova Prova orale 2 maintains the same philosophy of the previous edition, but presents a new graphic layout and updated content. The goal is always to help students develop their speaking skills and prepare for successful language certification.

The book is organized in 4 sections:
- thematic units
- communicative tasks
- proverbs and aphorisms
- glossary

UNA GRAMMATICA ITALIANA PER TUTTI 2

Rules of use, exercises and exercise keys for foreign students. Intermediate (B1-B2)

Una grammatica italiana per tutti 2 – updated edition was made to respond to student's needs, difficulties and doubts. The volume consists in two parts:

- a **theoretical part** that takes into exam the structures of the Italian language in a clear and complete way, using a simple language and many examples taken from the everyday expressions.
- a **practical part**, with a wide range of exercises and the respective keys in the Appendix.

Una grammatica italiana per tutti 2 – updated edition presents a more appealing and clear layout, a greater variety of images and some targeted interventions in the grammar tables and exercises.

Collana Primiracconti

Easy readers for foreign students

Undici Racconti collects 11 short stories inspired by dialogues or topics of Nuovo Progetto italiano 2 and they are linked to the units of the course from a lexical and grammatical point of view.

Can you lose a car and find love again? Have you ever tried to eat a book? Where have the most beautiful fountains in Italy gone? The student is immediately involved in these short stories suspended between reality and fantasy, whose main characters are men and women with strange and unpredictable destinies ...